W9-BTD-514

Cómo hablar en público

Si todavía no está puntualmente informado de la aparición de nuestras novedades sobre libros empresariales, con sólo enviar su tarjeta de visita a:

EDICIONES DEUSTO
Servicio de Promoción
Barraincúa, 14
48009 BILBAO
☎ (94) 423 53 08*

recibirá periódicamente, sin compromiso alguno por su parte, información detallada sobre los títulos recién editados.

Cómo hablar en público

(incluye un compendio de modelos de discursos y de anécdotas para contar)

Greville Janner

EDICIONES DEUSTO S·A·
Madrid/Barcelona/Bilbao

PN 4121 .J2518 1986
nner, Greville.
o hablar en público

Única traducción autorizada al castellano de la
obra *Janner's Complete Speechmaker* publicada
en lengua inglesa por la editorial Business
Books, de Londres.
Reservados todos los derechos. Queda prohibido
reproducir parte alguna de esta publicación, cualquiera que sea el medio empleado —mecánico,
fotográfico, magnético, electrónico, etc.—, sin el
permiso previo de los titulares de los derechos de
propiedad intelectual.

© De la obra: Greville Janner
© De la versión castellana: Ediciones Deusto, S. A.
                                     Barraincúa, 14
                                     48009 Bilbao

I.S.B.N. : 84-234-0622-9
Depósito Legal : BI-338-91

Impreso en España

A la memoria de mi padre
Barnett Janner
Lord Janner, de Leicester

ÍNDICE

INTRODUCCIÓN

La habilidad para hablar en público es fundamental para alcanzar el éxito en la vida profesional o social. En este terreno, si no se sabe dónde se pisa, acaba uno cayéndose de espaldas. El presente libro tiene como objeto el demostrar que la mejor forma de hablar en público con firmeza, claridad y éxito es acostumbrándose a pensar mientras se habla. De la lectura de esta obra, obtendrá usted la mayor cantidad de ayuda práctica con el mínimo esfuerzo. Está basada en toda una vida de experiencias en el trato con auditorios enormemente variados y en multitud de discursos y presentaciones en numerosos países del mundo.

El libro se divide en tres secciones de distinto carácter. En la primera se describen los puntos básicos del arte de hablar en público (cómo construir y pronunciar el discurso, tipos de público y de ocasiones para hablar, ayudas técnicas), es decir, toda la gama de conocimientos y recursos fundamentales que constituyen la base instrumental de un orador cualificado.

Pronunciar un discurso ante colegas o empleados de la empresa, ante accionistas, familiares o votantes, exponer un proyecto comercial, presentar a un invitado ante una audiencia o anunciar los premios anuales de un colegio son actividades que requieren en esencia la misma técnica oratoria. Bien es verdad que la aplicación de esta técnica varía de forma decisiva en cada caso. La sección I se ocupa de todas estas cuestiones.

Es posible que en alguna ocasión se vea en la necesidad de presidir algún tipo de acto público, desde un mitin masivo hasta una reducida reunión de un comité de empresa. En esta misma sección se exponen las normas para desempeñar adecuadamente el papel de presidente.

La sección II contiene una selección de modelos de discursos para distintas ocasiones. Algunos de ellos reproducen los momentos culminantes de los discursos de varios oradores famosos. Es interesante leerlos y releerlos, analizarlos e imitarlos, sabiendo que sus palabras llegaron a cautivar a sus respectivos auditorios. Otros de estos discursos constituyen modelos modernos de oratoria, y deben utilizarse como «precedentes». Le serán muy útiles para salir airoso cuando tenga que hablar en público y también para reducir al mínimo las posibilidades de quedar enmudecido ante el auditorio.

Por último, en la sección III ofrezco un compendio de mis anécdotas favoritas para contar ante un auditorio. Después de haberme visto obligado a escuchar a miles de oradores, muchos de ellos terriblemente aburridos, he conseguido acumular con gran paciencia más de 500 historietas espléndidas. Me he servido de todas ellas para provocar risas, reacciones o emociones. Aquí se encuentran mis preferidas: historietas, bromas y chistes expresados con un lenguaje ágil e ingenioso, que han servido para deleitar a la gente y, sobre todo, para motivar la risa, la alegría o la reflexión en relación con mi persona o con la de los demás.

El efecto del Taj Mahal iluminado por la luna, el del brillo del amanecer sobre el palacio de Westminster o el de la luz jugando y cambiando sobre cualquier otro gran edificio, nunca parece el mismo la segunda vez que se ve. Cuando consultamos la Biblia y reelemos nuestras historias favoritas, las palabras adoptan siempre nuevas formas y significados. Del mismo modo, si utiliza mis anécdotas ante público o auditorios diferentes (o incluso ante el mismo público, pero en una situación distinta), podrá comprobar que sus reacciones varían en cada momento, como si los rostros de quienes le escuchan reflejaran su propio estado de ánimo.

Para ello deberá seleccionar y adaptar dichas historias a su forma de ser y a su estilo, y también al carácter de sus «víctimas» y a sus formas de reaccionar. Con un poco de esa buena suerte que siempre necesita un orador, aunque sólo esté asegurada en algunas felices e imprevisibles ocasiones, estas anécdotas le proporcionarán un auténtico tesoro de recursos con el que enriquecer sus intervenciones.

Al iniciar la revisión de la segunda edición inglesa descubrí que el trabajo y el texto que había realizado en el pasado ya no me agradaba como antes. El estilo cambia. Había que añadir nuevos capítulos y frases y algunos párrafos y secciones debían eliminarse.

Pero lo más importante fue que las «anécdotas para contar» fueron sometidas al ojo crítico y a la despiadada pluma de mi hija Marion. Ella y yo hemos discutido la validez de cientos de estas historias. Se descartaron todas las que en su opinión eran absolutamente impresentables, mientras que varios centenares de ellas fueron seleccionadas y aprobadas.

Tras la revisión, mis remozadas «anécdotas para contar», con sus nuevos títulos, ideas e índices, constituyen el producto del esfuerzo común de padre e hija, aunque se presentan según el esquema habitual: la responsabilidad sobre cualquier error pertenece sólo a la generación de mayor edad...

En consecuencia, quiero aprovechar la ocasión para mostrar mi agradecimiento hacia Marion y hacia todos aquellos que han contribuido al éxito de la presente versión, incluidas las personas que han dado su consentimiento a la nueva publicación de sus citas (sus nombres aparecerán oportunamente). Gracias también a todos aquellos, y son muchos, cuyos discursos me han proporcionado los ejemplos (buenos y malos, valiosos y cómicos, exquisitos o tristes) que me han servido para aprender y componer mis anécdotas.

Por último deseo hacer llegar mi gratitud a los alumnos y colaboradores a los que he enseñado las artes gemelas de presentar y hablar en público; ellos me han ayudado a desarrollar gran parte del material de este libro y de otras de mis publicaciones, como *Janner on Presentation* y *Janner's Complete Letterwritter.*

Por último, me gustaría que usted, lector, pueda experimentar en numerosas ocasiones esa maravillosa sensación de volver a casa, después de haber hablado en público, con la certeza de que su discurso fue un éxito, que su mensaje fue correctamente expresado y que el auditorio quedó cautivado y satisfecho.

GREVILLE JANNER

Sección I

Cómo hablar en público

PARTE 1

EL DISCURSO: ESTRUCTURA Y CONTENIDO

Introducción: Cómo pensar estando de pie

Un conocido abogado norteamericano llamado Louis Nizer escribió, hace tiempo, un libro titulado *Thinking on Your Feet* («Cómo pensar estando en pie»). Fue el mejor libro publicado hasta entonces en este campo. En su título se resumía la clave para tener éxito al hablar en público: la capacidad para poner en funcionamiento la mente y la lengua de forma ordenada, al tiempo que se mantiene erguido el cuerpo.

En cierta ocasión, un famoso presidente norteamericano declaró que su sucesor era tan estúpido que ni siquiera era capaz de andar y mascar chicle al mismo tiempo (hay quien dice que la frase original fue aún más ofensiva, pues en ella se afirmaba que el desafortunado sujeto era incapaz de andar y ventosear simultáneamente...). Si al hablar en público su mente queda en blanco, puede leer las palabras en el papel que tiene delante, pero le será imposible adaptarlas al talante del auditorio y a sus reacciones. El público reaccionará, pero usted no, y así no podrá tener éxito.

Su fracaso será total si intenta inculcar a la fuerza sus ideas o propuestas en la mente del auditorio. Cuando su discurso se lo hayan escrito otros, difícilmente podrá conseguir que parezca auténticamente suyo; de hecho cualquier interrupción le hará perder el hilo. Será incapaz de captar ideas o sugerencias del ambiente que le rodea, de referirse a los discursos anteriormente pronunciados, o a los oradores que aún no hayan hablado... Su discurso habrá perdido toda espontaneidad, encanto y efectividad.

Para evitar estas deficiencias, presentamos a continuación un conjunto de técnicas que permiten pensar mientras se habla, un arte fundamental para hablar en público con éxito.

1. La estructura de un discurso

El espíritu humano puede vivir, desarrollarse y despertar la admiración de los demás, incluso aunque el cuerpo sea débil, feo o deforme. Algunas mentes brillantes pueden captar y mantener la atención de un auditorio con una oratoria complicada y deficientemente construida. El sentido y la sinceridad son tan evidentes que todo lo demás se perdona.

Sin embargo, para el hombre de negocios que desea pronunciar un discurso práctico, para la persona normal que debe afrontar una alocución especialmente importante, o para el orador tímido o inseguro que se ve obligado a hablar en público, la estructura del discurso tiene una importancia vital.

Hay que construir la estructura, revestirla con pensamientos agudos y, por último, ponerse a hablar. Si no se cuenta con una estructura consistente, el discurso se derrumbará en su totalidad. Por eso, incluimos aquí las normas necesarias para conseguir una oratoria bien construida.

Todo discurso puede dividirse en tres partes: la apertura, el cuerpo y la conclusión. Las analizaremos una por una.

La primera y la última frase del discurso son fundamentales. Nunca debe subestimarse la importancia que tiene la claridad, la resonancia y el impacto de la primera frase, así como el desarrollo bien articulado del epílogo. Hay que captar la atención del público desde el principio y concluir dejando una buena sensación. Por eso, cuando construya la estructura de un discurso será necesario dedicar algún tiempo a «pulirlo» y «rematarlo». Muchos oradores experimentados copian en un papel las frases de apertura y conclusión, y dejan el resto sin prefijar.

Imaginemos ahora que usted ha iniciado su comunicación con su auditorio. Ya ha expresado su agradecimiento por la invitación a hablar, ha hecho algunas alusiones a cuestiones de actualidad, ha formulado algunas observaciones personales, algunos comentarios jocosos y los saludos de rigor a los viejos amigos. Ahora se inicia la parte sustancial del discurso, sea éste del tipo que sea. Sus palabras deben fluir.

Al igual que los buenos libros y artículos, la mayoría de los buenos discursos comienzan su parte sustancial con un párrafo introductorio general que resume lo que se va a decir. Este párrafo capta la atención del auditorio e indica el hilo del pensamiento del orador. A continuación deben ordenarse las ideas de forma secuencial, sucediéndose unas y otras con arreglo a una estructura lógica.

Del mismo modo que cada hueso del cuerpo humano se engarza con los que están a su lado, así deben ensamblarse también las ideas en una alocución verbal. El flujo de ideas tiene que seguir un ritmo. Los conceptos desvinculados, los pensamientos dislocados y las teorías desarticuladas constituyen el signo de un discurso deficiente.

Así pues, hay que anotar los puntos que se desea exponer y, a continuación, clasificarlos en un orden lógico, de forma que fluyan sucesivamente uno de otro. Se pueden relacionar, si se quiere, con un tema general. Comience con ese tema y desarróllelo después, punto por punto.

Supongamos, por ejemplo, que está usted explicando las virtudes de un nuevo producto al personal de su departamento de ventas. Comenzará de la forma habitual, pidiendo silencio, sonriendo, mirando a su auditorio, y diciendo: «Señoras y señores, miembros del departamento de ventas de la empresa X... Es un placer verles hoy aquí, a pesar de nuestro disgusto por privar de los buenos servicios de todos ustedes a los clientes de la empresa...». Se dirige al señor Y y al señor Z, llamándoles por su nombre, y les felicita por sus éxitos. Intenta que su auditorio se sienta a gusto. Les cuenta un chiste o una anécdota y a continuación entra de lleno en materia.

«Les he reunido hoy para presentarles nuestro nuevo producto» (el tema se anticipa en una sola frase). «Nuestro departamento de investigación lo acaba de elaborar y ahora ustedes deben venderlo. Si comprenden y explotan todas sus posibilidades, no sólo incrementarían los beneficios de la empresa, sino que podrán aumentar, considerablemente, sus propios ingresos.»

El mensaje debe personalizarse. Sus palabras han de representar un auténtico estímulo para los que le escuchan. Tiene que despertar el interés por lo que se va a decir a continuación.

Ahora comienza el discurso propiamente dicho. En primer lugar, denomine y describa al producto en términos generales. Después haga una descripción más detallada, preferiblemente con la ayuda de diagramas, transparencias o diapositivas. Continúe con las características de venta, enumerándolas una por una: «Las siguientes características son totalmente nuevas...» Enúncielas y explíquelas con detalle. «Estas otras características se han mantenido, pues son demasiado valiosas para que se pierdan...» (mantenga, una vez más, la secuencia lógica).

«Así pues, señoras y señores, ya tenemos nuestro nuevo producto y ustedes han sido los primeros en verlo. La semana que viene recibirán los folletos y demás documentación comercial. Sus clientes podrán disponer del producto hacia el día... Lo demás corre de su cuenta. Les deseo toda clase de éxitos».

Estas mismas reglas estructurales pueden aplicarse a cualquier otro tipo de discurso. Cuando tenga que decir unas palabras en memoria de un compañero fallecido, o para felicitar a un empleado por el 25 aniversario de su entrada en la empresa, cuando se vea obligado a pronunciar un discurso de sobremesa o a arengar a los trabajadores en la puerta de la fábrica, en cualquier circunstancia y en cualquier lugar donde tenga que hablar en público, recuerde que si la estructura del discurso es firme y consistente, aunque su cuerpo no sea todo lo fuerte que debiera ser, los receptores del mensaje lo captarán a la perfección y no se darán cuenta de las deficiencias. Por el contrario, si olvida la estructura, el discurso resultará confuso y no conducirá a nada bueno.

2.   En el principio...

«En el principio, Dios creó los cielos y la tierra». Esta frase constituye el maravilloso comienzo del libro más vendido del mundo.

Ahora, tome en sus manos cualquier periódico nacional. Al leer la primera frase de una noticia comprobará que ha captado su atención, excitando su interés e impulsándole a continuar leyendo. En esa frase se concentra la esencia del tema que se va a tratar.

Si consulta con algún escritor o periodista, éste seguramente le explicará que la preparación de la primera frase le suele llevar tanto tiempo como la elaboración del resto del trabajo. Un buen comienzo es vital para cualquier presentación, sea escrita u oral.

A diferencia de lo que sucede con el escritor, el orador tiene la oportunidad inicial de pronunciar algunas palabras destinadas a calibrar la acústica del local y a preparar al público para que escuche la alocución. Estas palabras no deben emitirse de manera precipitada. Habrá que decir: «Señoras»... pausa «y»... «señores» y no «Señoras-y-señores». Mire a su alrededor y deje que el auditorio fije su atención en usted y se concentre en sus palabras.

El siguiente paso es iniciar la relación con el público. Refiérase a algún aspecto de la presentación que hayan hecho de usted o a algún tópico que sea de especial interés para las personas que le escuchan.

Mi distinguido padre, a cuya memoria va dedicado este libro, fue miembro del Parlamento durante unos treinta años en total y después recibió el título de par del reino. Con frecuencia, cuando me veía en la circunstancia de ser presentado en público (como aún sucede en la actualidad) se refería a mí mediante la conocida y bien intencionada fórmula de: «Les presento al distinguido hijo de un distinguido padre». Para estos casos tengo una frase de apertura que nunca falla: «En nombre de mi difunto padre y en el mío propio, expreso aquí mi agradecimiento por su amable presentación. Cuando mi padre aún vivía y trabajaba, solíamos recibir invitaciones para actos públicos en las que nuestros nombres aparecían cambiados el uno por el otro. Enmarcada en la habitación más pequeña de mi casa, conservo como una joya una carta cuya dirección reza: «Para el muy honorable Lord Greville Janner, consejero del reino y miembro del Parlamento, Cámara de los Comunes, Londres». El texto comienza así: «Estimado señor o señora...». Está claro que el que lo escribió no quería correr ningún albur...

Escuche a cualquier orador experimentado y comprobará que siempre tiene algún recurso propio para comenzar sus discursos; al comienzo de mis «Anécdotas para contar» encontrará varias de mis favoritas.

Una vez que haya conectado con las personas que le escuchan y se haya asegurado de que están interesadas en lo que les va a decir y de que no se están aburriendo con su presentación, entonces, y sólo entonces, podrá sacar a la luz el núcleo de la exposición. Su primera frase debe ser similar a las que se emplean en los libros y periódicos, orientada con precisión hacia el tema que se va a tratar. He aquí algunos ejemplos tomados al azar de la primera página de un periódico:

— «Cuando la Primer Ministro regrese esta noche de su viaje por diversos países extranjeros, se encontrará con su Gabinete visiblemente enfrentado en relación con la controvertida decisión de...».
— «La lanzadera espacial norteamericana Challenger fue puesta de nuevo en órbita ayer para realizar una misión de ocho días de duración...».
— «El Consejo del Carbón clausuró ayer una mina que había sido uno de los principales centros de resistencia de la Unión Minera...».
— «La British American Tobacco anunció ayer el abandono de su sistema de distribución mediante venta directa a detallistas en Gran Bretaña, lo que supondrá una pérdida de más de 1.800 puestos de trabajo, principalmente en Liverpool...».

Usted podría comenzar cualquiera de aquellas frases con las siguientes fórmulas: «¿Sabían ustedes que...?», «Es fundamental para nuestra empresa (o sector) que reconozcamos el hecho de que...», «Nuestro periódico local (o gremial) anuncia hoy mismo en su primera página...».

El velocista que hace una mala salida difícilmente puede llegar el primero a la meta. Del mismo modo, el orador que se equivoca en el principio de su alocución tendrá graves problemas para llegar con éxito al final.

3. La conclusión

Lo mejor para conseguir un buen discurso es terminarlo bien. Nada resulta más ruinoso que acabar la intervención con un débil hilo de voz o con un inseguro «Muchas gracias». Al preparar el final hay que poner el mismo cuidado que se puso al principio. Veamos algunos ejemplos típicos de discursos mal acabados:

— El señor Brown pronuncia rápidamente sus últimas frases, recoge sus papeles y se desliza casi a escondidas hacia su asiento.

— El señor Black termina su charla en lo que parece ser el centro de una frase o la cúspide de un anticlímax.

— El señor Grey, a quien se le han asignado 30 minutos para hablar, termina su exposición a los 20, pero está decidido a «no defraudar a la concurrencia» y repite varias veces: «Para concluir», «finalmente», «antes de terminar», «por último», «para acabar con», haciendo creer una y otra vez a su audiencia que, por fin, va a concluir.

— El señor Green cree que está contando una novela por entregas y finalmente deja a su audiencia en suspense al pasarse del tiempo que tenía asignado, ponerse nervioso y olvidar la exposición de su propuesta, que constituía el único objeto de su discurso.

— El señor Blue comprende que no podrá acabar la charla que había preparado en el tiempo que le queda si sigue hablando a la misma velocidad. En consecuencia, deja de lado el guión y comienza a hablar casi sin respirar, perdiendo así el contacto con su auditorio, que es incapaz de seguirle.

— El señor Dark olvida que un epílogo debe ser breve y lo alarga interminablemente, adornando las ideas que expuso en el cuerpo de su discurso y añadiendo otras nuevas a guisa de resumen de lo dicho anteriormente.

¿Qué es entonces lo que hay que hacer para concluir bien un discurso? El final tiene que constituir el compendio de lo que se ha dicho y, en la mayoría de los casos, debe incluir los siguientes elementos:

— un resumen, concentrado en una o dos frases, del contenido principal del discurso;

— alguna propuesta o resolución que se deduzca del cuerpo del discurso, y

— un llamamiento de apoyo a lo que se ha expuesto o unas cálidas palabras de agradecimiento.

Si se unieran las partes final e inicial de un discurso, ambas tendrían que contener los puntos esenciales de la exposición. La apertura indica lo que se va a decir; la conclusión resume lo que se ha dicho.

Citamos a continuación algunos ejemplos de fórmulas satisfactorias de conclusión:

— «Como hemos visto, este proyecto ofrece grandes posibilidades para nuestra empresa. Para llevarlo a buen fin debemos emprender decididamente el camino que he sugerido. Les pido a todos ustedes que apoyen la propuesta y contribuyan a que su puesta en práctica sea lo más eficaz y urgente posible».

— «De esta forma, señor presidente, concluye mi argumentación. He intentado sugerir las acciones que debería emprender esta empresa en la actualidad. Estoy convencido de que si mi propuesta se aprobase y se pusiera en práctica de manera inmediata la situación financiera de la empresa cambiaría. Confío en que nadie votará en contra. Me atrevo a decir, señor presidente, que esta propuesta nos brinda la mejor salida posible de nuestras dificultades».

— «Como hemos visto, esta empresa se encuentra en grave peligro. La única salida está clara. La acción que propongo podría transformar la situación. Les doy las gracias a todos ustedes por haber escuchado con tanta atención mis argumentaciones. Les pido por favor que no las rechacen».

— «No hay, por tanto, necesidad de desesperarse. El futuro ofrece grandes oportunidades. Sin embargo, no sólo tenemos que decidir la puesta en práctica del procedimiento sugerido en mi resolución, sino que debemos conseguir un apoyo activo e inmediato por parte de todos para llevar adelante las medidas pertinentes. Propongo por tanto que...».

— «Éstas son las posibilidades que tenemos, y sólo una de ellas entraña realmente alguna esperanza de auténtico éxito. Es deber de este Consejo proteger y fomentar los intereses de nuestros accionistas. Este deber sólo puede cumplirse si las medidas que se adopten se ajustan a la propuesta aquí defendida. Les animo a todos a que la apoyen decididamente, con entusiasmo y sin reservas».

*   *   *

Son muchos los caminos que conducen a Roma, y también son innumerables las formas de construir el final de un discurso. Olvídese de viejas fórmulas, como por ejemplo: «Mi tiempo se está acabando...», o aún peor: «Veo que empiezan a cansarse...», «No quiero aburrirles por más tiempo...». Debe hacer un resumen de su discurso y agregar un llamamiento pidiendo ayuda, dinero, comprensión, etc.

Otros finales recomendables serían los siguientes:

— «Y de este modo, señor presidente, concluyo como empecé: con mi agradecimiento más sincero por su amable hospitalidad».

— «Señoras y señores, ha sido un placer estar con ustedes. Espero que mis palabras hayan contribuido a promover la causa por la que ustedes luchan y en la que yo, al igual que ustedes, creo con plena firmeza. A todos ustedes, señor presidente, señores vicepresidentes, ejecutivos, socios y trabajadores, les deseo el mayor éxito posible en su gran empresa».

— «Concluye así nuestro congreso. Para mí ha sido una grata experiencia poder reunirme con todos ustedes. Espero que volvamos a vernos en otras muchas ocasiones, tan venturosas e interesantes como ésta. Por lo demás, estoy seguro de que mis sentimientos coinciden con los suyos al expresarles mis deseos de que tengan un buen viaje de regreso y de que consigan el mayor de los éxitos en su actividad profesional».

— «Sé que las opiniones que acabo de expresar no son universalmente aceptadas. Pero también sé que nunca podría hacer otra cosa que no fuera decir lo que pienso, y eso es lo que he hecho, de la forma más real posible. No obstante, sea cual fuere la decisión que tomen, quisiera expresarles mi reconocimiento por la amable atención que han prestado a mis palabras, así como mi deseo de un brillante futuro a esta organización».

Muchas personas terminan diciendo: «Muchas gracias», o «Buenas noches». Sin embargo, es mejor acabar de un modo más efectista, con una última frase potente, que excite al público y propicie un sonoro aplauso.

A continuación no se precipite hacia su asiento, ni se deje caer pesadamente en la butaca para encender nerviosamente un cigarrillo. Como cualquier actor experimentado, espere el aplauso. En caso de que éste se produzca, sonría o incline la cabeza en señal de agradecimiento. Si no hay aplauso, mire fijamente a su auditorio. Aguarde un instante y siéntese. El final de su discurso tiene que ejercer un impacto tan sólido como su comienzo.

4. Ingenio y humor

El trabajo de los actores es difícil. El actor que es famoso por su ingenio puede hacer reír a su audiencia (si ésta se encuentra dispuesta a ello) con cosas que en sí no tienen demasiada gracia. Parte de la habilidad de todo orador consiste en dejar que su audiencia intuya lo que se avecina... en llevarla habitualmente hacia el clímax... en prepararla para que reaccione de la forma deseada.

El orador ingenioso siempre cuenta con la predisposición del público. Tan pronto como llega al escenario, al estrado o al micrófono, mueve la cabeza o realiza cualquier otro gesto conocido, el auditorio comienza ya a retozar de risa. Si empieza a hablar refiriéndose a su suegra, contando un chiste conocido, o simplemente incluye alguna frase tópica, el público se troncha de risa.

Pero comente esto con algún humorista famoso, y descubrirá enseguida el cuidado con que prepara sus chistes más «espontáneos»; este humorista atestiguará que el público (cualquier público) es enormemente voluble e imprevisible, y que incluso las anécdotas o chistes mejor hilvanados pueden «descoserse» en cualquier momento. Entonces comprenderá, si no lo sabe ya, que una de las habilidades más difíciles de adquirir es la de hacer reír al auditorio. Si el camino se presenta arduo para los humoristas más experimentados, para el principiante es, lógicamente, mucho más difícil.

La falta de sentido del humor constituye siempre una desventaja para la persona que habla en público. Una observación ingeniosa casi siempre gana el aprecio del público. Cuanto más largo es el discurso, más importante será el toque humorístico. Cuanto más serio es el problema tratado, más necesario será solazar un poco al auditorio con rasgos de ingenio a la vez discretos y elegantes.

El sentido del humor es un arma que todo orador debe tener siempre a su disposición.

El humor debe adaptarse al público y a la ocasión, y esto es especialmente importante en el caso del humor verde, grosero o vulgar. Nunca hay excusa para lo obsceno. Sin embargo, un toque picante hace a veces más sabrosa las comidas. ¿En qué circunstancias?

Naturalmente, para contar chistes verdes el lugar apropiado es una reunión de hombres. Por el contrario, en reuniones solemnes o serias el humor grosero sólo da pie al desprecio general. Entre ambos extremos se abre todo un abanico de posibilidades. Usted debe juzgar por sí mismo cada ocasión. En caso de duda, lo mejor es evitar el humor verde.

Recomendaciones similares deben hacerse para las anécdotas o chistes relacionados con dialectos o peculiaridades locales. Puede bromearse con el acento de los miembros de determinada comunidad o con la forma de ser de los judíos, pero por lo general, hay que evitar las imitaciones en tono de burla. Las únicas personas que pueden bromear sobre estas cuestiones, sin correr riesgos innecesarios, son precisamente las que pertenecen al grupo satirizado.

Los judíos, los escoceses, los chinos o los negros se pueden divertir con historias *relacionadas con ellos,* pero lo harán sobre todo cuando son *ellos mismos* quienes las cuentan.

Si ha tenido oportunidad de conocer a personas de raza judía, por ejemplo, habrá comprobado enseguida la afición que tienen de burlarse cruelmente de sus propias manías. Gran parte de la fortaleza de este pueblo, adquirida a lo largo de siglos de persecución, radica en su habilidad para hacer brillar el humor por encima de los sufrimientos. Nadie disfruta tanto con los chistes antisemitas como los propios judíos. Sin embargo, en este caso el masoquismo es razonable. *Volenti non fit injuria,* es decir, nadie puede quejarse del daño que se inflige a sí mismo voluntariamente. No podemos hacernos daño a nosotros mismos cuando bromeamos sobre nuestros propios defectos.

Por el contrario, el sadismo siempre es desagradable, de tal forma que hasta la más mínima insinuación en este sentido resultará dañina. Las minorías pueden considerarse a sí mismas como objeto de broma, pero la gracia se pierde cuando las sátiras proceden de otras bocas distintas de la suya.

Por eso hay que evitar el humor fácil a costa de los demás. Muchos de los mejores y más apreciados chistes son los que se refieren a uno mismo.

Por otro lado, este tipo de bromas está muy visto, pero, como señaló un famoso humorista, «básicamente sólo hay dos chistes, el de la suegra y el de la cáscara de plátano». Lo que hay que hacer es saber adaptar cada chiste a cada ocasión y a cada público.

La mejor forma de adaptar el sentido del humor a cada ocasión es captar los aspectos jocosos del ambiente y del público presente. ¿Cómo se consigue comunicar estos aspectos? Veamos algunas posibilidades.

En primer lugar, hay que dar la impresión de que se tiene una absoluta confianza en uno mismo. Es un error decir: «Quería contarles una historia sobre...», y narrarla a continuación con inseguridad y casi excusándose por ello. Tiene que creer en su propio sentido del humor, pues de lo contrario nunca podrá provocar la risa de su auditorio.

Esta confianza en uno mismo debe mantenerse siempre, incluso cuando se está ante las puertas del fracaso. No se preocupe si la gente no se ríe con alguno de sus chistes. Haga como si no hubiera pretendido ser gracioso y prosiga con seguridad. O, por el contrario, enfréntese a la situación y afirme: «Lo siento... no ha sido un chiste muy bueno, ¿verdad? No importa. Por cierto, ¿conocen aquel de...?» Otra posibilidad es decir: «Siento que no les haya gustado. Lo haré mejor la próxima vez. No obstante, deben ustedes admitir que después de una comida como ésta sería el colmo del sadismo pretender que alguien pueda hacerles reír».

La elección del momento y la forma más oportuna es de suma importancia. Esto significa que el chiste, la observación ingeniosa o el golpe humorístico deben estar bien situados en relación con el discurso, el contenido de la charla o conferencia y el estado de ánimo del auditorio. Pero esa elección significa, sobre todo, que el chiste debe contarse con el ritmo adecuado, con el énfasis correcto y con las pausas apropiadas...

Escuche con atención a un humorista de categoría. Buena parte de la efectividad de sus chistes se debe a su oportunidad: sabe cuándo hay que esperar y cuándo hay que darse prisa. Estudie a los maestros e imítelos.

Algunos oradores tienen un cuaderno con los chistes, observaciones o anécdotas humorísticas que han contado con éxito alguna vez y que, por tanto, no querrían olvidar. Se puede conseguir una buena reserva de recursos humorísticos anotando los chistes más afortunados en el dorso de la carta del menú o en una página de la agenda. Además, con estos apuntes también puede conseguirse el efecto contrario, evitando el grave error de contar la misma historieta dos veces seguidas ante idéntico público.

Esta fatídica circunstancia puede evitarse consultando a alguna persona de confianza que le haya escuchado en otras ocasiones. «Estoy pensando en contar tal o cual anécdota», le dice al moderador, antes de iniciar su charla; «¿la conoce?». Si le dice que no, entonces lo más probable es que pueda contarla sin problemas. En caso de que el moderador la haya oído en otra ocasión, intente averiguar si la contó ante ese mismo público. En caso de duda, descártela.

El propósito de los chistes es que los demás se rían con ellos. Si se ríe usted de sus propios chistes, éstos perderán efectividad ante su auditorio.

Los mejores chistes y anécdotas humorísticas concluyen con una chispa jocosa. La risa se va acumulando y el público se contiene para soltar la carcajada en el último momento. No obstante, si la historia comienza con una primera chispa y después continúa normalmente hasta concluir con un desenlace inesperado, el éxito será total.

Aunque la anécdota no humorística tiene su lugar en un discurso, son mucho más importantes la frase brillante, el comentario ingenioso o la observación graciosa. Si usted no puede hallar el chascarrillo adecuado para una ocasión determinada, no se preocupe. En el transcurso de su discurso pueden ocurrírsele algunas ideas humorísticas. De no ser así, asegúrese al menos de que su exposición resulte más corta de lo que hubiera sido, de haber podido iluminar sus partes oscuras con unas cuantas chispas de buen humor.

Por último, estudie mis «Anécdotas para contar» (sección III). Utilícelas y adáptelas a su propio carácter, a las distintas ocasiones y a los diferentes públicos.

5. Las exageraciones

La hipérbole, es decir, la exageración efectista de lo que se dice, es un recurso válido que suele ser muy empleado por los humoristas. Describir a un hombre delgado no tiene ninguna gracia, pero referirse a un hombre con aspecto de palillo, a un pellejo y huesos, a una cabezota sobre una estructura insignificante, puede tener un efecto muy diferente.

La exageración deliberada sólo debe utilizarse en la presentación de un tema serio cuando la argumentación con respecto a éste sea poco consistente. «Si decir alguna cosa resulta estúpido, cántela», dice el libretista de ópera. «Cuando un discurso carece de lógica y argumentación», afirma el orador experimentado, «es posible que vociferando, exagerando y abogando vigorosamente por el caso, se llegue a insensibilizar la mente de los que escuchan».

Este tipo de comportamiento, que constituye el último recurso del defensor de una causa, sólo debe utilizarse *in extremis*. De lo contrario, las exageraciones se volverán contra el orador... causarán risa... y echarán a perder la situación. Veamos dos desastrosos ejemplos:

— Referencia a un discurso pronunciado inmediatamente antes: «Este magnífico y conmovedor llamamiento que acabamos de escuchar...

ha pulsado las cuerdas de nuestros corazones y está a punto de abrir nuestros bolsillos...».

— «Sólo la he visto de pasada, pero mantendré mi amor por ella hasta que me muera», dijo en un momento de entusiasmo Sir Robert Menzies, a la sazón primer ministro australiano, con ocasión de un banquete en honor de la reina británica. Por mucho amor que le profesara a la soberana, la exageración de Sir Robert sólo pudo resultar ridícula.

Las palabras, al igual que las drogas, pueden ser muy beneficiosas en la cantidad y dosificación adecuadas. El exceso y el enviciamiento pueden provocar la muerte. La moderación siempre es provechosa.

6. Las repeticiones

Las repeticiones deben hacerse deliberadamente. Shakespeare fue un maestro en su utilización. En su obra *Julio César*, la escena del discurso de Antonio en el funeral del César es pródiga en la repeticón de: «...y Bruto es un hombre de honor», con un efecto insuperable.

También es ilustrativa la obra capital de Martin Luther King: *He tenido un sueño...* (v. pág. 176).

Repetir las opiniones de otras personas suele resultar desastroso: «El señor Jones ha desarrollado todas las argumentaciones que hubiera querido exponer yo». En lugar de eso, hay que decir: «El señor Jones ha desarrollado su tema con gran acierto y todos los aquí presentes debemos reconocerlo. Sin embargo, pienso que algunos aspectos de sus observaciones requieren una explicación más detallada».

«No quiero aburrirles volviendo a trillar el campo tan minuciosamente analizado por el señor Jones». ¡Cuidado con este tipo de coletillas! El aburrimiento se avecina. Estas introducciones, en las que se combina la alusión metafórica con el tópico, constituyen un signo inconfundible de que al público se le avecina una perorata insoportable. Abandone la reunión, si puede.

Otra cosa que suele suceder es que el ponente repita varias veces los puntos del discurso palabra por palabra. La mayor parte de los discursos bien construidos comienzan con un resumen de lo que se va a decir; a continuación se hace una vigorosa exposición de dichos puntos y, finalmente, se concluye con otro breve resumen. «Para terminar, insistiré en que, si queremos alcanzar el éxito, debemos dar los siguientes pasos. Primero..., segundo..., tercero... y sobre todo...»

Nuestro idioma es muy rico. Si usted no es capaz de imaginar fórmulas originales para resumir sus alocuciones públicas, consulte un buen diccionario de sinónimos útil indispensable en la mesa, o al menos en la biblioteca, de toda persona que deba hablar en público. Si alguna vez tiene que repetirse, intente no hacerlo con los habituales y aburridos tópicos que, al revelar la falta de atención con que se preparó el discurso, dejan al descubierto la insensatez del orador.

7. Los tópicos y frases hechas

Como solía decir el que fuera ministro de Asuntos Exteriores británico, Ernest Bevin: «Su discurso no fue sino una repetición de cliché tras cliché».

Las frases hechas son abominables en todos los casos. No obstante, estas horribles fórmulas sirven al menos para entretenerse durante las intervenciones de otros haciendo una lista de las mismas. He aquí algunos ejemplos, anotados recientemente durante la asamblea de una empresa:

— «En esta memorable fecha...».
— «Todos y cada uno de nosotros...».
— «Caminamos a pasos agigantados hacia el desastre...».
— «En nuestras manos está la decisión de...».
— «No hay que fiarse de los políticos...».
— «Debemos poner proa a esta marea de malevolencias...».
— «La nave del Estado navega hacia los escollos...».
— «Sangre, esfuerzo, sudor y lágrimas... esa es la única receta...».
— «El actual sistema fiscal nos está asfixiando...».
— «Mantengamos nuestra postura y sepan que nuestra opinión...».

Las posibilidades, como se ve, son ilimitadas. Frases vacías, triviales y gastadas a fuerza de repetirse. Aunque los sentimientos expresados sean prudentes, acertados, reconocidos y aceptados, falta en ellos esa flexibilidad de lenguaje que es capaz de otorgar a las ideas menos inspiradas y personales la apariencia de una auténtica originalidad y brillantez.

Después de una alocución particularmente monótona y llena de tópicos, pronunciada por un plúmbeo invitado de la Cambridge Union, Percy Cradock (hoy Sir Percy Cradock, consejero en asuntos exteriores de la primera ministra británica), hizo que los aplausos atronaran el salón al decir: «Sé que todos nosotros hemos recibido cada una de las frases expresadas por el señor... con esa suerte de triste expectación que se siente cuando uno advierte que se aproxima un viejo conocido en estado de total indigencia».

Observemos el efecto que tiene en una mujer poco atractiva el adoptar un nuevo peinado, un vestuario elegante y un maquillaje moderno. El resultado es evidente: la mujer tiene ahora bastante atractivo. Su compañía resulta algo nuevo e interesante. Su aspecto llamará nuestra atención. Está dispuesta para que la admiremos.

No es exagerado decir que las ideas más viejas pueden ganar un atractivo extraño y sorprendente si les damos las formas más modernas. Afirmar que «no hay nada nuevo que decir sobre esta cuestión» es formular una frase hecha. En cambio, podemos comenzar diciendo: «Consideremos el problema desde esta nueva perspectiva», lo cual resultará mucho más interesante; además, si esa perspectiva está enfocada con agudeza, la familiaridad que creíamos tener con el tema de la conferencia quedará olvidada enseguida.

No debe considerarse a sí mismo como una persona aburrida. La gente que le escucha tiene que compartir sus opiniones. Un buen comienzo para conseguir este anhelado resultado es aprender a reconocer los tópicos en los discursos ajenos y eliminarlos implacablemente en los propios.

8. La autoadulación

El buen orador utiliza el sonido de su propia voz como una droga que debe tomarse con moderación. Hay que limitar el uso de la primera persona del singular.

Un auditorio puede tener dos razones para pedir su intervención pública. Una puede ser que esas personas *deseen* escucharle, la otra que crean que *deben desear* hacerlo. Estas dos posibilidades se subdividen a su vez.

Si las personas que le han invitado a hablar lo hacen porque esperan que usted tenga algo interesante que decir, entonces la suerte estará de su parte. En tal caso, no hay que desperdiciar la ocasión contando lo que uno es, en lugar de lo que uno sabe.

Deje las alabanzas para su presentador. La autoadulación suele resultar ridícula. En cierta ocasión, Oscar Wilde señaló: «Enamórate de ti mismo y tendrás toda una vida de romance». Eso está muy bien, pero deje de cortejarse a sí mismo en público.

Si lo que se pide de usted es consejo, resulta evidente que no es necesario que se ponga a ensalzar sus propios éxitos. Cuando tenga que contar anécdotas sobre la empresa, debe inspirarse en sus experiencias, y a veces puede resultar muy acertado hacer algún chiste sobre sí mismo; sin embargo, no hay ninguna necesidad de pregonar las virtudes propias. Si lo hace, nadie le creerá. Por el contrario, cuando evite la autoadulación, las personas que le escuchan podrán forjarse por sí mismas una opinión favorable sobre usted.

Por supuesto, hay ciertos casos en los que se puede hablar sin problemas en primera persona: cuando se le pide que exprese sus impresiones después de haber visitado varias empresas, fábricas, oficinas o talleres similares en su país o en el extranjero; cuando desea expresar determinadas opiniones dejando claro que son suyas y no de su empresa, ni de su consejo, ni de sus socios o colegas, o cuando quiere aclarar los puntos oscuros de algún discurso aburrido contando alguna anécdota personal. En estas circunstancias, puede introducir en su disertación frases como: «En cierta ocasión conocí a... en Birminghan», «Me contaron la historia de...», o «Vuelvo a insistir en que éstos son mis puntos de vista, y en caso de que se compruebe su desacierto, ustedes ya saben quién es el responsable».

En cambio, es horrible decir cosas como: «La última vez que vi al primer ministro», o «No me gusta nombrar a nadie, pero hace poco pasé un fin de semana con los condes de Blank en su finca...».

Recuerde el caso del general Montgomery, cuya anécdota en primera persona fue muy celebrada, debido a su reconocido prestigio. En aquella ocasión el general estaba rememorando sus tácticas de combate. «No podía decidir lo que había que hacer a continuación», dijo. «Dios mío, ¿qué debo hacer ahora?», me pregunté. «Rápidamente la respuesta me vino del cielo: "General, tú decides. Tengo plena confianza en ti". ¡Y así lo hice!».

Ya que a la gente le gusta que se le cuenten interioridades, revístase con el manto de una aparente reserva.

Todo esto es tanto más importante en el caso de que usted sea el invitado de honor (lo cual no significa necesariamente que tenga asegurados los honores). Es posible que sus anfitriones deseen recabar su dinero, su ayuda o sus servicios. Quizá sólo pretenden adularle lo suficiente para obtener alguna información que usted no desearía facilitar en una circunstancia menos cordial y comprometedora que ésta. Sea cual sea la razón, el hecho es que usted debe afrontar la situación, y hacerlo además de la forma más airosa. Alégrese de estar recibiendo honores en lugar de críticas. Para contribuir a ello intente ser extremadamente comedido en sus palabras. En estas circunstancias, mi padre solía decir: «Después de todos estos elogios, señor presidente, casi me siento deseoso de escuchar mi propio discurso».

«Es muy amable de su parte el honrarme de este modo», podría continuar. «Comprendo perfectamente que su intención es la de homenajear a mi empresa... organización... a todo el consejo... *(según el caso)*. Deseo expresarle nuestro más profundo agradecimiento».

En la parte central del discurso refiérase a la labor que está realizando su organización. Facilite toda la información interna que pueda, dentro de los límites de la discreción. Si el homenaje se debe a sus años de servicio, puede referirse a viejos recuerdos, mencionando al mayor número posible de personas presentes en el auditorio.

«Allí veo a Bill Black, que recordará aquel terrible desastre en el que nos vimos envueltos hace años... El señor Michael Brown, a quien todos agradecemos su presencia en esta reunión, compartió muchísimos éxitos con nosotros. Saludo también a Richard Jones, cuya sobriedad constituye un auténtico homenaje a los alcoholímetros de la policía de tráfico...».

Todas las personas así mencionadas se sienten convenientemente lisonjeadas y cubiertas de méritos. Usted ha conseguido dar a su intervención un importantísimo toque de informalidad. Los que le escuchan son ahora sus amigos. El hielo se ha roto y usted se ha revelado como un hombre abierto, deshaciendo la imagen de perfecto ególatra que algunos tenían sobre su persona.

Continúe diciendo: «Son ustedes verdaderamente afortunados al poder contar, esta noche y siempre, con la presencia activa del señor Land..., del señor Turner... y de aquella dama, famosa por sus buenas acciones, la señora Heart». El invitado que agasaja a los demás siempre recibe su recompensa.

«Ya termino» (es más importante lo avanzado de la hora que el tiempo que haya durado su discurso), «pero antes quiero agradecer de nuevo la enorme amabilidad y generosidad que me han dispensado. Ha sido muy agradable estar con ustedes. Espero que volvamos a vernos con frecuencia, y en ocasiones tan felices como ésta. Estoy seguro de que a esta organización/empresa/institución le aguardan muchos años de prosperidad, gracias a su gestión».

Vuélvase hacia la presidencia, inclínese ante el público... Ha conseguido un final sonoro para un discurso bien hecho. Las personas que le han escuchado se lo confirmarán, y serán sinceros al hacerlo.

9. La gramática y la palabra hablada

En su mayor parte, las viejas y pedantes normas de escritura han caído en desuso. Ello ha traído como consecuencia una mayor libertad de expresión y de palabra. Frases sin verbo, infinitivos sueltos... son prácticas que ofenden los oídos de algunos, aunque normalmente se perdonan. Si le preocupa este tipo de cuestiones, discútalas con algún amigo que domine impecablemente las normas gramaticales.

Conviene evitar los juramentos y las palabras obscenas, incluso cuando el auditorio esté compuesto sólo por hombres. Siempre puede haber alguien que se sienta ofendido. Ello no significa que no deban emplearse vulgarismos y expresiones modernas. En caso de duda, ponga las palabras «entre comillas».

Cuando no esté seguro del significado exacto de una palabra, evítela o consulte un diccionario. Si puede optar entre dos palabras, una larga y otra corta, elija esta última. Los términos concisos suelen ser los más efectivos.

Procure que las frases sean también cortas. Una frase demasiado larga puede dificultar la comprensión por parte del público e incluso hacer que usted pierda el hilo de su propio discurso. Decir: «¿Por dónde iba?», constituye una triste evidencia de la torpeza del orador.

Evite las estadísticas siempre que pueda; además de que alguien podría rebatir sus datos, siempre es más eficaz el efecto de una exposición comprensible que el de una enumeración de interminables listas de cifras.

Los tópicos y frases hechas deben «brillar por su ausencia». No «deje ningún cabo suelto» en su esfuerzo por evitar este tipo de frases (véase capítulo 7).

A veces se emplea un lenguaje lleno de sonoridad y energía, pero carente de significado. Cuanto más alta sea su posición en la administración de un país o de una organización, más frecuentes serán las ocasiones que tendrá de utilizar este tipo de expresión. No obstante, el lenguaje directo suele ser mejor que el indirecto; la voz activa resulta más adecuada que la pasiva y la franqueza es más eficaz que la insinuación.

10.   La clave del éxito... la brevedad

Mort Mendels, secretario del Banco Mundial durante mucho tiempo y víctima de una enorme cantidad de pésimos discursos ajenos, contaba que había clavado un dibujo humorístico en la pared de su oficina. En él se veía un hombre al que sacaban del edificio del Senado en una camilla; en la parte de abajo se podía leer: «Muerto a discursos». El cadáver podría haber salido de cualquiera de los miles de conferencias y reuniones que tienen lugar diariamente en todo el mundo.

El hombre que se pasa el día admirándose ante un espejo suele ser considerado, con justicia, como un bicho raro, a pesar de que su actitud no implica molestia alguna para los demás. Este tipo de aislamiento debería recomendarse a los oradores que se regocijan tanto con el sonido de sus propias palabras que nos las imponen en cantidades ilimitadas tan pronto como se les presenta la ocasión.

Seguramente nunca ha oído hablar de que alguien se haya quejado de la escasa duración de un discurso. De lo que suele quejarse la inmensa mayoría de las personas que escuchan una exposición verbal es de la lentitud con que corren las manecillas del reloj. Además, en las raras ocasiones en las que el público quiere volver a escuchar a un orador, lo que se suele hacer es invitarle para otra fecha...

La importancia de este capítulo no debe juzgarse por su brevedad. Antes al contrario, consideramos que esta cuestión es fundamental, por lo que volveremos sobre ella en el capítulo 20.

PARTE 2

EL ARTE DE LA DICCIÓN

11. Dominar los nervios

Los seres humanos (expresión que incluye a la mayoría de los oradores) suelen padecer de los nervios. He tenido ocasión de ver a grandes atletas tosiendo y jadeando antes de empezar una carrera; he visto cómo tiemblan y se estremecen algunos experimentados oradores en los momentos previos a una importante intervención en público; he comprobado cómo palidecen algunos líderes políticos de prestigio internacional antes de una conferencia de prensa especialmente trascendental; luego también usted puede unirse al club...

La tensión nerviosa es una necesidad para cualquier persona que tenga que actuar en cualquier esfera. Gracias a ella se produce la secreción de adrenalina, una asombrosa e inestimable sustancia que despierta y tonifica por igual las funciones del cuerpo y de la mente.

Ello explica el hecho de que las actuaciones en público salgan mejor cuando uno se ha sentido nervioso previamente. Por eso debe acoger esos estados de ansiedad con expectación y comprensión, ya que si los canaliza debidamente se convertirán en sus aliados.

Aceptemos entonces que el nerviosismo previo a la actuación pública es inevitable y necesario, pero, ¿cómo podemos controlarlo?

Primero: debe comprender que, una vez que haya empezado a hablar, los nervios desaparecerán por sí mismos. El corredor de fondo puede sentirse enfermo y vomitar durante los ejercicios de precalentamiento, pero *nunca* cuando se encuentra ya en la posición de salida. El orador público puede temblar antes de empezar a hablar, pero en cuanto emite sus primeras palabras y comienza a oír su propia voz, sus cuerdas vocales se templan y su inquietud desaparece.

Segundo: recuerde que sus sentimientos son internos y que el auditorio no tiene por qué conocerlos, a menos que usted sea lo suficientemente inexperto como para revelarlos. Por tanto:

— *Nunca* diga cosas como: «Soy un saco de nervios...».
— *Mire* al público cara a cara.

La ausencia de contacto visual es la única señal evidente del nerviosismo del presentador. Un público experimentado puede captar este estado de ánimo en la lengua temblorosa y en los labios secos del orador y el auténtico error es mantener la vista en el suelo, en el techo o en los apuntes. Por tanto, hay que mirar al público a la cara. Si fija sus ojos en los de las personas que le escuchan, éstas se concentrarán en sus palabras y dejarán de prestar atención a sus posibles errores.

Tercero: evite cualquier forma de movimiento o tic nervioso que pueda delatar su estado de ánimo:

— No se ponga la mano delante de la boca; sólo conseguiría revelar su nerviosismo y entorpecer el sonido de sus palabras.
— No meta las manos en los bolsillos: éste es un gesto poco correcto cuyo mal efecto se verá incrementado si hace sonar las monedas o el llavero que lleva dentro.
— Evite mover su carpeta o bolso de mano de un lado a otro de la mesa.
— No se atuse el pelo, ni se urgue el oído, ni se meta el dedo en la nariz (aunque lo haga de la forma más discreta). Esfuércese por no abrocharse y desabrocharse los botones de la chaqueta y procure no dedicarse a ninguna de estas actitudes poco elegante provocadas por el nerviosismo.

Es muy importante preparar previamente el discurso y acudir al estrado con las notas y apuntes apropiados (capítulo 32); hay que conocer a la perfección el tema que se va a tratar y tener confianza (aunque no se manifieste exteriormente) en que uno va a ser capaz de desarrollar con éxito la exposición. De este modo podrá recuperar su estado de ánimo habitual y afrontar su charla con desahogo.

A continuación reseñamos algunos consejos que pueden ayudarle a controlar sus nervios o, por lo menos, a no manifestarlos:

— Adopte la postura que mejor le vaya, ya sea sentado o de pie. Aunque no siempre es posible elegir, en ocasiones se le puede decir al presidente o moderador: «¿Le importa que me siente?», o, por el contrario: «Si no hay inconveniente, prefiero hablarles de pie».
— Durante su intervención puede cambiar de postura, si lo desea. Quizá opte por sentarse con mayor comodidad, pegando la espalda al respaldo del asiento, o tal vez prefiera echarse hacia adelante

hasta que se haya familiarizado con el público. Si está de pie, procure tener una pierna más avanzada que la otra; ello favorece también la emisión de la voz.

— Si es usted supersticioso, intente llevar siempre consigo su mascota o amuleto preferido; su amuleto debe inspirarle confianza, pero no tanta como para no poder prescindir de él si un día lo pierde o lo olvida. Y, sobre todo, no deje que su nerviosismo le lleve a juguetear con el bolígrafo, a dar golpecitos con la pluma o a dibujar garabatos en un papel visible desde el auditorio.

— Es posible que se sienta más relajado si bebe algo antes de su intervención; a veces, un tranquilizante puede evitar la tos o los vómitos. No obstante, antes de tomar estas medidas, compruebe sus reacciones en un día normal en el que no tenga que hacer nada importante: es posible que la bebida o el tranquilizante le priven de la necesaria agilidad mental. En caso de duda, prescinda de estos recursos.

Conozco a una persona que fue injustamente acusada de haber provocado un incendio. El hombre, que siempre había sido una persona honrada y decente, compareció en el juicio atiborrado de tranquilizantes. No estaba nada nervioso, pero fue incapaz de responder a las preguntas que se le hicieron; le declararon culpable y condenaron a tres años de cárcel. Para conseguir su libertad fueron necesarios los esfuerzos conjuntos de un equipo de investigación de la radio, otro miembro del Parlamento y yo. Los tranquilizantes le habían costado un año de prisión.

Por tanto, el alcohol y las drogas deben considerarse como el último recurso para conseguir el control de los nervios. La seguridad en uno mismo se alcanza con la preparación, la práctica y el entrenamiento.

12. El estilo

Para el orador, el estilo y el éxito son sinónimos. Sin embargo, resulta ridículo y pretencioso suponer, como hace mucha gente, que el estilo puede bastar sin ninguna preparación adicional adecuada. Igualmente ridículo es el caso contrario, constituido por la vergüenza, por ese enfermizo complejo de inferioridad que sienten algunas personas al hablar en público, y que suele ser muy frecuente entre los hombres de negocios situados en altos puestos de dirección.

En cierta ocasión invité a un gran magnate industrial a que pronunciara unas palabras en un banquete privado. «Perdone», replicó, «es usted muy amable al invitarme a hablar, pero prefiero no hacerlo. Usted y sus amigos del Parlamento son los encargados de hablar. ¡Yo me limito a trabajar!». En realidad, lo que quería decir era: «Prefiero no abrir la boca cuando estoy de pie, pues temo hacer el ridículo».

Otro magnate me dijo: «Yo he triunfado a la tremenda. Dejo los discursos para ustedes, los tipos con una buena educación».

Una buena educación no hace daño a nadie y, de hecho, muchas personas que ocupan cargos importantes están dispuestas a aprender, sin ningún tipo de vergüenza, aquello que no pudieron conocer en su juventud, ahora que disponen del dinero y el tiempo necesarios para ello. Aunque dirigirse a un público es una actividad que requiere valor, también es necesario contar con unas técnicas que deben aprenderse. No obstante, si usted posee esa magia intangible e inexplicable que constituye el estilo propio, no debe tener ningún miedo a comparecer en público. Los impresores y los ceramistas producen ejemplares idénticos, buenos o malos, en sus respectivas actividades; en cambio, el estilo personal es único, y las normas están hechas para ser transgredidas.

Fijémonos en el ejemplo de la pausa, un arma fundamental para controlar el ritmo del discurso (véase también el capítulo 17). El espacio existente entre palabras, pensamientos o frases no debe enturbiarse con desagradables sonidos como «er» o «hum». Decir «er» es humano, dejar una pausa silenciosa es divino.

La clave del éxito en la oratoria radica en el conocimiento del tema que se va a tratar; en la comprensión y utilización de las técnicas básicas que permitirán al público escuchar, entender y aceptar sus palabras y sus intenciones; y en marcar la exposición con el sello de la propia personalidad.

Esto significa que hay que tener mucho cuidado al solicitar los servicios de un guionista profesional para que prepare nuestros discursos. A menos que pueda encontrar uno cuyo estilo se ajuste perfectamente a sus ideas, lo mejor es que intente buscar un buen investigador que se encargue de recopilar y ordenar la materia prima de sus discursos. Haga todo lo posible por encontrar a dicho colaborador, pero teniendo en cuenta que su trabajo deberá adaptarlo usted al molde de su estilo personal.

Conviene dedicar un espacio de tiempo suficiente a la preparación de un discurso o de una presentación importante. Recuerde el famoso aforismo de Winston Churchill: «Si tengo que pronunciar un discurso de dos horas», sentenciaba, «empleo 10 minutos en su preparación. Si se trata de un discurso de 10 minutos, entonces tardo dos horas en prepararlo».

El orador con estilo debe ajustar la condición de su discurso al impacto y al mensaje que desee comunicar. Un directivo que habla con franqueza, claridad y lucidez en las conversaciones normales, no tiene por qué convertir sus palabras en una perorata prolija y confusa en el momento en que tiene que pronunciar un discurso.

Del mismo modo que no existe un estilo ideal para triunfar en los negocios (o en cualquier otro campo, desde el atletismo y el fútbol hasta la filosofía o la política), un directivo que quiera tener éxito en sus alocuciones públicas tendrá que emplear un estilo en el que se proyecte su personalidad individual.

En cierta ocasión le preguntaron a un profesor cuál era la diferencia entre educación y adiestramiento; ésta fue su respuesta: «Si su hija llega a casa diciendo que ha recibido una clase de educación sexual, a usted le parecerá muy bien. Pero si le dice que se ha estado divirtiendo con un ejercicio de adiestramiento sexual...».

El directivo necesita educarse en las técnicas básicas de la oratoria, que son universales. Estas técnicas se refieren a la emisión de la voz, a la utilización del micrófono, al procedimiento para construir un discurso o presentación, al arte de destruir los argumentos ajenos, etc. En cambio, su adiestramiento en el uso de estas técnicas debe centrarse en la creación y el perfeccionamiento de su propio estilo.

Una auténtica educación y un adecuado adiestramiento siempre enseñan al estudiante a sacar el máximo provecho de su propio talento.

Pocos han superado al maravilloso Shakespeare en el arte de exponer ideas o hablar en público. «Por encima de todo», aconsejaba, «sé sincero contigo mismo».

Si la verdad es la vida del estilo, la mendacidad es su muerte.

13. Las apariencias importan

Teniendo en cuenta que el aspecto personal es fundamental para la propia conservación, usted debe guardar las apariencias y, en consecuencia, conceder la importancia que merece a la suya propia. Si su aspecto es poco expresivo, deberá poner especial cuidado en la modulación de la voz, pues éste será el único medio por el que podrá comunicar su entusiasmo y su sinceridad, su seguridad y su dominio del tema.

En persona o en televisión, su figura destaca por su visibilidad. La caspa, por ejemplo, puede pasar desapercibida en una reunión, pero en la televisión destacará sobre su chaqueta azul como si de puntos de tiza sobre una pizarra se tratara. Tome nota de este tipo de detalles.

En cualquier caso, intente adoptar una imagen efectista en los primeros momentos. ¿Qué aspecto desea tener? ¿El de una persona responsable, distinguida, íntegra y sensible? Entonces no dude en ponerse un traje oscuro, con una corbata discreta. ¿Quiere parecer una persona campechana e informal, un ciudadano de a pie? En ese caso póngase un traje de color claro y quizá una camisa con el cuello abierto. La elección depende de usted. Sus consejeros y amigos pueden influir en su decisión, pero en última instancia ésta sólo le corresponde a usted.

El famoso dibujante Ranan Lurie me dijo en cierta ocasión: «Tu padre tenía un aspecto correcto. Su cabeza alargada, su cuerpo voluminoso y, sobre todo, el clavel rojo que llevaba siempre en la solapa, le hacían inmediatamente reconocible. Tú, en cambio, eres un simple individuo de aspecto agradable y feliz que ni siquiera tiene papada».

Intenté convencerle de que me mirase con más detenimiento y comprobase que tengo por lo menos seis brazos, los cuales trabajan casi siempre al mismo tiempo. Aunque la verdad es que ahora suelo llevar un clavel en la solapa.

Comience por la cabeza y continúe después por el resto del cuerpo. ¿Le gusta llevar un peinado elegante (como David Nixon), o prefiere el cabello suelto (como William Golding)? ¿Usa su cabello a guisa de corona (como Margaret Thatcher) o se deja dominar por él (como Michael Foot)? ¿Deja que su pelo se vuelva gris o canoso (como la mayoría de los hombres), o prefiere conservar o incluso incrementar su tono juvenil (como la mayoría de las mujeres)?

¿Lleva usted su uniforme (el traje oscuro, o el mono de trabajo)?

En la seguridad hogareña, o cuando se encuentra de vacaciones con su marido o mujer, puede pensar que el aspecto externo es algo superficial y que carece de importancia. Pero en sus intervenciones públicas, usted se verá forzado a «cortejar» a la gente y, por tanto, deberá presentarse con un aspecto estudiado y cuidado; en caso contrario, tendrá que sufrir desagradables consecuencias.

14. La expresión corporal

Para hablar correctamente en público, puede ser útil el estudio del libro clásico de Dale Carnegie titulado *Cómo ganar amigos*. Por otra parte, *El Mono desnudo*, de Desmond Morris, puede ayudarle a incrementar de forma sustancial la calidad de sus discursos. En particular, le servirá para conocer la forma en que otras personas se traicionan a sí mismas mediante signos corporales y para evitar estos errores en sus propias actuaciones públicas.

El contacto visual, por ejemplo, tiene una importancia crucial para hablar en público con éxito, tanto si se hace de pie como si se hace sentado. Bajar la mirada, mover los ojos o no atreverse a mirar cara a cara al público constituyen síntomas típicos de nerviosismo.

Si en medio del discurso siente una náusea en el estómago, lo mejor que puede hacer es dirigir la vista hacia algún rostro amistoso y hablar como si se estuviera dirigiendo sólo a él (véase capítulo 11).

Limite en lo posible los gestos. Con ellos debe dar énfasis a sus palabras, pero sin menoscabar su significado. Al hablar, no mueva su cuerpo. Para dominar al auditorio, adopte una postura erguida.

Hay personas a las que les gusta moverse entre el público, para involucrarle o para conseguir un determinado efecto. Otros, entre los que me incluyo, tenemos molestias en la espalda y podemos correr, saltar o subir escaleras, pero nos resulta imposible permanecer quietos estando de pie. En este caso, utilice un taburete alto (como los de los bares o los estudios de delineación), o apóyese en el borde de la mesa.

La efectividad de un gesto no depende de su vigor ni de su amplitud. Economice en lo posible los movimientos. Si se halla sentado, mantenga sus manos alejadas de la cara y de la boca. Para imponerse sobre el auditorio, no debe hundirse en el asiento, sino sentarse en posición erguida.

Evite los movimientos inconscientes o nerviosos, tales como morderse la uñas, golpear en la mesa con los dedos o el lápiz, agitar monedas en el bolsillo, etc. Concéntrese en la esencia de su intervención y mantenga una actitud firme y tranquila.

La expresión facial debe ajustarse al asunto del que se está hablando. El presidente norteamericano Jimmy Carter solía hablar con una sonrisa fija en el rostro. En cierta ocasión, un profesor de oratoria le mostró en una pantalla de vídeo el efecto negativo que producía su sonrisa cuando hablaba, por ejemplo, de los muertos en la guerra de Vietnam. El presidente dejó de sonreír en tales ocasiones.

Un día que me encontraba presidiendo un acto en memoria de cierto personaje, alguien me reprendió por sonreír en la tribuna. La persona que se hallaba a mi lado me acababa de contar una hermosa y conmovedora historia relativa al difunto. El hecho no tuvo importancia, pero es necesario que reflejemos siempre en nuestro rostro el estado de ánimo del momento.

Por el contrario, si se pretende hacer reír al público, nuestra expresión debe indicar el sentido jocoso de lo que estamos contando.

15. Postura y gestos

Lo importante son las palabras; los movimientos distraen.

Todos hemos visto esas películas de televisión en las que los abogados norteamericanos van recorriendo la sala del tribunal, de un lado para otro, mientras hablan. En nuestro país, los abogados suelen permanecer en su sitio, lo cual favorece, considerablemente, sus intervenciones.

Los equilibristas tienen que dar volteretas y gesticular cuando hacen sus acrobacias. Las personas que trabajan con la palabra deben permanecer quietas y limitar el movimiento a sus rostros.

Cuanto menos se mueva, mayores son las posibilidades de que su discurso cale en su auditorio.

¿Qué puede hacer con sus manos? Apóyelas en el atril o sitúelas en el borde de la mesa. Póngaselas a la espalda, o frente a usted, sujetando con tranquilidad y firmeza sus apuntes.

Evite el exceso de gestos. Cuanto más escasos y moderados sean sus movimientos, mayor será su efectividad. Los tiempos de los oradores vociferantes, de los charlatanes y de los agitadores y de los provocadores ya han pasado. El hombre de negocios que hace demasiados aspavientos suele ser considerado (no siempre con justicia) como una persona presuntuosa y mendaz.

Un despectivo encogimiento de hombros..., un dedo acusador..., una referencia al cielo y una mano señalando hacia arriba..., todo tiene cabida en el repertorio del orador experto.

¿Lleva usted gafas? Utilícelas entonces como una posible arma adicional. Si quiere dar énfasis a un determinado punto, apártelas lentamente de su cara, manténgalas suspendidas en su mano, inclínese hacia adelante y mire cara a cara al público... haga un gesto expresivo con las gafas y a continuación vuelva a ponérselas y prosiga con su discurso. Un rítmico movimiento de las gafas cerradas puede resultar enormemente efectista.

Los oradores que llevan gafas no deben sentirse incómodos por ello. Muchos charlistas excelentes, que podrían valerse sin necesidad de utilizar sus gafas, ni siquiera para leer sus apuntes, prefieren llevarlas puestas. No tema la pérdida de alcance visual; al igual que otros defectos, éste también puede ponerse de su parte.

En cualquier caso, el orador debe utilizar su lengua, su rostro y su mente, y no sus pies, sus brazos o sus dedos. De no hacerlo así, su auditorio podría poner pies en polvorosa.

16.   La emisión de la voz

El pecho es una caja de resonancia. La voz ha de reverberar y tener alcance. Del mismo modo que un instrumento de cuerda consigue su volumen gracias a la resonancia de su caja, la voz humana resuena por medio del pecho.

Intente pronunciar la palabra «bomba». Si utiliza sólo la nariz y la boca, únicamente emitirá un débil sonido. Ahora respire profundamente; póngase la mano en el pecho y expulse el aire al tiempo que pronuncia la palabra; podrá comprobar la vibración que se produce. Un sonido profundo y resonante multiplicará el impacto de una idea.

También es importante el caso contrario. Para captar y mantener la atención de un auditorio, no es necesario gritar. El efecto dramático de un susurro puede ser muy intenso.

Varíe y cambie el volumen y el tono de su discurso, pero teniendo siempre en cuenta la capacidad auditiva de los que le escuchan. Hable como si se estuviera dirigiendo a alguna persona situada en la última fila. Imagínese que esa persona está un poco sorda (lo cual podría ser cierto).

Ponga especial cuidado en evitar que el volumen de su voz se reduzca al final de las frases. En ese punto, las ideas que se están exponiendo deben alcanzar su mayor énfasis, en lugar de desvanecerse con las últimas palabras de la oración. Si quiere evitar la monotonía, modifique el tono, la velocidad y el volumen de su voz. Cuando esté de pie, adelante una pierna, saque el pecho y mantenga una posición firme y erguida; de este modo, su voz surgirá con potencia y sin esfuerzo.

Si está sentado, no se hunda en el asiento. Siéntese bien derecho y haga llegar su voz al público.

Haga ejercicios en privado. Las prácticas de emisión de voz requieren una habitación silenciosa y un espejo. Recuerde que una voz inaudible sólo es un desperdicio de palabras.

17. Las pausas

Las pausas son el arma más útil del orador. Siempre que se manejen con seguridad, sirven para ocultar el nerviosismo, para pensar y, sobre todo, para lograr un control efectista del tiempo.

Ésta sería la presentación que haría un promotor de espectáculos: «Señoras y señores» —pausa— «tengo el honor de presentar» —pausa— «por primera vez en este país» —pausa— «nada menos que» —pausa— «al cantante/actor/boxeador, más famoso del mundo...» —pausa larga— «con ustedes» —pausa— «el señor John Smith».

La presentación de un presidente o moderador sería más concisa: «Señoras y señores» —pausa— «¡El señor John Smith!».

La pausa precede a las palabras haciendo que su sentido gane interés al final de la frase.

Churchill utilizaba las pausas con mayor frecuencia y habilidad que ningún otro orador: «Nosotros... er... no tenemos intención de permitir que... er... un maniaco destruya nuestras vidas...». Cada pausa y cada «er» incrementan la expectación ante su inminente ataque contra los nazis y su líder.

Para nosotros, que no somos Churchill, decir «er» es «errar»... Si no sabe lo que va a decir a continuación, manténgase en silencio. La gente que le escucha creerá que está buscando la *mot juste*. Incluso en el caso de que su mente se quede en blanco, mire directamente al auditorio y conserve la seguridad en sí mismo. Cuando le venga la idea precisa, exprésela.

Al comenzar su discurso, charla o intervención, no empiece a hablar hasta que la atención del auditorio esté totalmente centrada en usted. Haga una pausa.

Si debe interrumpir su alocución (por el cierre de una ventana, por el ruido de un avión o por la intervención de un colega o de alguien que no esté de acuerdo con sus ideas), espere de nuevo a que se haga el silencio antes de proseguir. Haga una pausa... no como signo de indecisión o debilidad, sino utilizándola como la eficaz arma que es (aunque los oradores poco experimentados casi nunca hagan uso de ella).

El truco más espectacular de un orador consiste en hacer una pausa antes de decir una palabra especialmente importante. «Si no damos los pasos que he sugerido, sólo puedo prever un resultado» —pausa; mire a su alrededor, y aguarde un momento—: «el desastre...».

«Todos recordamos los terribles días de...» —pausa—. Éste es un ejemplo de cómo puede ampliarse la sensación de suspense, tal como se hace al final de los capítulos de las radionovelas o de las novelas policíacas para retener el interés del oyente o lector.

«Después de haber escuchado todas las opiniones de los miembros de este comité, he sacado mi propia conclusión. Pienso que la única alternativa que queda es... la de...». Espere un poco antes de comunicarla... haga esperar a los que le escuchan...

Claro es que las pausas no deben ser demasiado largas. Del mismo modo que la brevedad de una pausa puede indicar falta de seguridad y hacer que pierda el efecto deseado, una pausa demasiado larga quizá se entienda como un recurso «teatral». Al actuar ante un público, la exageración es tan negativa como la timidez. Sólo la experiencia puede enseñarle a dar la extensión adecuada a sus pausas. Mediante la práctica llegará a conocer cuánto debe durar una pausa para conseguir con ella el efecto más conveniente.

Cuando uno se encuentra sometido al estrés, el tiempo parece transcurrir más despacio. Prepare un discurso importante y ensáyelo cronometrando el tiempo que tarda en pronunciarlo. En el momento en que tenga que pronunciarlo en público, encargue la medición del tiempo a alguien de confianza. Comprobará que, al estar en tensión, desarrolla el discurso con mayor rapidez. El caso contrario sólo se da si intenta retardar su ritmo y se producen interrupciones (incluyendo en éstas los aplausos).

Mientras va adquiriendo esta experiencia, examinemos las ocasiones más frecuentes en que se pueden hacer pausas:

— *El comienzo del discurso.* Asegúrese de que su auditorio se halla en silencio y preparado para escucharle (tanto si se trata de un discurso importante en un congreso como si es una intervención normal en una reunión del consejo).
— *En medio de una frase.* Para dar énfasis a un punto importante.
— *Después de una interrupción.* El público debe volver a quedar en silencio para escuchar lo que va a decir.
— *Antes de decir las últimas palabras.* «Y ahora, señoras y señores, les

pido una vez más que apoyen a su consejo...» —pausa— «... de forma que quede asegurada...» —pausa— «... la continuidad y el progreso...» —pausa— «... de esta modélica organización...» —pausa—. Dirija su mirada al público y espere su aplauso. A continuación, siéntese.

Esto nos lleva a una última recomendación. El aplauso es el estímulo más valioso y vigorizante con el que puede contar un orador. Si usted no quiere que le aplaudan, lo mejor es que no hable en público. A todos nos gusta agradar a los demás y todos deseamos que nuestras palabras se acepten. El estruendo de los aplausos resulta gratificante para el orador; los abucheos significan, en cambio, el fracaso. Conviene por tanto prever y saber cómo tratar las aclamaciones, buscando el aplauso y haciendo una pausa tras él.

La pausa no suele ser efectiva en el caso de que alguien le abuchee. Apresúrese a levantar la vista y mire fijamente a la persona que haya osado gritar contra usted. Inmediatamente y con energía, diríjase a ella: «Quienes así se comportan, no contribuyen a conseguir el éxito que todos deseamos a esta empresa...»; otra posibilidad es: «No creo que su posición se vea beneficiada con esa incorrecta actitud»; a veces la cortesía es el mejor medio para afrontar la situación: «Siento que se vea usted impulsado a adoptar esa actitud. Si tuviera la amabilidad de esperar un poco, podría escuchar las razones que respaldan mis últimos argumentos. Y verá que son correctas».

Haga una pausa a continuación, dejando que se desvanezca el efecto del abucheo, pero empiece a hablar antes de que su detractor vuelva a insistir en su actitud. La frontera entre la pausa efectiva y la defectiva es muy estrecha. Cada ocasión debe valorarse en su momento. Muchos oradores prefieren apresurarse a hablar, en lugar de molestarse en esperar, aparentemente seguros, a que se produzca el silencio, la atención... el efecto.

La pausa es incluso más importante (y menos arriesgada) cuando se está a la caza de los aplausos durante el discurso. Si se encuentra nervioso, puede recurrir a la prudente tradición teatral de organizar su propia *claque* en la noche del estreno (ver capítulo 29). «Debemos dar la impresión de que estamos enormemente entusiasmados con este proyecto. Por tanto, cuando exprese mi confianza en la certeza del éxito...» —pausa— «... ¡tiene que estallar el aplauso!» (el recurso a la pausa resulta útil incluso en las conversaciones normales).

Por lo general, al público le gusta saber cuándo tiene que aplaudir. «Todos nos sentimos honrados al dar la bienvenida a nuestro invitado de honor llegado del extranjero» —pausa—, «Monsieur» —pausa— «Jaune». Vuélvase a su invitado y haga una pausa para el aplauso.

«He aquí, señoras y señores, la primera muestra de nuestro nuevo producto. Se lo muestro...» —pausa— «... con orgullo...» —pausa—, «y con plena confianza en el éxito que alcanzarán en su venta, en su propio beneficio y en el de la empresa...» —pausa—. Mire a su alrededor. Es posible que alguien diga: «¡Muy bien!», aunque sólo sea para halagarle...

Si no se produce la ovación, puede aprovechar el silencio diciendo: «Caballeros, el éxito de cada uno de ustedes, al igual que el de la empresa, depende de la forma en que lleven a cabo la promoción de este producto. Yo les invito...» —pausa— «... a que acojan con entusiasmo...» —pausa— «este nuevo logro de nuestro departamento de investigación».

Si este truco no funciona..., si le resulta imposible arrancar la deseada ovación, no se preocupe. Continúe de otra forma. Modifique su enfoque. Inténtelo una y otra vez, pero sin precipitarse. Aguarde y no pierda el dominio de su auditorio.

No tenga miedo de hacer pausas. El viejo dicho de «el silencio es oro» tiene su aplicación más cierta y segura en el campo de la palabra hablada. El silencio es un arma tan valiosa como el propio discurso.

18. Las interrupciones

Para el orador experimentado, las interrupciones son como los golpes de mano para los grupos de operaciones especiales: un desafío a su capacidad y una prueba de su temple. Si se sabe manejarla, la persona que ha interrumpido puede provocar la reacción del público y hacer que éste se ponga de parte del orador. Una inesperada alteración de este género animará, sin duda, una asamblea aburrida.

Desde la plataforma o el estrado, el orador se halla en una posición absolutamente ventajosa. Si se utiliza con habilidad, la interrupción puede despertar o mantener la simpatía del público hacia el ponente, hacia el tema de su exposición o hacia ambos.

Para obtener los beneficios de una interrupción útil, hay que estar preparado. Cuando el orador depende demasiado de su guión, escrito o memorizado, la alteración de su discurso podría hacerle perder los nervios. Si ni sabe dónde está pisando, lo mejor hubiera sido que se quedara sentado.

Veamos algunos ejemplos típicos. Imagínese que un accionista acude a una asamblea de su empresa con la intención de alborotar. Durante su intervención, el accionista comienza a gritar y a interrumpirle. ¿Cómo puede darle réplica?

En primer lugar, mantenga en todo momento su dignidad. Si con tranquilidad y firmeza pide que le escuchen imparcialmente, se ganará un sonoro y merecido aplauso: «Aprecio el que usted desee expresar su opinión, y le aseguro que tendrá suficientes oportunidades para hacerlo, en su momento. Mientras tanto, le suplico tenga la cortesía de escuchar». Otras posibilidades son: «Le ruego que escuche mis puntos de vista sin parcialidad, tal como yo he escuchado los suyos», o «Yo he escuchado sus argumentos sin interrumpirle. Le ruego que tenga la misma cortesía para con los míos».

También puede recurrir a la siguiente fórmula: «Si tuviera la amabilidad de escuchar la exposición de lo que el consejo/la empresa desea proponer en las difíciles circunstancias actuales, quizá aprendería algo provechoso para usted».

El momento acaso requiera una mayor agresividad: «Si me escuchara a mí, en lugar de a sí mismo, ese caballero estaría haciendo un buen favor a ambos».

El moderador sólo debe intervenir si usted no sabe defenderse y pierde el dominio de la asamblea. En el mejor de los casos, aquél restaurará el orden; en el peor, ordenará la salida de los alborotadores. De cualquier modo, un orador experto siempre sabe mantener el buen humor y la atención de su auditorio, sin tener que recurrir a la fuerza.

Algunas interrupciones pueden ser útiles y oportunas (aunque en principio no fuera ésa su intención). Por otra parte, los comentarios humorísticos en voz alta se vuelven a veces en contra de quien los formula. El estruendo de un avión a reacción entorpecería su intervención durante unos momentos, pero también puede inspirarle alguna moraleja sobre el tema que está tratando. Si un miembro de la asamblea llega con retraso, quizá sea aconsejable dirigirle alguna observación amistosa que saque a ambos del apuro, al tiempo que sirva de respiro al orador para reflexionar sobre su propia actuación, para modificar el ritmo del discurso o para permitir que la gente se distienda durante unos segundos, cambie de postura en sus asientos y se prepare para seguir escuchando.

El orador debe demostrar que tiene la suficiente confianza y dominio en y sobre sí mismo como para conservar las riendas de la situación y del público.

Si el acoso de los alborotadores le hace sentirse nervioso, haga una pausa, sonría y conserve su ecuanimidad. Cuanto mayor sea el alboroto y la confusión creada por las interrupciones, cuanto más grave sea el trastorno en su línea de pensamiento, más importante debe ser para usted demostrar al auditorio que no va a perder los nervios.

Acuda a un mitin político importante y observe la intervención de algún político experto. Escúchele y compruebe cómo provoca y aniquila a sus detractores dentro de la asamblea. Observe cómo incita al auditorio a que se ponga en contra de los alborotadores. Unos cuantos opositores poco avisados habrán contribuido a fortalecer la imagen del líder, provocando la exaltación de sus partidarios, el apoyo de los neutrales y la animación de un acto que, de otra forma, habría sido aburrido.

La eficacia será mayor cuanto más espontánea, ingeniosa y rápida sea la réplica. Una respuesta débil pero inmediata siempre es mejor que la contestación brillante que podría habérsele ocurrido un poco después.

No deje que los alborotadores le hagan errar el golpe. Utilícelos en su propio beneficio.

19. El apasionamiento

Las pasiones son para sentirlas, reconocerlas y dominarlas. Si deja que ofusquen su entendimiento, sus intervenciones públicas serán un fracaso.

La tranquilidad estudiada constituye un arma poderosa. Deje que el público comparta sus sentimientos, pero demuéstreles que es su mente la que guía a su corazón; de otro modo, le será imposible influir en las ideas, en los votos o en los bolsillos de los que le escuchan.

Haga que la gente sienta pena *con* usted, pero no que se apene *de* usted; hágales reír *con* usted, pero no olvide que, si deja que se rían *de* usted, estará perdido.

Por consiguiente, centre sus palabras en el tema de que se trate, y no en sus sentimientos. Concluya con un epílogo extraordinario o con una afirmación plena de seguridad, pero mantenga siempre su discurso en forma de propuesta bien construida y cuidadosamente presentada.

La oratoria apasionada tiene su lugar apropiado en los púlpitos; por el contrario, funciona mal en las reuniones de empresa u organización, y en las conferencias públicas. La expresión de los sentimientos rara vez da resultado en público. Si tiene necesidad de desahogarse, procure hacerlo en privado.

20. El control del tiempo

El tiempo es nuestro enemigo. Sepa valorarlo y emplearlo adecuadamente y conseguirá el éxito en sus discursos y presentaciones.

El hombre de negocios experimentado siempre sabe cómo hay que administrar el tiempo, excepto cuando el discurso es el suyo. Embelesado por sus propias palabras, se olvida totalmente del tiempo y de la paciencia de las personas que le escuchan.

«¿He hablado demasiado?», preguntaba el director gerente de una empresa.

«En absoluto», respondió su anfitrión. «¡Gracias a usted el invierno se ha hecho más corto!».

Cuando pronuncia un discurso o hace una presentación, su objetivo es captar, cautivar y convencer a su auditorio. Esto significa que debe avivar los ánimos de los que le escuchan, en lugar de aburrirles mortalmente.

Casi nadie suele decir: «Podría escucharle durante horas». Lo más frecuente es que se diga lo contrario: «Creí que no iba a terminar nunca...».

En los tiempos en que estudiaba un curso para posgraduados de Harvard, participé en un debate celebrado en la famosa colonia penitenciaria de Norfolk. Mi compañero era Anthony Lloyd, hoy magistrado del Tribunal Supremo británico. Nuestros oponentes eran Bill Flynn, falsificador, y Buzzy Mulligan, condenado por homicidio. En Norteamérica los debates públicos requieren una gran habilidad; el tiempo está estrictamente regulado, y la valoración de lo que se dice se hace tanto por el contenido como por la presentación.

Flynn nos hizo una primera observación sobre el uso del tiempo. «Por favor», dijo, «recuerden que en este lugar el tiempo se cumple, ¡no se disfruta! Los minutos, las horas y los días están marcados en las paredes. El auditorio es muy sensible a este respecto. El año pasado celebramos un debate en el que participaron otros dos miembros de la Cambridge Union. La primera intervención no fue muy afortunada. «Es un placer», dijo nuestro invitado, «poder dirigirme a un público al que veo tan cautivado... ¡Puedo asegurarles que no es nada divertido estarlo!».

El tema de *nuestro* debate era: «Esta casa da la bienvenida a los progresos del Estado del bienestar social». Bill comenzó su intervención con una fórmula clásica: «Ya que vivimos en un estado de bienestar, ¿quiere alguien seguir viviendo en él? El *público* contestó con gritos de «¡No, no...!».

Mulligan tomó la palabra: «Los argumentos de los caballeros ingleses son tan falsos como los cheques de mi compañero», a lo que siguió una sonora ovación.

Como vemos, conviene respetar al público y tener en cuenta la situación de inmovilidad en que se encuentra. En el Parlamento, cuando alguien se extiende más de lo debido la cámara suele vaciarse, quedándose sólo los que están esperando su turno para hablar. Si se desea ganar la enemistad de un auditorio (especialmente si los oyentes están de pie o se hallan en asientos incómodos), todo lo que hay que hacer es hablar durante mucho tiempo. Por consiguiente, conviene calcular con antelación el tiempo que se va a hablar y adaptarlo al público concreto, manteniendo el contacto con el mismo durante toda la alocución.

En cierta ocasión, un sacerdote comprobó que sólo había acudido un feligrés a su servicio de vísperas. Con inexorable determinación, siguió uno por uno los pasos de la liturgia e incluyó un espléndido sermón de media hora. Cuando terminó el oficio, el cura estrechó calurosamente la mano de su único feligrés. «Aunque sólo haya una vaca en el prado», dijo, «debemos alimentarla bien».

«Desde luego», replicó el pobre hombre, «pero tampoco hay que darle toda la carretada de heno».

En general, si son pocos los asistentes habrá de ser menor la extensión de su discurso o presentación. Conviene aprovechar el tiempo para comunicarse, para escuchar, para formular y responder preguntas, para establecer y consolidar relaciones amistosas, etc. Si el objetivo de sus intervenciones públicas es ganarse la amistad de otras personas e influir en sus actividades, su mayor gesto de cortesía consistirá en tener en cuenta a dichas personas en sus cálculos de tiempo.

¿Reconoce usted la importancia del tiempo en sus negocios? ¿Controla a sus empleados, e incluso a sus directivos mediante el inhumano sistema de «fichar»? ¿Considera que este tipo de medidas forman parte de la necesaria disciplina empresarial? Entonces aplique una *auto*-disciplina en sus intervenciones públicas, pues de otra forma no conseguirá otra cosa que hablarse a sí mismo, y no sólo en sentido metafórico.

En primer lugar, hay que llegar con puntualidad. Un candidato presidencial llamado Adlai Stevenson me dijo una vez que, en su opinión, era conveniente llegar tarde a los mítines electorales.

«Siento mucho discrepar con usted», le dije, «pero pienso que no hay peor ladrón que el que roba el tiempo ajeno, pues éste es el único bien que nunca puede recuperarse».

Planifique el tiempo de su discurso. El tiempo se arrastra con lentitud para el prisionero, pero, en cambio, corre velozmente para el orador. Concéntrese en su tema y en su público y no notará el paso de los minutos.

Conviene calcular por lo alto el tiempo que se va a necesitar. Si va a preparar una presentación de media hora de duración, prepare material para un máximo de 20 minutos. Los 10 minutos restantes siempre pueden emplearse para un turno de preguntas.

¿Se dispone a pronunciar un discurso? Entonces pídale al moderador (o a algún compañero o amigo situado en la primera fila del auditorio) que le haga una señal cuando le falten cinco minutos para la hora de terminar. No espere a que el moderador haga sonar su mazo o dé orden de encender las luces.

En un banquete oficial, un conocido político prolongó, exageradamente, su intervención. La persona que tenía que hablar a continuación susurró al moderador: «¿No puede hacerle callar?» El moderador levantó su mazo, pero se le escapó de la mano y golpeó en la cabeza a su vecino, el cual, mientras caía bajo la mesa exclamó: «¡Otra vez!, ¡atíceme otra vez, que aún le oigo!».

También puede poner su reloj en algún lugar bien visible. Si la mayoría de los oradores experimentados lo hacen sin ningún rubor, ¿por qué no lo podría hacer usted?

Yo utilizo un reloj con avisador. Cuando hablo en público, pongo el avisador cinco minutos después del tiempo prefijado para concluir. Por fortuna, todavía no he tenido que escuchar nunca su aviso.

Si no tiene ningún reloj al alcance de su vista, puede consultar el suyo con la debida discreción. Su audiencia va a percatarse de que está consultando la hora (lo cual, sin embargo, sería menos embarazoso que si fueran ellos quienes la consultaran).

Durante una misa, el sacerdote vio que uno de sus fieles estaba distraído: «Bien, Sr. Brown, no me importa que mire su reloj durante mi sermón. ¡Lo que me molesta es que se lo acerque al oído y se ponga a agitarlo!».

El arte de mirar el reloj con disimulo ha alcanzado el culmen de la maestría en la persona de la reina Isabel de Inglaterra. La soberana lleva reloj en la parte interior de la muñeca derecha. De este modo, al extender el brazo, ya sea para dar la mano a alguien, para brindar o para hacer cualquier otro gesto sencillo, siempre puede ver la hora que es.

«Al escribir, la mano avanza, pero en habiendo escrito, lo abandona», decía Omar Khayyam en su famoso *Rubaiyat*. Una vez que ha pasado, el tiempo es irrecuperable. Sin embargo, cuando la mano escribe, las palabras pueden corregirse, y el artículo o presentación pueden acortarse, resumirse y condensarse.

Los pensamientos no hay que pronunciarlos, la palabras hablada sí. Si al hacerlo se roba el tiempo de los demás, nunca puede devolverse.

PARTE 3

CÓMO TRATAR A SU AUDIENCIA

21. Cómo tratar a su audiencia

Un orador experimentado no siempre habla a todo su auditorio. En lugar de eso, a veces mira a su alrededor en busca de un rostro amable. Incluso entre el público más hostil siempre hay alguien de quien se puede obtener una sonrisa amistosa o tolerante. En tal caso, habla a esa persona.

El orador que mira por encima del público, con la mirada perdida en el vacío y abandonándose al soliloquio, no es mucho mejor que el que agacha la cabeza y se limita a murmurar las palabras que lee en sus apuntes.

El auditorio está compuesto por personas que desean pasar un rato ameno. Probablemente han acudido al acto empujados por el interés o la curiosidad, si no en lo que usted vaya a decir, sí en lo que el concurso vaya a comprometerse a hacer. No hable a las nubes (en sentido metafórico y literal). Mire a los asistentes y hábleles directamente.

Cuando tenga que hablar en público, intente conocer la clase y el tamaño de la audiencia que va a escucharle. La preparación de su discurso puede depender del número de oyentes. ¿Se trata de un público habituado a los discursos? ¿Son personas sencillas o cultas? ¿Conocen el tema del que les va a hablar o son profanos en la materia? ¿Están predispuestos a su favor o en su contra?

Cuando alguien intenta despachar un asunto en privado, debe esforzarse por ajustar sus palabras al carácter, la personalidad, los intereses y la sensibilidad de quien le escucha. Se trata sólo de sentido común, ¿no es cierto? Pues bien, si la mayoría de las personas que hablan en público aplicaran este mismo sentido común a sus discursos, el mercado de la oratoria pública no estaría tan deteriorado. La gente preferiría acudir a los actos públicos en lugar de quedarse en casa viendo la televisión y los oradores tendrían mucho más éxito del que suelen tener la mayoría de ellos.

Quienquiera y como quiera que sea su auditorio, obsérvelo mientras habla. Compruebe si la gente está concentrada en sus palabras, o si se mueve en sus asientos con demasiada frecuencia. Si han permanecido quietos durante largo rato, deténgase un momento. Haga una pausa. Coja su vaso de agua y beba un trago; ordene sus papeles. Dé al público la oportunidad de relajarse y recomponerse para seguir escuchándole. No hay nadie que pueda concentrarse durante un período de tiempo prolongado sin tomarse algún descanso.

Si el público se muestra inquieto en un momento en que a usted no le conviene, intente recuperar las riendas de la reunión. En caso de que su discurso haya sido demasiado serio, cuente algún chiste, historia o anécdota. Si ha estado hablando con voz muy alta, adopte ahora un tono confidencial. En último extremo, concluya la intervención, bien de forma permanente, bien para iniciar un turno de preguntas.

La norma más importante que debe seguir todo orador es la de observar atentamente a la gente que le escucha. Por supuesto, esta norma no debe aplicarse en el caso de que usted sea la única persona presente en el acto (lo cual suele suceder cuando se ignora al público).

Uno de los principales problemas del orador es saber a dónde tiene que mirar. Ponerse frente al público y fijarles con la vista es muy difícil. ¿Por qué? Conozca la causa y le resultará mucho más fácil superar el problema. Veamos un párrafo del revelador libro de Desmond Morris titulado *El mono desnudo:*

> Un conferenciante profesional debe dedicar algún tiempo a entrenarse para mirar directamente a los componentes de su audiencia en lugar de hacerlo hacia el techo, el atril, los lados o el fondo de la sala. Aunque se encuentra en una situación dominante, son tantas las personas que le miran (desde la seguridad de sus asientos), que experimenta un miedo elemental, e inicialmente incontrolable, de ellos. El hecho sencillo, físico y violento de ser observado atentamente por un gran número de personas constituye también la causa de ese «nudo en el estómago» que sienten los actores antes de salir a escena. Por supuesto, el actor sufre una preocupación intelectual por la calidad de su representación y por la recepción de ésta por parte del público, pero su nerviosismo se acrecienta sobre todo por la sensación de amenaza que le produce la muchedumbre.

Aunque la gente que le mira le produzca temor, si lo que desea es descollar sobre la masa, debe esperar que las miradas se centren en usted. Aprenda a devolverlas.

22. El conocimiento del público

Los ejercicios más adecuados para enseñar las técnicas de la oratoria se realizan con personas pertenecientes a un mismo nivel (ver capítulo 37, sobre la formación). De este modo, ningún participante se siente dependiente de otro, ni nadie siente envidia de nadie. Este mismo principio se aplica a la mayor parte de las presentaciones.

Cuando doy un cursillo en una empresa, intento convencer a mis clientes para que se formen grupos de niveles similares. En caso de que deseen incluir al jefe, les advierto que el ambiente puede resultar demasiado frío y de que nadie se reirá de los chistes. Los participantes pueden sentirse demasiado comprometidos como para arriesgarse a preguntar o a responder de una manera abierta, que quizá perjudique su promoción en la empresa, o incluso les haga perder el empleo.

En cierta ocasión di una conferencia a la totalidad de los directivos de una empresa de servicios de restauración, sobre el tema «salud y seguridad». La primera parte del acto se inició con una explosión de carcajadas. Me encontraba, por tanto, en situación de implantar adecuadamente los conocimientos necesarios a un público relajado y receptivo.

Después del café de media mañana el ambiente se congeló. Sólo comprendí lo que había sucedido cuando supe que el director general se había unido a nosotros después del descanso, hecho que nadie se había atrevido a advertirme; también supe que el director en cuestión había despedido a veinte ejecutivos aquella misma semana.

Por consiguiente, si tiene la posibilidad de elegir a su público, no intente conseguir uniformidad de carácter y forma de pensar, sino homogeneidad en el nivel profesional. Si alguna vez se atreve a llevar a cabo la difícil y personalizada tarea de enseñar las técnicas de presentación, ponga aún mayor cuidado en este sentido.

Todas estas recomendaciones serán beneficiosas para sus víctimas, y también para usted.

En alguna ocasión puede verse en la necesidad de tener que hablar ante sus superiores, haciéndolo de forma exclusiva para ellos o mezclados con un auditorio en el que también haya otras personas. En cualquier caso, la regla básica es: nunca ponga en evidencia a nadie en presencia de sus superiores. Si pisoteas la dignidad de un hombre, decía el sabio, te odiará durante toda su vida. Y es que la mejor manera de buscarse un enemigo es mostrar la insignificancia y la estupidez de un hombre delante de sus superiores o de sus subordinados.

Si la persona a la que ha conseguido humillar en público llegara algún día a ser su superior, lo más probable es que usted no ascienda en su lista de discípulos fieles, aptos para la promoción. En caso de que haya destacado la estupidez de un compañero en presencia de su común jefe, lo mejor que puede hacer es guardarse las espaldas.

Las tomaduras de pelo y las bromas —incluso el atosigar y martirizar a la audiencia— son armas de gran valor en el arsenal de cualquier instructor. Pero deben utilizarse con discreción, pues de no hacerlo así rebotarán en el blanco y se volverán contra quien las usó.

Cuando tengo a un jefe en presencia de sus subordinados, pido la opinión de aquél. Sus subordinados no se ven ridiculizados, sino ensalzados. La dignidad debe circular en ambas direcciones, aunque el resultado sea algo molesto.

Sin embargo, donde demostrará verdaderamente su capacidad será al dirigirse a una reunión de personas de mayor edad que usted. En tal caso, tendrá que demostrar sus conocimientos sin provocar la antipatía o el temor de sus oyentes, que podrían ver en usted un verdugo actual o un futuro rival. ¿Cómo puede demostrarles respeto sin arrastrarse, humildad sin humillarse?

Entonces necesitará usar el tacto, sensibilidad, inteligencia, sentido común y demás virtudes que usted posee y tener, además, buena suerte.

* * *

Las siguientes normas se aplican especialmente en las presentaciones ante niños, jóvenes o estudiantes. ¿Ha sido alguna vez invitado de honor en una ceremonia escolar de concesión de premios? ¿Ha tomado parte en algún debate universitario? ¿Ha protagonizado tal vez alguna charla sobre su profesión o sus aficiones ante un grupo o club juvenil?

Los que hablan a los jóvenes de una forma exageradamente simple suelen fracasar estrepitosamente. En cambio, si usted les trata en un plano de igualdad, es muy posible que le presten una total atención e incluso que le inviten a pronunciar una nueva charla. Que no se le ocurra correr el riesgo de acudir a una de estas reuniones sin preparar su intervención, ya que los jóvenes captan rápidamente el fraude y la mentira: tienen un instinto especial para descubrir la falta de sinceridad.

Por supuesto, tendrá que adaptar el estilo y el contenido a su audiencia y a su objetivo final. No se le puede hablar del mismo modo al personal de ventas que a los enlaces sindicales; no se puede decir lo mismo cuando se explican los motivos por los que hay que congelar los salarios que cuando se presenta un nuevo producto o proyecto.

Los miembros del departamento de ventas, por ejemplo, constituyen una raza aparte. Extrovertidos y coriáceos por el tipo de trabajo que desempeñan, y activos por naturaleza, sólo respetan el conocimiento y la experiencia de los que son, por lo menos, iguales a ellos (como sucede con todos los demás profesionales de valía). Si quiere que le escuchen, hábleles en su propio idioma.

Los vendedores necesitan saber lo que piensa usted hacer para mantener el mercado, cuándo va a hacerlo y cómo. Necesitan conocer los detalles relativos a zonas y clientes potenciales, los objetivos, los planes y las proyecciones de futuro.

Los enlaces sindicales se ocupan de una tarea distinta. Son representantes electos, y para conseguir de ellos una razonable esperanza de cooperación hay que convencerles de que nuestras propuestas coinciden con los intereses de los miembros del sindicato.

Entre sus empleados cuentan tanto los vendedores como los trabajadores, pero la independencia física y la iniciativa de los primeros es mucho mayor. De cualquier modo, cuando los trabajadores se sindican adquieren una forma distinta de independencia, alimentada por la conciencia de que la unión hace la fuerza.

En tiempos de recesión económica, el poder sindical disminuye. ¿Quién está dispuesto a secundar las iniciativas combativas de un líder obrero ante la amenaza latente del desempleo? A veces lo hacen los trabajadores de la industria automovilística, aunque en ocasiones han soportado una dictadura insufrible, en aras de la supervivencia. También suelen hacerlo los trabajadores de los servicios de abastecimientos de aguas, los ferroviarios, los mineros del carbón y otros sectores con una gran capacidad de influencia debido a su carácter monopolístico y a la inagotable demanda de sus servicios. No obstante, incluso estos grupos de trabajadores pueden caer también en el pozo de la recesión.

En cualquier caso, para hablar con representantes sindicales, deberá adquirir sus mismos conocimientos y adoptar la misma firmeza que ellos. Proporcióneles la mayor cantidad posible de información, con precisión y honestidad. Reconozca la lealtad que deben guardar a su sindicato y a los miembros del mismo. Si usted puede aunar los intereses del sindicato y los suyos propios, habrá hecho un buen negocio.

Imagine que tiene que hablar ante los otros directivos de su empresa. Estos directivos son sus colegas, por lo que debe tratarles como tales.

Existe una peculiar y casi universal creencia de que la comunicación entre la dirección empresarial y los sindicatos es deficiente tanto en el Reino Unido como en los EE. UU. En realidad, esta comunicación suele fluctuar de buena a excelente. La comunicación se colapsa en la propia dirección y va empeorando en los sucesivos escalones jerárquicos, o cuando la diversificación del grupo industrial es muy grande.

Pregúntese a *sí mismo*: «¿Quién tiene mayores posibilidades de acceso a usted, el presidente del comité o el enlace sindical, el capataz o el directivo de línea? ¿No se tutea con los líderes sindicales y guarda las distancias con sus directivos de nivel medio y (especialmente) con los de nivel inferior?

La legislación vigente favorece esta lamentable tendencia. Usted está obligado a facilitar información a los sindicatos para propiciar la negociación colectiva. Lo más probable es que, en cambio, no se tome la molestia de informar a sus propios colegas de los niveles directivos, ni con antelación ni el mismo momento de la negociación.

Si pregunta a la mayoría de los directivos medios o de línea en qué forma adquieren la información de tipo sociolaboral, es muy posible que le respondan: «Preguntemos al enlace sindical; él está en contacto con el jefe.»

Cuando se dirija a sus directivos, recuerde que es muy probable que éstos se encuentren más insatisfechos que los trabajadores. De hecho, algunos de ellos seguramente ganarán menos dinero que algunos de los trabajadores a los que supervisan. Esta negativa situación, en la que los empleados cobran horas extraordinarias, sobresueldos y similares, mientras los directivos deben trabajar «tantas horas como sean necesarias para cumplir adecuadamente sus obligaciones», a cambio de sueldos fijos, es la causa del enorme descontento y malevolencia existentes.

Cuando hable con sus colegas, tenga en cuenta sus problemas, tanto personales como profesionales. Respete sus recelos y aborde el problema sin tapujos.

¿Trabajan para usted los directivos de menor rango? Bien, pero usted trabaja *para* y *con* ellos. Enfoque adecuadamente la cuestión, y sus presentaciones tendrán el éxito deseado.

*   *   *

Pocos ejecutivos o directivos limitan sus conversaciones, discursos u ovaciones a sus superiores. La mayoría de ellos tienen que reservar al menos unas palabras ocasionales (y a veces frases enteras, dignificadas con el nombre de «discurso», «conferencia», «charla», «arenga», o «exposición») para sus subordinados.

Luego, recomiendo que incluso un presidente excelso o un director general excelente debe hablar con las personas que se hallan bajo su poder (y siendo muy pocos los que hablarán exclusivamente con *Él*), incluimos aquí unas sugerencias sobre cómo dirigirse a su staff o empleados, trabajadores o vendedores y en general a todos aquellos de cuyo éxito profesional muy bien pueden depender el empleo y el futuro de usted.

— *No* haga ostentación de superioridad. El jefe altivo y condescendiente nunca logra obtener los mejores resultados de su equipo. Por el contrario, trate con cordialidad a sus subordinados... déles confianza... incúlqueles la idea de que forman parte de un equipo para cuya dirección usted es el más adecuado y de cuyos componentes está muy satisfecho.

— Tenga en cuenta que estas conversaciones con su staff o empleados son importantes (si no lo fueran no tendrían por qué celebrarse). Utilice los mismos procedimientos que en cualquier otro tipo de intervención importante (incluyendo una rigurosa preparación).

Aparte de sus familiares más cercanos, sus compañeros de trabajo son las personas que pueden descubrir con mayor facilidad los errores que usted cometa.

— Su actuación y el contenido de su exposición debe enfocarlos desde el punto de vista de un compañero o jefe de equipo, de un trabajador más, cuyos ingresos dependen de los éxitos profesionales de las personas a las que dirige (y viceversa). Trabajando en equipo, usted puede conseguir la continuidad y la prosperidad de sus subordinados. Si no acentúa la idea del beneficio común, el equipo fracasará y todos resultarán perjudicados.

23. Sensibilidad y tacto

Un orador de categoría sabe cómo hay que influir en el auditorio; observa cuidadosamente a las personas que le escuchan, fomenta su concentración, les convence con sus argumentos y consigue entusiasmarles con su mensaje.

Desde el momento en que usted entra en la sala, la sensibilidad constituye la clave para conseguir el éxito con elegancia. Algunas recomendaciones útiles en este sentido serían:

— Diríjase al presidente o persona más importante del acto; salúdele, trátele con respeto, procure no rebajar su posición y, si fuera posible, muéstrele su deferencia, aunque sea preguntándole simplemente algo como: «¿He tratado los asuntos que usted deseaba?», o «¿Cómo enfocaría usted este problema en su organización?».

— Procure orientar la conversación, la discusión o el debate en el sentido que a usted le interesa, sobre todo si el tema se ha desviado de manera inesperada o indeseada.

— Invite a la gente a intervenir y participar, y aprovéchese de ello. Del mismo modo que el político experto se vale del alborotador para conseguir sus objetivos, el orador debe acoger con agrado las intervenciones que animen el acto y le aporten información sobre los intereses y deseos del público.

— Evite las jergas y la terminología compleja, especialmente en los temas que usted domina, pero que son poco o nada conocidos por los que le escuchan. Nunca hay que suponer un excesivo conocimiento técnico en los demás. Por otra parte, el señor X puede ser nuevo en su departamento, y además, el señor Y, que habrá preparado el terreno para facilitarle su charla, quizás se haya expresado en términos más comprensibles.

— Intente distinguir a las personas que desean preguntar algo, pero que no lo hacen porque temen revelar su ignorancia ante sus compañeros. Esto les sucede tanto a los superiores, que nunca han de ser humillados ante sus subordinados, como a los principiantes, cuya promoción depende de la impresión que saquen de ellos sus jefes.

— Utilice el humor como una ayuda, pero no se sirva de él para humillar a aquellos que pueden influir en su vida profesional.

— Aprenda a detectar el aburrimiento o la intranquilidad de los que le escuchan; modifique el sentido, el estilo o el ritmo de su discurso, cuente un chiste o una anécdota, abra un turno de preguntas o diga simplemente: «¿Hay algún punto que requiera una explicación más detenida?»

— Extreme su tacto; si, por ejemplo, alguien hace una pregunta estúpida o que denota falta de atención, usted debe decir: «Lo siento, no me habré expresado bien. Permítanme explicárselo de nuevo», o «Éste es un concepto muy complicado y siento no haberlo explicado con claridad. Permítanme que les muestre un gráfico...».

Si se equivoca, comete un error u ofende a alguien sin querer, discúlpese. Una disculpa sirve para expresar el acierto de la persona aludida y el error propio; restaurará la reputación del ofendido y no hace ningún daño a quien la ofrece.

Anote los nombres de las personas o entidades a las que posiblemente tenga que citar (el presidente, el director general, la empresa, el invitado) y pronúncielos de forma correcta. La gente suele ser muy susceptible respecto a sus nombres, que no dejan de ser su imagen.

Acostúmbrese a pensar con antelación. No sólo hay que observar las reacciones del público ante lo que se está diciendo en un momento dado: es necesario pensar con antelación la próxima frase, idea o tema, o el próximo cambio de ritmo o estilo.

Si los que le escuchan miran al reloj, ésta será la señal de que se está extendiendo demasiado en su intervención. En estos casos, debe estar preparado para prescindir de las partes menos importantes de su guión y acelerar la conclusión de su discurso. También puede implicar al moderador. «Siento que estemos llegando al final de nuestro tiempo, señor Brown», podría decir, «¿desea *usted* que tratemos algún otro punto?».

En cierta ocasión escuché cómo un vendedor de ordenadores argumentaba en una gran empresa (ubicada en una zona azotada por la depresión) por qué debían comprar el equipo. «Si compran uno de nuestros ordenadores, podrán reducir su plantilla en un 50 %», afirmó. Cada uno de sus oyentes parecía decirse a sí mismo: «Me gustaría saber si estaré yo incluido en ese 50 %». El contrato no llegó a firmarse, y es que... la sensibilidad es importante.

Esta sensibilidad debe aplicarse tanto a las conversaciones públicas como a las privadas; tanto si se trata de un diálogo cara a cara, como si hay que hablar desde el estrado. En las conversaciones entre pocas personas el contacto visual es más sencillo y relajado. Cuanto mayor sea el número de personas que le escuchan, mayor es la tentación de tratarlas con distanciamiento, pero mayor será también la necesidad de estrechar el contacto con cada uno de sus oyentes. Si no se consigue este contacto no podrá culparles si ponen tan poco interés en usted y su mensaje como usted ha puesto en ellos y en sus reacciones.

Si lo que desea es provocar el entusiasmo del público con su exposición, deberá inyectar el entusiasmo en sus palabras y contagiar con ellas a los que le escuchan. Si la esencia de una buena disertación radica en el dominio de uno mismo que propicia el dominio del auditorio, la sensibilidad, por su parte, constituye el patrimonio más valioso del orador, y su ausencia, un insuperable obstáculo en el camino del éxito.

24. Los ataques personales

El significado de «caballero» se ha definido como «aquel que nunca se muestra descortés de forma involuntaria». El orador experimentado nunca pierde la compostura sin querer, y si desea ofender a alguien, lo hace con plena consciencia de ello.

Fuera del ámbito político, los ataques personales constituyen una práctica rechazable y rechazada. «Al escribir, la mano avanza, pero en habiendo escrito, lo abandona: toda tu piedad y tu inteligencia no podrán persuadirla para suprimir siquiera media línea; todas tus lágrimas no podrán borrar ni una sola de sus palabras». Un solo momento de descuido puede suponer la innecesaria creación de un enemigo para toda la vida. La palabra, una vez dicha, no puede borrarse.

El humor y el ingenio son vitales para la persona que habla en público. Sin embargo, muchas bromas pueden tomarse a mal, aunque se gasten sin mala intención. Hay una gran diferencia entre tomar el pelo a alguien en privado y ponerle en evidencia en público. Una misma broma puede resultar muy graciosa en una tertulia de sobremesa, y muy desagradable gastada desde un estrado.

El público más preocupado por su propia dignidad es el del mundo de los negocios. Los abogados suelen ser presuntuosos, pero aceptan la amarga lucha de los tribunales como parte de su profesión, de forma que las disputas judiciales no influyen en sus relaciones amistosas en la vida privada. Por lo general, no se ofenden por las burlas de sus colegas; en cambio, un hombre de negocios le retirará la palabra si usted se atreve a atacarle en público.

El político experimentado disfruta con el «toma y daca» de los debates; en la mayor parte de los casos, es capaz de considerar separadamente la personalidad y las manifestaciones públicas de su adversario. Este tipo de código no existe, sin embargo, en el mundo de los negocios.

Por tanto, dejando aparte las penas por difamación, conviene que el tema de discusión se centre en las ideas, no en las personas. Si decide atacar a un adversario, hágalo con pleno conocimiento de causa. Asegúrese de que tal ataque es acertado y supone una oportunidad razonable para conseguir el resultado deseado. Un acceso de violencia descontrolado, inconsciente, improvisado y virulento puede significar el fin de una amistad, de un equipo de trabajo, de un consejo o de un proyecto. Sea prudente cuando hable ante cualquier tipo de reunión, pequeña o grande. Usted no es la única persona que asiste al acto, aunque, si hace algún ataque inoportuno, pronto lo será.

Si tiene que criticar a alguien, prepare su intervención poniendo una especial atención en la recopilación de documentos: cartas, citas y hechos irrefutables. Cuanto mayor sea su resentimiento, mayor debe ser su serenidad y su cuidado en mostrar la seriedad y racionalidad de su crítica. Si pierde el dominio de sí mismo, lo más seguro es que pierda también el dominio de la situación y del público.

Intente saber con antelación la posible acogida que tendrán sus palabras entre los asistentes. El peor momento para recibir abucheos y ver rechazadas las propuestas es precisamente cuando se está haciendo una crítica personal. Si lo que busca es una venganza, elija con mucho cuidado el momento y el lugar para llevarla a cabo. Al lanzar un ataque se invita al adversario al contraataque. Cuando se menciona el nombre del oponente quizá se le está dando la publicidad que él desea, además del derecho moral de réplica (a los ojos de las personas que creen en el juego limpio). En vez de ocupar exclusivamente el estrado, quizá tendremos que ceder el turno a un adversario a quien hubiéramos preferido mantener en la sombra.

Si es su adversario quien le ataca, no conviene que usted se rebaje a su nivel. Su objetivo es, a fin de cuentas, el de exponer satisfactoriamente sus propuestas, convenciendo a la gente de su rectitud, de la utilidad de sus actividades, de su acertada actuación profesional o, por el contrario, de las equivocaciones de su oponente. Una inteligencia aguda constituye un arma más valiosa que una lengua afilada. Cuando las críticas se hacen con poca elegancia, la gente puede pensar que no se tiene una suficiente base objetiva o que se carece del necesario dominio (o ambas cosas).

Si dispone de media hora libre y se encuentra cerca de algún tribunal de justicia, observe el modo en que trabajan los abogados. Estos profesionales deben saber cómo «manejar a los jueces». Esto es lo que señaló un conocido letrado: «En el ejercicio de la abogacía lo que importa no es conocer la ley, sino conocer a los jueces.» Observe a los profesionales y aprenda de ellos.

Intente encontrar a algún juez o magistrado que sea conocido por su «severidad». Por fortuna, la mayoría de los hombres y las mujeres que se dedican a la administración de justicia suelen ser muy educados y amables. Pero siempre hay algunas excepciones (la mayoría de ellas muy conocidas en la profesión). Las mejores personas también pueden tener úlcera, lumbago o problemas matrimoniales.

Observe cómo se enfrentan los abogados, con corrección pero con firmeza, a la severidad de un juez poco amistoso. Serenos, seguros y respetuosos (y a veces con un enorme valor), saben evitar los temores y silencios prematuros, eluden las provocaciones y dominan debidamente su temperamento. Son perfectamente conscientes de que las probabilidades de ganar el caso para su cliente nada tienen que ver con que ellos pierdan su ecuanimidad.

Para una persona normal que tiene que hablar en público (p. ej., el presidente que intenta tranquilizar a su alterado consejo; el ejecutivo o secretario asalariados que deben responder al enojado presidente, o consejero delegado, que le está criticando en una reunión del consejo, o a un enfurecido accionista que grita y ataca injustificadamente a la empresa en una junta de accionistas), el sistema de «poner la otra mejilla» puede resultar el más apropiado.

— «Siento muchísimo que el señor Jones se haya visto obligado a hablar de este grave asunto de una forma tan ofensiva...».
— «Creo que el señor Jones se disculparía por el modo en que se ha dirigido al consejo, si tuviera la amabilidad de escuchar los objetivos que se han alcanzado...».
— «Todos estamos empeñados en un esfuerzo común: el de lograr el progreso de nuestra empresa. Los comentarios que acabamos de escuchar sólo pueden contribuir al fracaso de la misma. Nuestros competidores son los únicos que podrían aprobarlos...».
— «Responderemos a todas las críticas una por una, olvidando el modo ofensivo y personalizado con que se han realizado algunos de estos ataques».
— «Si el señor Black está verdaderamente interesado en el éxito de esta organización, como afirma, estoy seguro de que, cuando haya escuchado las razones de las medidas que tan ásperamente ha criticado, tendrá la cortesía de retractarse de tales críticas y pedirá disculpas a las personas a las que ha ofendido con sus virulentas observaciones. Supongo que no era su intención ofender a nadie. Como es sabido, él es una bella persona, y todos apreciamos lo que ha hecho por nuestra empresa. Así mismo, todos conocemos su profundo compromiso económico y humano en el éxito de la misma, y en consecuencia nadie le va a guardar el más mínimo rencor por que haya dicho las cosas tal como las siente... Sin embargo...».
— «Sé que todos apreciamos la franqueza, habitual en él, con que el señor White ha tratado esta resolución. En cambio, no podemos ad-

mitir las críticas personales que ha insinuado, y que sólo contribuyen a menoscabar la sinceridad de sus opiniones y el auténtico interés con que él y los que le apoyan —y, realmente, muchos de nosotros dentro del consejo— se toman las circunstancias que expuso...».

La hostilidad engendra hostilidad, y un planteamiento agresivo invita a una respuesta del mismo talante. El caso contrario también se verifica; si sorprende a sus agresores con moderación, comprensión y sensibilidad, conseguirá suavizar sus puntos de vista. En cualquier caso, de cara al éxito éste es un planteamiento mucho más satisfactorio que el ataque frontal.

Una vez que haya dado suelta a su hostilidad, no sólo habrá afectado gravemente a cualquier posibilidad razonable de una relación amistosa en el futuro, sino que habrá desaprovechado la posibilidad de que el presunto crítico estuviera realmente de su parte. Cualquier político experimentado puede confirmarle el hecho de que algunas de las preguntas aparentemente más agresivas, se formulan en los mítines para obtener una respuesta que redunde en beneficio de aquellos a quienes desea convencer el que hace la pregunta, que no pretende criticar ni beneficiarse de la situación. «Muy bien, no me escuches a mí... Preguntemos al compañero White... Seguramente él te dirá algo de interés...» Si responde a esta petición tildando de idiota a quien le consulta, sólo conseguirá perder un posible amigo y confirmar en su enemistad a la persona a quien éste trataba de convencer.

Si cree conveniente enojarse con alguien, hágalo al menos deliberadamente. Elija con suma prudencia tanto el momento como las palabras que va a usar. Si tiene que destruir a su adversario... procure hacerlo del modo más adecuado.

En cierta ocasión un juez le dijo a un famoso abogado: «Lo que usted me está pidiendo es que abra un oído y cierre el otro», a lo que respondió el letrado: «Eso no me sorprendería, Señoría, teniendo en cuenta lo que hay entre ambos».

A diferencia del abogado, la mayoría de la gente da con la réplica adecuada cuando la ocasión ya ha pasado. La respuesta rápida e ingeniosa suele provocar una admiración no siempre merecida; en cambio, la contestación precipitada, grosera, ofensiva o furiosa, al igual que la insinuación chistosa, sarcástica, irónica o maliciosa, produce la irritación, el desprecio y el silencio, y perjudica más al que habla, que al aludido.

25. Honores y elogios

Son muy pocos los oradores que rechazan los agradecimientos o se oponen a recibir honores, incluso en los casos en que éstos son inmerecidos. En cambio, la mayoría de ellos se ofenden cuando no se reconocen sus méritos o cuando se les muestra poca gratitud (sobre todo si los honores se prodigan injustamente hacia otra persona). Por eso, el buen orador debe ser tan generoso en sus elogios hacia los demás como parco en las alabanzas hacia sí mismo. Cuando un orador reconoce los méritos de otra persona (y los ensalza públicamente), tendrá a ésta mucho mejor dispuesta para aceptar la bondad de sus argumentos.

Veamos a continuación una muestra de lo que puede ser una introducción general, previa a las críticas.

«En primer lugar, querría expresar mi reconocimiento hacia varias personas aquí presentes. Esta reunión ha podido celebrarse gracias al señor Brown. Si no fuera por el señor Black la empresa se encontraría en graves dificultades. Por su parte, el señor White es el principal promotor del proyecto que hoy vamos a discutir. Al destacar sus méritos, no puedo dejar de expresar mi agradecimiento a todas las personas aquí presentes sin cuyo apoyo y respaldo nunca se hubiera podido llevar adelante este importante proyecto».

«Ahora, entremos en materia». Ha conseguido suavizar los ánimos de los que le escuchan. Su auditorio está preparado para escuchar unas cuantas críticas constructivas.

Otra fórmula sería la siguiente: «La presidencia del señor Green ha posibilitado el enorme progreso de este proyecto. La labor del señor Brown como tesorero y la del señor Blue como secretario honorario han dado, como era de esperar, un sorprendente impulso al mismo. Ahora nos corresponde a nosotros colaborar con ellos aportando ideas constructivas para materializar el plan que han creado».

«Sé que ellos acogen con agrado las críticas destinadas a perfeccionar su trabajo. Es sabido por todos que su entusiasmo sólo puede incrementarse mediante las sugerencias formuladas por personas que, como nosotros, buscan por todos los medios el éxito del proyecto. Ellos son conscientes de que no hay ninguna intención destructiva en los puntos de vista que mantenemos. Estoy seguro de que ustedes sabrán tomar en consideración nuestras modestas propuestas».

¿Alabanzas? Sí, pero legítimas. ¿Elogios? Desde luego, pero con la apariencia de una sinceridad total. Reconocimiento, gratitud, tacto... y todo lo que sea necesario para preparar las críticas subsiguientes. No sólo van a ser los ejércitos quienes saquen provecho a un ataque por el flanco, y tampoco hay que avergonzarse de una rápida incursión por la retaguardia.

Para comprobar la importancia de estas normas, no tiene más que escuchar a alguien que no las conozca. Guárdese del bienhechor despreciado, del que vea ignoradas sus buenas obras, del creador cuyas ideas, invenciones o descubrimientos se atribuyen a otros.

Claro es que siempre existen algunas eminencias grises, espectrales investigadores que se enorgullecen de las alabanzas recibidas por aquel que se encumbró con el esfuerzo de ellos, del mismo modo que un padre se conforma con ser el reflejo de las hazañas de su hijo. Sin embargo, incluso a estas personas les gusta que se haga alguna referencia indirecta al trabajo realizado en la sombra, a la mente modesta del intelectual que «desea permanecer en el anonimato, aunque no por ello su trabajo no merezca ser agradecido... Los que tenemos la suerte de saber cómo y gracias a quien se ha realizado el trabajo de fondo, no podemos por menos que saludar a nuestros modestos y silenciosos amigos; les estamos muy agradecidos».

La aparición de un artículo de fondo o un comentario elogioso sobre un producto en las páginas de un periódico constituye una enorme satisfacción para el encargado de relaciones públicas de la empresa que fabrica ese producto, pues el valor de tales elogios es mucho mayor que el de los anuncios que se han lanzado para promocionarlo; del mismo modo, la introducción de una «cuña» en el transcurso y contexto de un parlamento suele ser más valiosa para el que la pronuncia y más apreciada por la persona aludida que las convencionales y reiteradas fórmulas de agradecimiento al uso. Por lo que ésta es un arma que también puede utilizarse para que los demás acepten nuestros propios argumentos, como veremos a continuación.

26. La persuasión, el arte de la abogacía

Los abogados, decía Dean Swift, son personas «educadas en el arte de demostrar que lo blanco es negro y lo negro blanco, en función de quien les pague». Por supuesto, en esta afirmación no se tiene en cuenta la ética profesional, que suele impulsar a los letrados a ser fieles a los principios jurídicos, haciéndoles actuar (y hablar) en contra de los intereses de sus clientes.

La abogacía es un arte; el engaño, una maldad. Sin embargo, conviene recordar el agudo aforismo de Swift. Los hombres de negocios también se ven obligados a veces a proponer o defender públicamente medidas o decisiones con las que, en su fuero interno, no están de acuerdo.

El consejo de ministros no es el único lugar en el que las decisiones deben adoptarse por mayoría. Esta misma norma es la que suele aplicarse en los consejos de administración de las empresas, entre los socios de una compañía o en el comité de una organización. Acepte la democracia (permitiendo el rechazo de sus propuestas cuando la mayoría de sus colegas están en contra de las mismas), o renuncie a su cargo. Si opta por la primera posibilidad, entonces es probable que tenga que apoyar frecuentemente a sus compañeros, lo que le obligará a defenderlos en público.

El abogado puede verse obligado a proponer puntos de vista poco aceptables, no sólo para las personas que le escuchan, sino incluso antipáticos para él mismo. Los hombres de negocios suelen conceptuar a los juristas y a los políticos como charlatanes y embaucadores. Sin embargo, la labor de estos profesionales es muy similar a la del ejecutivo que intenta tranquilizar a los miembros de una asamblea de acreedores, a la del presidente que pretende eludir su responsabilidad (y probablemente también la del secretario del consejo) ante los problemas de la empresa, o a la del director de ventas que presenta a sus vendedores un producto poco atractivo (y quizá no muy satisfactorio).

No se necesita mucho arte para persuadir al que ya está convencido, para predicar al converso o para mantener el apoyo de un grupo que está de acuerdo con las propuestas u opiniones de su líder. En cambio, presentar un caso difícil o aparentemente imposible de defender, constituye un desafío mucho mayor. Los hombres de negocios deberían tomar ejemplo de los alegatos que hacen los abogados experimentados.

Empiece con una introducción serena y sincera, pero firme. Puede pensar que se trata de un «dorar la píldora», pero recuerde que la naturalidad estudiada constituye uno de los fundamentos básicos del moderno arte de la persuasión. Pasaron ya los días de los oradores gesticulantes y vocingleros. La teatral apelación a los sentimientos aún puede aplicarse en las iglesias o en las reuniones de tipo religioso, pero está fuera de lugar en los tribunales y debería desaparecer también de las reuniones de empresas u organizaciones.

Cuanto mayor sea la predisposición del público en contra suya, mayor importancia debe tener para usted la moderación, especialmente en el inicio de su intervención. A continuación señalamos algunos recursos eficaces para los casos en los que uno se encuentra en minoría:

— «Comprendo perfectamente lo difícil que me va a resultar convencerles de... Sin embargo, estoy seguro de que si ustedes tuvieran la amabilidad de escuchar mi exposición con ecuanimidad y hasta el final, llegarían a estar tan convencidos como yo de que...».
— «El señor Black, que acaba de hablar, es un abogado experimentado y ha expresado con habilidad y elocuencia los puntos negativos del asunto que nos ocupa. Sin embargo, hay otra forma de entender este caso. Antes de adoptar una decisión, estoy seguro de que desearán conocer la otra versión de los hechos, que explicaré con todo lujo de detalles...».
— «Muchos de nosotros nos hemos sentido afligidos al escuchar la acusación, vehemente e incluso virulenta, que se ha hecho en contra de... Aunque muchas de las críticas son aparentemente válidas, si se profundiza un poco en ellas puede comprobarse que no todo es como nuestros amigos han sugerido. Estoy seguro de que este

comité/organización/asamblea no estará dispuesto a tomar ninguna decisión sobre este importante asunto, en tanto no se hayan valorado ambos puntos de vista. Expondré el mío con la mayor brevedad posible. No obstante, espero que me permita, señor presidente, tomarme el tiempo necesario para desarrollar mi argumentación...».

— «Sé que los miembros de este comité son personas atareadas, y, por tanto, no consumiré más tiempo y energía en la acusación del señor X. Ha cometido errores y ahora los está pagando. Ahora bien, si miramos al futuro, debemos apreciar también algunos de los logros del señor X. Nos ha defraudado, es cierto, pero también es el artífice de los cimientos de nuestro futuro éxito. En primer lugar... en segundo lugar... en tercer lugar... en cuarto lugar... en quinto lugar... en sexto lugar...» Para cuando usted haya terminado, el señor X parecerá ser una persona espléndida. Si hubiera comenzado por describir sus virtudes, nunca habría tenido la posibilidad de sacar adelante su caso y el de él.

Veamos ahora algunas trampas que deben evitarse:

— «¿Puede creer alguien verdaderamente que el señor Y haya defraudado a la empresa?», ante lo cual se oyen gritos de «¡Sí!, ¡Por supuesto!» Las preguntas retóricas suelen ser peligrosas, como se ve también en los siguientes ejemplos.

— «Teniendo en cuenta los intereses de la empresa a largo plazo, ¿es posible que alguien esté dispuesto a seguir la línea propuesta por el señor Z?» Se oyen gritos diciendo: «¡Sí!».

— «¿Puede alguien pensar realmente que no conozco mi trabajo después de tantos años?» Gritos de «¡Sí!», y risas.

— «Sólo soy... un hombre...», pausa. Se oyen gritos que dicen: «¡No, no...!» La pausa es un arma muy importante, pero hay que saber usarla en los momentos precisos.

— «Estas afirmaciones que acaba de hacer el señor Z son mucho más falsas, engañosas, confusas y estúpidas de lo que hubiéramos podido imaginar». Semejantes ataques (especialmente si se hacen desde una posición minoritaria) sólo conducen al vituperio y al fracaso. La mejor táctica es la moderación.

— «Estoy furioso...» Si es así, no lo confiese.

— «Podría llorar al escuchar estas críticas tan extravagantes». Ya que todos saben que las lágrimas no van con su carácter, déjelas para los cocodrilos.

Retirarse de una reunión casi siempre constituye una equivocación, si bien en ciertas ocasiones es la única alternativa decente. Debe abandonar la sala cuando considere que las decisiones adoptadas son ilegales, fraudulentas o de tal manera contrarias a los intereses del cuerpo social de que se trate, que deba usted disociarse públicamente de todas ellas. En cualquier otro caso, hay que quedarse y seguir luchando.

Las posibilidades de triunfar desde fuera son siempre mucho menores que las de trabajar desde dentro intentando atraer a los compañeros o al público hacia nuestros propios puntos de vista. Si abandona una reunión, será muy improbable que le inviten a regresar. Las salidas teatrales pueden ser necesarias para el diplomático cuyo país es criticado públicamente en su presencia, pero rara vez constituyen una respuesta útil para un orador cuyos puntos de vista son rechazados.

La amenaza de dimisión es, por supuesto, un arma poderosa y válida, pero no debe emplearse inadecuadamente o en exceso. Si sus compañeros o los miembros de la reunión están deseosos de verle renunciar, procure no ponerles al alcance de la mano esa satisfacción.

«En caso de que se lleve adelante esta decisión, espero que no se tome a mal mi manifestación de que no me queda otra alternativa que reconsiderar mi condición de miembro de este consejo/comité, etc.». Ésta sería una forma correcta de actuar.

«He luchado durante muchos años por esta organización y deseo seguir haciéndolo en el futuro. No me gustaría romper mis vínculos con ella, ni querría verme empujado a una posición en la que no me quedara otra alternativa que hacerlo. Les pido que vuelvan a considerar sus posturas, o al menos que me den la oportunidad de exponerles el otro punto de vista. Podría explicarlo de la siguiente manera...». Y seguro que lo haría.

Evite frases como ésta: «Si ustedes no cambian de opinión, dimitiré», pues de este modo la respuesta más probable sería: «¡Adelante, dimita!».

27. Contra las cuerdas

Si se encuentra en una situación problemática, elija sus palabras con especial cuidado. Al igual que en el boxeo, cuando se recibe un golpe bajo, cuando se cae al suelo o cuando le ponen a uno contra las cuerdas, existen tres alternativas: tirar la toalla, devolver golpe por golpe, o esquivar el ataque del adversario y salir hacia un terreno favorable.

Imagínese que tiene que pronunciar un brindis en una boda; suponga que el padre de la novia murió hace tiempo y que los padres del novio están divorciados. ¿Qué debe hacer? Recurrir a la omisión de los nombres de los padres en el brindis sería el equivalente de tirar la toalla. Es una actitud cobarde, y todos la considerarían como tal. La forma más airosa de afrontar la situación sería decir unas cuantas frases cuidadosamente escogidas: «Aunque nos acompaña espiritualmente, todos desearíamos que se hallara hoy presente el padre de la novia... se hubiera sentido enormemente feliz y orgulloso de estar aquí... Asimismo, expresamos nuestra satisfacción al ver a los padres del novio, que han podido reunirse con motivo de la ceremonia».

Finalmente, se puede coger al toro por los cuernos (para utilizar una expresión taurina). Empiece con un comentario similar al que acabamos de indicar, y extiéndase a continuación con una emotiva elegía: «Debemos afrontar la dura verdad, damas y caballeros; ninguna ocasión es completamente perfecta, ninguna existencia carece de problemas. Todos lamentamos que no esté aquí el padre de la novia... pero admiramos doblemente a su madre por la entereza con que sufrió la pérdida y, sobre todo, por la valentía y el tesón con que ha sabido educar a su hija. Nos alegramos también de que los padres del novio se hallen sentados felizmente junto a su hijo, unidos en esta gozosa y afortunada celebración...».

En el mundo de los negocios se producen numerosas situaciones equivalentes a la que acabamos de ver. Tirar la toalla sería lo mismo que pedir disculpas. El contraataque se explica en el capítulo 24. Por otra parte, la forma de esquivar los problemas en las diversas circunstancias depende de esas mismas circunstancias. Incluimos a continuación algunos ejemplos útiles para esquivar situaciones embarazosas:

— «Comprendemos perfectamente las circunstancias que han provocado su enojo y decepción. Sin embargo, existe un punto de vista diferente, y estamos seguros de que ustedes desearán considerarlo con seriedad...».
— «En teoría, ustedes están en lo cierto...».
— «Entiendo muy bien su punto de vista, pero estoy seguro de que ustedes considerarán también el mío...».
— «Es cierto que hemos cometido un error, pero lo cometimos actuando de buena fe. Sin embargo, no es menos cierto que...».
— «Hemos escuchado su punto de vista. Tengan ahora la amabilidad de considerar el nuestro...».
— «Han desarrollado su exposición de forma admirable. Me veo, por tanto, en la obligación de explicar del modo más completo posible la visión que nosotros tenemos de la situación...».
— «Creemos que su queja se basa en un malentendido. Nosotros comprendemos... pero le pedimos encarecidamente que...».
— «No, nosotros no estamos de acuerdo con ustedes. Pero, sin embargo...».

¿Se ha dado cuenta de que el hombre que usa las palabras como armas utiliza tácticas similares a las que emplean los practicantes de esgrima o los boxeadores? Se cede un poco para atacar con mayor dureza. Se retrocede ligeramente para contraatacar a continuación con firmeza. Del mismo modo, hacemos ver nuestra comprensión de las posturas contrarias para preparar mejor la aceptación de las nuestras, o, por el contrario, discrepamos cortésmente y a continuación mostramos nuestra magnanimidad, prudencia y buena voluntad ofreciendo una solución de compromiso o cediendo en algún punto poco importante.

Como dicen los franceses: *«Il faut reculer pour mieux sauter»* (cuanto más quieras saltar, más tendrás que recular). Esto puede aplicarse tanto a las tácticas militares como a las técnicas de la palabra, hablada o escrita. Se da un paso atrás con la intención de desequilibrar al adversario (el boxeo, de nuevo).

Por supuesto, hay ocasiones en las que es imposible retroceder... pues todas las vías de escape están cortadas. Recuerde el consejo que daba un policía para hacer frente a una circunstancia similar, aunque más tangible: «Protégete bien en un rincón y emplea tus puños, tus rodillas y tu porra... Si permaneces en el rincón, podrás evitar al menos que te apuñalen por la espalda...». A no ser, claro está, que te golpeen en la cabeza y caigas redondo al suelo...

Cuando se encuentre en una situación absolutamente desesperada, intente utilizar alguna de estas fórmulas:

— «Si ustedes se atreven a repetir esas afirmaciones a terceros no dudaremos en poner el asunto en manos de nuestros abogados...».
— «En un último y desesperado intento por remediar una situación de la que, repetimos, no somos responsables, nuestro abogado, el señor Jones, se pondrá en contacto con ustedes e intentará concertar alguna fecha para visitar su oficina...».
— «Sus amenazas son ridículas, sus argumentos infundados. No obstante, si desea llevar más lejos el asunto, tendremos que remitirles a nuestros abogados...».
— «Consideramos que sus acusaciones son inoportunas e infundadas. Si insisten en ellas, tendremos que tomar las medidas sugeridas por nuestros abogados para proteger nuestra posición y nuestro buen nombre...».
— «Si su imprudencia les lleva a cumplir sus amenazas, les ruego dirijan toda su correspondencia futura a nuestros abogados...».
— «Nuestros abogados se pondrán en contacto con los de ustedes...».

28. La réplica

Al participar en un debate, el orador no debe contentarse sólo con pronunciar su discurso; ha de referirse también a los que han hablado antes que él. Muchas de las discusiones que se producen en las reuniones públicas y privadas de empresas u organizaciones de todo tipo no son otra cosa que debates. El orador experto debe aleccionarse en el arte de la réplica.

A quien propone una moción o resolución se le suele conceder el «derecho de réplica». Esa persona abre el debate o discusión y tiene el privilegio de cerrarlo, antes de que se realice la votación. Su segunda intervención no debe ser una simple repetición de lo que ha dicho en la primera, sino que ha de centrarse, con elegancia, claridad y firmeza, en el debate que se ha producido entre ambas.

Cuando se interviene por segunda vez hay que expresar el agradecimiento hacia aquellos que han hablado en favor de la propuesta. En el momento oportuno, se les debe felicitar por su acierto. «No me ha sorprendido contar con el cálido apoyo de ese respetado hombre de negocios que es el señor Brown, y se lo agradezco profundamente... El señor Green tiene una amplia experiencia en la profesión y espero que todos los aquí presentes valorarán debidamente la importancia de sus palabras...».

«El señor White procede de una rama distinta de nuestra profesión; en consecuencia, su aprobación es más significativa...».

«El señor Green es, como todos ustedes saben, un abogado experimentado y dotado de un alto sentido cívico. Debemos estarle agradecidos por el cuidadoso análisis que ha hecho sobre nuestros problemas y por sus observaciones jurídicas en lo que respecta a los peligros de emprender la acción sugerida por quienes se oponen a esta propuesta».

La respuesta de un orador experto puede destrozar a sus enemigos. «Siento que el señor Diamond no haya considerado las advertencias hechas por el señor Black...». «Si el señor Stone hubiera tomado en consideración los argumentos sobre... estoy seguro de que habría llegado a una conclusión diferente...» «El señor Ruby está equivocado. Los hechos no se ajustan a sus apreciaciones. La auténtica situación es...».

Vuelva a resumir sus argumentos con unas cuantas frases rápidas y enérgicas. Someta su propuesta a la decisión de la asamblea... y espere el resultado más favorable.

Para preparar su réplica, tome apuntes de lo que se dice. Sin una cuidadosa labor de resumen y anotación le sería imposible recordar todo lo que se ha argumentado. Como siempre, el sistema de hacer fichas es el mejor. Si lo desea, puede responder una a una a las preguntas u objeciones que se le hagan, pero seguramente le será más útil adaptar los diversos comentarios y críticas de forma que favorezcan a sus argumentaciones.

Recuerde: una réplica es un discurso como otro cualquiera. Requiere un comienzo, un desarrollo sólido y un final adecuado. Veamos algunos comienzos posibles:

— «Gracias, señor presidente, por permitirme responder a algunos de los puntos que se han suscitado...».

— «Señor presidente, quiero insistir en que mi propuesta sigue siendo esencialmente válida, a pesar de todo lo que se ha dicho en su contra...».

— «Debemos expresar nuestro agradecimiento a todas las personas que han participado en este debate, incluyendo a las que se oponen

a la propuesta creyendo favorecer los intereses de la empresa. Sin embargo, como hemos podido apreciar en las intervenciones del señor Brown, la señora White y el señor Black, sus oponentes no han comprendido realmente las ventajas de las medidas que hemos sugerido, ni los riesgos que supone cualquier otra alternativa...».
— «Las diferencias entre nuestras respectivas posturas, señor presidente, han quedado suficientemente explicadas. Todas las alternativas posibles se han discutido en profundidad. Sin embargo, al llegar el final de la jornada, parece cierto que sólo nos queda una posibilidad real. La propuesta, por consiguiente, debe aprobarse».

Algunas de estas normas pueden aplicarse también en los turnos de intervención en celebraciones festivas o brindis. Nunca ignore las intervenciones que se han producido con anterioridad a la suya y enfréntese decididamente a cualquier comentario crítico o insinuación que se haya hecho antes de su turno. Utilice sin temor los apuntes para recordar las palabras exactas pronunciadas por otros. Por último, recuerde que su discurso debe estar bien construido.

Usted tendrá una gran ventaja sobre el individuo que le deba replicar en un debate. La intervención de aquél no sólo parecerá improvisada, sino que realmente lo será, mientras que la suya podrá prepararla cuidadosamente, siempre que dicha preparación resulte discreta en el uso de referencias.

29. Organización anticipada

En Italia, los cantantes de ópera recurren a la *claque*. Los artistas pagan a los organizadores, quienes se encargan de que los merecidos (o inmerecidos) aplausos se produzcan en el momento adecuado. Si algún artista se muestra poco dispuesto a pagar, los miembros de la claque son muy capaces —uno de ellos lo ha señalado recientemente— «de silbarle y abuchearle como castigo».

Las personas que hablan en público también pueden tener una claque (pagada o gratuita). Si surge la oportunidad, no hay nada malo en asegurarse un comienzo favorable para su intervención o una acogida tan buena de sus palabras que (con suerte) sus adversarios prefieran guardar silencio.

Las personas se comportan como las ovejas, sobre todo cuando participan en un acto público o asamblea. Todos quieren situarse junto al vencedor y muy pocos se atreven a expresar sus opiniones frente a una mayoría vociferante. «¿Qué podría conseguirse con ello?», arguyen, sin darse cuenta de que, si se atrevieran a hablar, quizá conseguirían convencer a los demás. Probablemente también descubrirían que los alborotadores no constituyen más que una ruidosa minoría.

Resulta muy fácil organizar una inofensiva claque para sus intervenciones públicas. Puede decirles a sus amigos: «Os ruego que me ayudéis un poco. Si no me apoyáis con vuestros aplausos, desistiré en mi empeño. Me niego a que me dejéis solo ante el peligro».

Otra posibilidad sería: «Me va a ser muy difícil ganarme la simpatía de este auditorio. Si fuérais tan amables de iniciar los aplausos en el momento en que me llamen para hablar, os estaría enormemente agradecido». Una o dos personas son suficientes para arrancar el aplauso del público; si nadie da la primera palmada, el orador tendrá que arrancar «en frío».

También puede decirles: «Voy a contar la historia de..., así que, ¡procurad reíros fuerte!».

Por supuesto, puede llevar su propia claque consigo, si ellos se sienten obligados hacia usted por algún motivo. Quizá les haya proporcionado trabajo, les haya hecho algún favor o tenga alguna autoridad sobre ellos. Los abogados astutos aprenden enseguida a reírse con los chistes del juez y, siempre que pueden, aprovechan para exponer sus propias ideas de tal guisa que se asemejen a las sabias palabras que brotan de boca del magistrado.

Si se encuentra en un lugar poco familiar o entre personas desconocidas, no tema pedir la ayuda de sus amigos en el momento oportuno. Quizá tenga ocasión de devolverles el favor algún día.

Por supuesto, la «suavización» anticipada de la audiencia puede requerir una labor más intensa. Si tiene que exponer alguna idea, haga lo posible por sondear la opinión de la gente al respecto. Si ha de formular alguna propuesta, asegúrese de que alguien la va a apoyar. El que hace propuestas sin contar con algún apoyo está abocado al fracaso y, en la mayoría de los casos, habría sido más acertado que guardara silencio. Un buen orador no sólo prepara su exposición, sino que prepara también al público y a sus partidarios.

Naturalmente, el esfuerzo previo no debe notarse. Los oradores inexpertos suelen preocuparse de la preparación de sus intervenciones porque han visto la aparente soltura que muestran los expertos al pronunciar sus discursos. No se engañe. Detrás de las cosas bien hechas siempre hay un intenso trabajo previo. Cuanto más sereno y fluido es el estilo de un orador, más cuidadosa ha sido su preparación.

Las personas que tienen una facilidad natural para la oratoria no se preocupan tanto por la preparación como los demás. No obstante, si observa a una de estas personas en distintas ocasiones, comprobará que su estilo varía notablemente.

Cuando vea que un orador se traba, se repite, se extiende excesivamente, transgrede las normas de la oratoria y comienza a aburrir al público, ello querrá decir que no ha preparado su discurso.

Cuanto mejor sea la preparación del tema y de su acogida por el público, menos evidente resultará ese trabajo previo. Cuanto más se note, menor será su efecto. Si la «preparación» del auditorio se nota mucho, la falsedad de la claque podrá minar su discurso y eso significaría el desastre.

Por tanto elija a las personas que le vayan a apoyar con el mismo cuidado con que ha elegido sus palabras, pero procurando no enorgullecerse demasiado de haber preparado a unas y a otras con el mismo esmero.

Cuando sea usted el moderador, ponga especial cuidado en los preparativos. Si va a iniciar un turno de preguntas, asegúrese de que cuenta con alguien dispuesto a intervenir en primer lugar; de otro modo podría producirse un silencio forzado y embarazoso que significaría el fracaso del acto.

En caso de que tenga que parecer neutral ante una propuesta que desea apoyar, asegúrese de que la persona mejor cualificada la exponga con habilidad, y tenga dispuesta a otra persona para que se encargue de aniquilar a los últimos enemigos posteriormente. Si tiene que preparar un equipo, puede resultarle útil el sistema de los corredores por relevos. El hombre de confianza (el mejor) corre en la última posta, el segundo en la primera, el tercero la tercera y el peor la segunda. Usted puede poner a su hombre de confianza en primer lugar (especialmente si tiene derecho de réplica).

Si usted no es el moderador, pero tiene un interés especial en un tema concreto o desea hablar en un momento determinado, ya que ha de irse pronto o va a llegar tarde, haga los preparativos necesarios con antelación. El moderador seguramente le complacerá. Es probable que se alegre de conocer sus intenciones con antelación, pues así podrá planificar la reunión adecuadamente. La planificación siempre acompaña al éxito.

PARTE 4

MEDIOS DE APOYO, APUNTES Y LUGARES DONDE HABLAR

30. Micrófonos

Antiguamente había que hablar para que le oyeran. En la actualidad basta con un susurro. Hace tiempo que se inventó el micrófono. Todos sabemos utilizarlo. Si se emplea con habilidad, puede ser un fiel aliado. Si se utiliza mal o en exceso, quizá acabe ahuyentando al público para siempre.

La voz era antes un requisito indispensable para cantar; hoy ya no lo es. Con la ayuda del «micro», muchas de las pretendidas estrellas de la canción del momento, cuya potencia pulmonar apenas alcanza para apagar una cerilla, consiguen triunfos «resonantes». En otros casos, pueden ser capaces de cantar a voz en cuello, pero son incapaces de lograr los matices y expresiones que nos brinda el cantante de ópera después de años de aprendizaje. Muchos de los efectos musicales que embellecen las de otro modo miserables actuaciones de estos «cantantes» se consiguen mediante la utilización de micrófonos y trucos acústicos.

Para hablar en público no se necesita estar dotado de una voz como la de Churchill. Las voces de muchos de nosotros son tan malas que casi se avergüenzan de salir, pero no hay que preocuparse. Podemos aprender mucho de los maestros y maestras del micrófono.

En primer lugar, asegúrese de que su micrófono está conectado. Compruébelo golpeándolo con el dedo, o, si quiere hacerlo con mayor profesionalidad, haga un chasquido con los dedos; el sonido del golpecito o el chasquido deberá resonar en los altavoces. De este modo sabrá al menos que el micrófono funciona. Los micrófonos estropeados acaban con los discursos antes de que empiecen...

A continuación ajuste el micrófono a la altura de su boca. Tanto si es un modelo de pie como de sobremesa, seguramente podrá encontrar un anillo giratorio en el centro de la barra soporte. Con suerte y un poco de fuerza en la muñeca, deberá ingeniárselas para fijar el micrófono un poco por debajo del nivel de su boca. La parte del aparato por la que se habla deberá encontrarse casi al nivel de sus labios.

Si le ofrecen un micrófono de collar, tanto mejor. Compruébelo y ajústelo de forma que su voz suene con el volumen correcto. A continuación olvídese de lo que lleva.

Quizá prefiera, como me sucede a mí, un micrófono suelto dotado de un cable largo. De esta forma mantendrá la libertad de movimientos. El micro se convertirá para usted en un arma, al igual que para las personas que hablan desde un escenario o desde la televisión y sostienen uno en sus manos sencillamente porque quieren, ya que los magos del sonido podrían amplificar perfectamente sin él.

Tenga cuidado con los cambios de volumen. Mantenga el codo pegado a la cintura y procure coordinar los movimientos del antebrazo con los de su cabeza, de forma que el micrófono permanezca siempre a la misma distancia de sus labios.

Aunque se prolongue la espera del público, emplee todo el tiempo que necesite para ajustar y situar su micrófono. Una vez que haya ajustado el volumen y la posición, estará listo para comenzar. Si su voz se oye clara y sin distorsiones, todo irá bien. Si hay algún pitido, silbido o distorsión, será que está demasiado cerca del micrófono o que el volumen está excesivamente alto. Cuando su voz se escuche como si viniera de otro planeta, con ecos marcianos o sonidos misteriosos, ajuste los mandos del amplificador.

«Compañeros de dirección...». Silencio. Eleve su voz: «¿Tendría alguno de ustedes la amabilidad de conectar esta maravilla de la técnica?» Risas. El técnico de sonido se levanta y se apresura a conectar los mandos y clavijas apropiados. «Gracias». El aparato hace ruidos y pitidos. Más risas. «Tampoco hay que exagerar». El técnico vuelve a intentarlo. «Compañeros de dirección...» Silencio. «¿Me oyen bien?», pregunta con una sonrisa, mientras golpea con el dedo el temido instrumento. «¿Me oyen atrás?» Sonoros gritos de «¡No, no!» y nuevas risas. Se están riendo *con* usted, pero no *de* usted. La situación está controlada. Antes de empezar a hablar usted espera hasta conseguir las condiciones deseadas.

Con suerte y perseverancia, el micrófono quedará adecuadamente ajustado. En caso contrario (o cuando la audición sea intermitente o estridente), tendrá que contemplar la posibilidad de emitir su voz sin ninguna ayuda técnica. ¿Qué es mejor, correr el riesgo de no ser oído, o someter al público a los pitidos y chirridos del aparato? ¿Podrá mantener el interés del público mientras se arregla el micrófono? ¿Dispone quizá de algún genio que pueda ajustar el amplificador, el altavoz o alguna otra parte innombrable o impronunciable del equipo de sonido? Piense lo que conviene... con rapidez.

«Hablaré sin el micrófono», se apresura a decir. «Espero que todos puedan oírme». Aplausos.

Otra posibilidad sería: «Les pido disculpas por la ineficacia de este desdichado aparato. Pienso que será mejor someterles a los ocasionales gruñidos y ecos del micrófono, ya que así podré brindarles el placer de la audición de una parte de mi discurso». Ovación.

Su intervención va a comenzar a destiempo y con mal pie, pero el público ha visto que se halla seguro de sí mismo.

La causa principal de que muchos buenos discursos hayan fracasado es que el orador no supo tomarse el tiempo necesario para preparar el micrófono.

A no ser que disponga de un micrófono de collar, de uno suelto o incluso de uno inalámbrico, tenga cuidado al cambiar de posición. Si se mueve hacia el proyector de diapositivas o se aleja del público, su voz dejará de oírse y el auditorio perderá la concentración. El público debe estar pendiente de sus palabras, no de sus movimientos.

Convierta al micro en su aliado y, si se estropea, no se asuste. En caso necesario, debe estar preparado para recurrir al poder de su propia voz. Recuerde que los grandes oradores del pasado tuvieron que hablar sin ningún tipo de amplificación, y que no lo hicieron demasiado mal, seguramente porque conocían las normas sobre la emisión de la voz (ver capítulo 15).

31. Ayudas visuales

Todas las formas de expresión tienen su técnica, como sucede con los instrumentos de ayuda visual. Sin embargo, casi nadie se toma la molestia de aprender a utilizarlos adecuadamente. Veamos algunas consideraciones al respecto:

— ¿Qué medios son los más apropiados para cada ocasión concreta? Las diapositivas de 35 mm son excelentes, pero resultan demasiado caras y, por lo general, sólo pueden utilizarse ante grandes auditorios; cuando no importan los costes; cuando se pueden volver a utilizar las diapositivas; y cuando no hay problema en dejar la sala a oscuras.

— Las ayudas visuales no deben emplearse para reemplazar el mensaje verbal. Los gráficos, cuadros, etc., han de utilizarse para:
  aportar un entramado a su exposición de manera que atraigan la mirada y la atención de quienes le escuchan y más adelante para hacerles recordar algo; y/o

ilustrar y explicar conceptos y detalles que, de otra manera, no podrían exponerse con la suficiente sencillez, precisión y/o rapidez.

— Las transparencias para proyección episcópica resultan más económicas que el sistema de diapositivas. Este tipo de proyección es más fácil de manejar, ya que las transparencias pueden cambiarse e incluso rectificarse o ampliarse durante la exposición. Hay que poner un especial cuidado en preparar su contenido y en asegurarse de que se hayan realizado esmeradamente. (Estas láminas de plástico transparente, montadas en marquitos de cartón, se conocen con diversos nombres).

— Limite los textos de las ayudas visuales al mínimo estrictamente necesario. Esto no significa que sólo pueda rotular una frase en cada transparencia, sino que debe evitar los textos excesivos que podrían dosificarse en dos o más proyecciones.

— Las transparencias, etc., deben ser concretas, concisas y claras. Utilice las abreviaturas y los símbolos para resumir y enfatizar su mensaje. Las imágenes más o menos artísticas deben emplearse poco y con el fin de obtener resultados, no efectos teatrales.

— Recurra a su departamento gráfico o a cualquier profesional para que sus transparencias salgan con fondos *claros* y luminosos (en lugar de borrosos y oscuros). Cuanto más oscuro es el fondo, más pobre es la imagen. El verde o el azul destacan bien sobre un fondo blanco, al igual que lo hace el negro sobre el amarillo. En cambio, el rojo sobre el verde o el verde sobre el rojo producen un efecto incluso peor que el del blanco sobre el rojo, el naranja sobre el negro o el rojo sobre el amarillo. La claridad de la pantalla nunca debe sacrificarse en favor de efectismos artificiales o artísticos.

— Evite las «gracias». El humor resulta siempre mejor cuando se expresa verbalmente, aunque sólo sea porque uno puede reaccionar con mayor rapidez ante un chiste desafortunado. Si tiene que utilizar dibujos humorísticos, caricaturas o imágenes ilustrativas o aclaratorias, asegúrese de que son absolutamente perfectas.

— Elija con cuidado sus proyectores o aparatos visuales. Personalmente, considero poco adecuados esos proyectores con ventilador que al ponerse en marcha recargan el ambiente de la sala; a veces no se pueden apagar al encenderse las luces, con lo que se produce una considerable molestia para el orador y para el público. Tenga un cuidado especial con los que expulsan el aire hacia los lados, esparciendo los papeles de la mesa por el suelo. Lo mejor es utilizar un proyector episcópico sin ventilador, sobre todo en las ocasiones en las que el público no sea numeroso.

— Asegúrese de que sus instrumentos visuales se encuentran adecuadamente dispuestos antes de que llegue el público (el proyector

debe estar enfocado, la primera diapositiva o transparencia situada en su posición, etc.)
— La primera transparencia debe proporcionar una visión de conjunto a la que se pueda volver después (especialmente con las diapositivas) completándola con las proyecciones posteriores.
— Con objeto de señalar los distintos puntos de las diapositivas debe utilizar (y tener preparado) algún tipo de puntero o indicador. Para hacer indicaciones sobre una transparencia tiene cuatro posibilidades, que puede emplear combinándolas, para dar un poco de variedad, y en virtud de las necesidades de cada caso:

Coloque un lápiz, bolígrafo o incluso un dedo sobre la transparencia, proyectando la sombra del indicador sobre la pantalla.
Coloque el lápiz sobre la transparencia. No lo sujete con la mano, ya que cualquier pequeño temblor se multiplicará sobre la pantalla.
Señale con el indicador o el dedo sobre la misma pantalla, pero evite proyectar al mismo tiempo la sombra de su cuerpo.
Por último, puede utilizar una placa para ocultar sucesivamente las partes de la transparencia que no es necesario ver. Restrinja en lo posible el uso de esta técnica de ocultación, pues algunas personas suelen enojarse al comprobar que su atención se centra más en imaginar lo que no se ve que en pensar en lo que se les muestra.

— Los cambios de transparencias deben ser rápidos. Coja la nueva transparencia con la mano derecha, saque la anterior con la mano izquierda y sustitúyala con un solo movimiento. Practique esta operación hasta que pueda reemplazar las transparencias sin pérdida de tiempo y situándolas correctamente. Para reconocer cada transparencia, ponga el título correspondiente en la parte superior de su marco; dispóngalas a continuación sobre la mesa, con el título de cada una superpuesto sobre el de la siguiente.
— Cerciórese de que todos los asistentes pueden ver las imágenes; si alguien no las ve, invítele a cambiarse de sitio o traslade la pantalla.
— Actúe con cuidado; no golpee ni haga temblar la pantalla.
— Diríjase al público, no al aparato; incluso en el caso de que tenga que leer lo que aparezca en la pantalla, procure no dar la espalda al auditorio y evite volver la cara hacia el aparato. Nunca hay que dar la espalda a los que nos están escuchando.
— Limite al mínimo sus movimientos y los de sus instrumentos de ayuda visual; no hay que hacer nada que pueda distraer al público.
— Utilice una gama variada de gráficos, cuadros (distintos tipos de letras, colores, subrayados), etc.
— Si tiene que dibujar algo sobre las transparencias, utilice rotula-

dores con tinta al agua, la cual puede borrarse con un paño mojado (evite las pinturas que sólo se borran con alcohol).

— Las ayudas visuales no sólo deben suministrar un mensaje técnico, sino que han de estimular el interés del público.

— Revise con antelación sus rotuladores y lápices. Señale las diferentes partes del guión con colores variados. Asegúrese de que las letras tienen un tamaño suficientemente grande para poder leerlas incluso con poca luz. Emplee el menor número posible de palabras. Así, por ejemplo, no ponga «sustituir por»: tache simplemente con una cruz lo que deba sustituirse.

— Observe cómo utiliza la pizarra un buen maestro de escuela y traslade sus técnicas a sus transparencias, diapositivas o láminas. Seguramente el maestro hará preguntas a los alumnos mientras escribe en la pizarra... no apartará sus ojos de la clase durante más de unos segundos... y se volverá de lado al escribir, haciéndolo durante el tiempo estrictamente necesario y sin dar la espalda a los alumnos.

— No hable mientras cambia las transparencias o diapositivas.

— Si pone diapositivas, procure no mantener la sala en una penumbra permanente mientras habla, a menos que prefiera no enterarse de que el público se está quedando dormido. Quizá pueda situarse al lado o debajo de algún foco; en cualquier caso, encienda la luz cuando se termine la proyección.

— Para evitar esos espacios de oscuridad y silencio entre diapositivas, puede emplear un proyector automático. De este modo, cuando desaparece una imagen de la pantalla, otra ocupa inmediatamente su lugar. De cualquier modo, este sistema requiere un orden estricto en la colocación de las diapositivas y no hay forma de alterarlo sobre la marcha. La rigidez es el alto precio que hay que pagar por la aparente destreza en el manejo de las diapositivas.

— Huya de la excesiva preparación en el uso de los instrumentos de ayuda visual. Evite los guiones con un fraseado perfecto y lleno de apuntes, los efectismos sonoros o luminosos, la sensación de super-profesionalidad presente en tantos trabajos hechos por especialistas, para uso de aficionados.

— Si quiere sacar mayor partido de las diapositivas, gráficos, etc., puede facilitar copias a la concurrencia; de este modo, los asistentes se concentrarán mejor en su exposición, al no tener que anotarlo todo, y dispondrán del material necesario para añadir en él sus propios apuntes, si lo desean. Siempre que tenga que entregar algún tipo de documentación complementaria, piense detenidamente si debe hacerlo con antelación (lo cual no es aconsejable, pues las personas atareadas no suelen tener tiempo para estudiar en casa dicha documentación, y además se olvidan con frecuencia de traerla);

en el momento de la charla (de forma que se pueda utilizar durante la misma), y/o al final (para que se la lleven a casa).

El antiguo y útil sistema de las láminas nunca debe subestimarse. En su forma más simple este sistema consiste en un soporte en el que se fijan varias láminas de tamaño A0 o A1. En cada una de ellas se hacen los gráficos o dibujos necesarios para ilustrar lo que se está diciendo y, a medida que se van utilizando, se arrojan y se continúa con las láminas nuevas que se hallan debajo.

Si puede utilizar varias veces las mismas láminas, preparadas con anterioridad, tanto mejor. Yo suelo emplear una combinación muy útil: un tablero metálico forrado de plástico blanco, sobre el que se pueden fijar líneas, puntos y signos de metal imantado, y rotuladores de tinta al agua que escriben y se borran con facilidad.

Sea cual sea el tipo de lámina o tablero que utilice, compruebe con antelación el estado del caballete o soporte sobre el que se sitúan. Asegúrese de que está bien sujeto, de que las clavijas y las palomillas se hallan correctamente ajustadas, y de que no hay posibilidad de que se caiga al suelo, lo cual tendría un efecto nefasto en su exposición, e incluso podría causarle algún daño físico.

Cuando señale algún punto en la lámina (al igual que en una transparencia), emplee su mano o brazo más cercano a la misma, de forma que no tenga que girar su cuerpo y dar la espalda al público.

32. Apuntes

Algunos discursos son tan importantes que es necesario leerlos. La ocasión es tan comprometida que no podemos permitirnos el lujo de equivocarnos en una sola palabra. Sin embargo, los discursos leídos tienden a ser aburridos. Algunos Parlamentos, cuyos debates suelen ser insufribles, prohíben incluso la lectura de discursos políticos. De este modo, los oradores no pueden convertir el turno de intervenciones en una retahíla de ensayos escritos, cuya autoría seguramente corresponde a otras personas.

Compruebe cómo decrece el interés del público ante un discurso carente de espontaneidad e improvisación. La gente, que sabe que el discurso está preparado, en lugar de disponerse para escuchar al ponente, se hace a la idea de pasar un rato aburrido y soporífero. En cuanto el orador comienza la lectura de sus folios, el público empieza a amodorrarse en sus asientos.

Para un orador normal, o no profesional, resulta casi imposible construir un discurso sobre la marcha. La preparación es necesaria, incluso para un experto; cuanto más complicado es el discurso, más importante es recordar sus puntos principales, de forma que no quede nada en el tintero.

¿Dónde está, entonces, la solución? En los apuntes. Plasme en ellos la estructura de su exposición (ver capítulo 1), de forma que, durante su intervención pueda revertir dicha estructura con palabras, embellecerla con nuevas ideas y pensamientos, y darle vida con gracia e ingenio.

¿Qué deben contener unos buenos apuntes? La primera frase, la última, y la estructura del discurso; el flujo de ideas; el hilo de la exposición; frases breves para indicar el contenido de los puntos más prolijos; ganchos, en fin, de los que poder colgar sus pensamientos.

Los encabezamientos de cada punto concreto deben ser cortos, de forma que sirvan para ordenar el hilo del discurso, pero sin interrumpirlo. Excepto en los casos en que tenga que hacer alguna cita, cuanto más claros y breves sean los apuntes, mejor.

Procure organizar sus apuntes utilizando mayúsculas para los encabezamientos principales y minúsculas para los puntos secundarios. Emplee los colores rojo, azul y verde para hacer los subrayados. Distribuya los apuntes en columnas y dispóngalos de forma que atraigan fácilmente su mirada, del mismo modo que intenta disponer su discurso para atraer los pensamientos y la imaginación de quienes le escuchan.

El sistema más adecuado para preparar apuntes es el de las fichas. Cada ficha debe tocar un tema, un punto concreto, un grupo de ideas. Utilícelas por una sola de sus caras.

Si dispone de un pupitre, una mesa o un mostrador, podrá manejar los apuntes con facilidad. En caso contrario (como sucede cuando hay que levantarse para hablar en una reunión), procure no cargar con apuntes demasiado voluminosos, no lleve papeles excesivamente escurridizos ni recortes con notas que puedan perderse en el momento necesario y provocar esa situación de confusión en su discurso que precisamente intenta evitar mediante los apuntes. Cuando haya utilizado una ficha, colóquela debajo del montón y continúe con la siguiente. Por si acaso se alterase el orden de los apuntes, ponga un número bien visible en el ángulo superior derecho de cada ficha.

Otra de las ventajas del sistema de fichas es la posibilidad de suprimir dos o tres de aquellas que sean poco importantes, en caso de que se le acabe el tiempo de intervención (también se pueden resumir en unas pocas frases y pasarlas con rapidez). Las fichas le proporcionan una guía, pero sin obligarle a seguir un camino fijo; le ofrecen un margen de maniobra y al mismo tiempo le permiten pensar mientras está ante su auditorio.

33. Citas

El público ha venido a oírle a usted, pero ello no significa que no pueda sazonar su discurso con citas oportunas, pertenecientes a otras personas. No obstante, el uso de las citas constituye un arte en sí mismo.

Las citas deben ser cortas. El público no suele apreciar el «lucimiento» que supone pronunciar un largo párrafo de memoria. Además, recuerde que no está recitando un soliloquio teatral. La lectura de una cita larga y ajena tampoco constituye una alternativa para aportar pensamientos e ideas a sus propias palabras. Por lo general, la lectura de discursos (o incluso de partes extensas de ellos) suele ser un error tanto mayor cuando lo que se lee no son los propios pensamientos.

Las citas sólo tienen valor en los casos en que se emplean de forma absolutamente oportuna. Si la atención de los oyentes comienza a decaer, a veces puede resultar conveniente «despertarles» con una anécdota humorística. Este legítimo recurso reducirá la pesadez del acto, si bien la historia que se cuente debe guardar relación con el tema que se está tratando. Cometería un error si introdujera una cita inadecuada en su discurso, sólo por sentir una especial simpatía hacia la misma.

Siempre que pueda, nombre al auténtico autor de la cita. En caso de duda, puede decir algo como: «¿No fue George Bernard Shaw quien dijo...?», o «Creo que fue Oscar Wilde quien afirmó en cierta ocasión que...». Si el autor es un contemporáneo quedará bien si dice: «Una vez, escuchando al presidente Reagan, le oí decir...» o, «¿Han oído ustedes la frase atribuida a Gorbachov que dice...?». Nadie podría demostrar que se ha equivocado de autor. Otra posibilidad podría ser: «¿No fui yo quien dijo...?» (!).

Procure reforzar realmente sus palabras «entrecomillando» la afirmación a la que se refiera, como si la estuviera diciendo su propio autor. Cuando intente convencer a un público británico de la conveniencia de adoptar alguna práctica propia de Estados Unidos, puede resultar más efectivo emplear los argumentos norteamericanos, pero sin manifestar su origen. Por el contrario, cualquier extranjero que participe en unas elecciones del tipo que sea, realizadas en Norteamérica, no debe expresar sus preferencias hacia ningún candidato, pues con ello sólo conseguiría perjudicarle. Procure, por todos los medios, utilizar los argumentos de los extranjeros, pero si ha de «entrecomillarlos», pruebe con algo como: «Según dicen, un afamado ruso señaló en una ocasión que...». Para condenar los pecados, nada mejor que citar al diablo.

Las mejores citas son, por supuesto, las que proceden de los labios del adversario. «El señor Jones se opone hoy a la integración empresarial, pero, ¿quién fue quien dijo, hace tan sólo dos años, que "nuestro futuro dependía de la integración, y que no podríamos sobrevivir como grupo independiente?". ¡Fue precisamente nuestro amigo, el señor Jones!».

Procure evitar las referencias a sus propias palabras. «¿No dije hace seis meses que...?» o «Puedo repetir lo que dije en nuestra reunión sectorial del mes pasado?». Excepto en el caso de que el orador haya sido tildado previamente de inconsecuente y, por tanto, sea necesario citar las propias palabras para demostrar que se sigue opinando de la misma manera, este tipo de autorreferencias suele resultar fatuo y egoísta.

Si tiene algo que decir hoy, dígalo, y deje que otros destaquen su extraordinaria coherencia... su acertada visión del caso que se trate... su reputación como hombre cuya opinión debe tenerse en cuenta. Lo más que puede hacer usted es limitarse a sugerir estas cualidades. Las referencias a sus propias palabras, al igual que la autoadulación, sólo resultan adecuadas cuando se encuentre solo, o en privado, con adultos que se lo consientan...

34. Estadísticas

Tenga cuidado al utilizar estadísticas. Todo el mundo sabe que este tipo de datos gozan de la misma credibilidad que las mentiras puras y simples. Si quiere que su exposición sea un éxito, intente que sus cifras tengan, por lo menos, una apariencia de veracidad.

Un grupo de licenciados se presentó a una prueba para conseguir un puesto en una empresa dedicada a la contabilidad pública. A cada uno de ellos se le preguntó: «¿Cuántas son dos veces uno?» Todos respondían: «Dos». Finalmente, el aspirante que obtuvo el empleo contestó: «¿En qué número está usted pensando, señor?».

En consecuencia, cuando mencione datos estadísticos, indique al menos su origen, dando por sentado que usted no se responsabiliza de ellos.

Por otra parte, no presuponga que los demás están tan familiarizados como usted con los números y las cuentas. Es sorprendente la cantidad de hombres de negocios que son incapaces de interpretar un balance. Intente hallar un término medio entre el pecado cardinal de hablar a la gente como si fueran ignorantes y el de atribuirles unos conocimientos inmerecidos. En caso de duda, explique los datos necesarios.

Teniendo en cuenta que algunos seres humanos perciben las cosas por el oído y otros por el ojo (aunque la mayoría de ellos precisen de ambos sentidos), y aceptando el hecho de que es más probable que su público domine peor los números que las letras, complemente sus palabras con papeles (gráficos, cuadros, etc.) y, cuando sea necesario, ayúdese con medios visuales (ver capítulo 31).

35. Archivos e ideas

Los buenos periodistas (sobre todo los que trabajan de forma independiente y no tienen acceso a los archivos de los periódicos) recopilan cuidadosamente sus propios recortes de prensa, notas, fotografías e ideas, con el fin de emplearlos en sus artículos, crónicas o libros en el momento oportuno. Las personas que hablan en público deberían seguir su ejemplo.

Veamos el caso de los chistes. Existen libros en los que se recopilan historietas presuntamente humorísticas aplicables a cualquier ocasión. A veces me pregunto por qué nadie se ríe nunca con ellas. Y es que cada uno de nosotros tiene su propio estilo... su propio sentido del humor... sus propias preferencias. No tema apropiarse de los chistes ajenos, pues sus autores se sentirán halagados si usted los cuenta en público. Tome nota de ellos y archívelos. Nunca se sabe cuándo llegará la oportunidad de utilizarlos.

También hay un material especializado que puede volver a utilizarse una y otra vez. A la mayoría de los oradores famosos se les suele invitar a que hablen de sus especialidades concretas. La primera vez hay que realizar un trabajo de investigación, preparar los datos, descifrar las estadísticas y componer los apuntes. Sin embargo, si estos apuntes se archivan cuidadosamente, en la siguiente ocasión se expondrá el tema con una facilidad mucho mayor, aunque, por supuesto, los datos tendrán que adaptarse a los distintos públicos (ver la quinta parte). El trabajo preliminar, en cambio, no necesitará repetirse.

Algunos oradores muestran preferencia por los archivadores de cajones, otros por cajas metálicas independientes con separadores internos. Sin embargo, la mayoría de ellos utilizan cuadernos de hojas intercambiables para ordenar sus anécdotas, citas, ideas y sugerencias. Los más modernos atesoran sus datos de forma oral, en cinta magnética, o de forma automatizada, en procesadores de palabras.

La finalidad de todo esto es reducir al mínimo los trabajos preparatorios. No hay tiempo para repetir una y otra vez las penosas labores de búsqueda y recopilación de datos; por eso, aunque sea aburrido el mantenimiento de los archivos o cuadernos, resulta muy útil esforzarse en el presente para reducir el trabajo en el futuro.

Una vez más, le recuerdo que las «Anécdotas para contar» pueden servirle para ahorrar tiempo y problemas, y tal vez para formar la base de su propia colección, como en la actualidad lo son de la mía.

36. Lugares donde hablar

Con mucha frecuencia, el orador no puede elegir el lugar donde tiene que hablar. Las reuniones de empresa, las asambleas de organizaciones o los banquetes se celebran en lugares elegidos por otras personas. Sin embargo, incluso en esos lugares el orador puede aprovechar al máximo el ambiente que le rodea, siempre que sepa lo que tiene que buscar en él.

En otros casos quizá pueda influir de alguna manera (ya que no elegir) en el lugar en el que va a hablar.

En primer lugar, es imprescindible comprobar el tamaño de la sala e intentar ajustarlo al número de personas que van a acudir. Si la sala se llena de gente, será más fácil crear un ambiente favorable y, por consiguiente, la labor del orador se simplificará considerablemente. Si coge a 50 personas y las comprime en una habitación, es muy probable que consiga una animada y satisfactoria reunión. En cambio, si esparce a esas mismas personas por una sala muy grande, la cosa fracasará antes de empezar. Por tanto, procure no tener demasiados miramientos con el público. Si algunas personas se quedan fuera, no se preocupe; la próxima vez llegarán antes. Tampoco podrá hacer nada en el caso de que algunos tengan que permanecer de pie o sentarse en los radiadores. Lo que hay que evitar a toda costa es el resonante vacío de una sala a medio llenar.

No se deje llevar por el pánico cuando se encuentre ante un público disperso por la sala. Hable a los organizadores y convénzalos para que pidan a los asistentes que se adelanten hacia las primeras filas. A los oyentes no les suele gustar ponerse en las primeras filas; prefieren esconderse en algún rincón próximo a la puerta, para poder salir discretamente si se aburren demasiado. Como vemos, no sólo son los oradores los que se sienten atemorizados por su actuación en público. Sin embargo, un moderador competente puede convencer a la mayoría de los asistentes para que «ayuden a nuestro distinguido orador». Si su moderador tiene poca experiencia, diríjase al público (con permiso de aquél) y ruéguele que sea tan amable de «colocarse a su alrededor».

Muchas veces lo mejor es abandonar el estrado, correr un tupido velo y acercarse al público. Si la convocatoria formal no ha conseguido atraer a una gran multitud, procure organizar al menos una charla informal de tal manera que los asistentes puedan irse a casa con la sensación de haber pasado un buen rato. Lo más probable es que tal sensación no pueda crearse si usted intenta, desde el estrado, regalar a su escasa audiencia con un discurso que sería más adecuado para una sala repleta y animada que para una habitación medio vacía. Alguien se equivocó al calcular la capacidad de respuesta del público ante la convocatoria, creando esta desafortunada situación. Ahora le toca a usted sacar el mayor provecho de ella.

¿Otras sugerencias? Si la temperatura de la sala es muy elevada, interrumpa un momento su discurso y pida que abran alguna puerta o ventana. El público se lo agradecerá. Si hace demasiado frío, hable con los organizadores y haga lo posible por conseguir algún tipo de calefacción. Lo más probable es que no lo consiga, pero al menos los asistentes sabrán que usted se preocupa por su comodidad. En caso de que pase algún avión por encima del local, deténgase un momento hasta que cese el ruido. El seguir hablando, a pesar de ello, constituirá un signo claro de inexperiencia. Si hay algún carpintero haciendo ruido cerca de la sala, pida al moderador que emplee su influencia para conseguir el silencio que usted necesita, y a continuación espere los resultados de su gestión.

Por supuesto, resulta mucho más conveniente evitar estas molestias con antelación. En caso de que pueda llegar con tiempo suficiente al lugar donde va a hablar, quizá consiga convencer a los organizadores para que dispongan la sala de la forma que mejor convenga a su tema o a sus objetivos. Tal vez no desee hablar desde una plataforma, o prefiera disponer las sillas informalmente (en semicírculo p. ej.); por el contrario, quizá quiera dirigirse a la concurrencia desde un nivel más elevado. A todo el mundo le resulta útil disponer sus asuntos con antelación.

Insistiré una vez más en la conveniencia de probar el equipo de sonido antes de que llegue el público, o de graduar la iluminación para que se adapte a sus necesidades. El público de un teatro nunca podría esperar que este tipo de comprobaciones se realizara en su presencia. Del mismo modo, al auditorio de una conferencia, discusión o debate le gusta que la sala donde se va a celebrar el acto esté perfectamente preparada antes de su llegada. La puntualidad es provechosa. Si desea hacer una entrada triunfal en algún momento posterior del acto, siempre puede desaparecer de escena, hasta que considere que la situación es propicia. Si el moderador o los organizadores saben cumplir bien su tarea, deberían disponer para usted alguna habitación pequeña en la que pueda dejar su abrigo y su sombrero y tomarse un descanso.

Pero todo esto depende de cada ocasión, como veremos enseguida.

37. Entrenamiento para hablar en público

En nuestra cultura, la oratoria se ha considerado siempre como un arte menor. La gente suele adquirirla mediante una combinación de herencia y educación superior, pero nunca se incluye en los planes de estudios elementales, medios o universitarios.

Aunque al ciudadano medio se le enseña a leer, a escribir y a contar, no parece «elegante» recibir clases sobre oratoria o exposición de materias, lo cual explica la poca habilidad con que suelen realizarse ambas actividades.

El hecho de haber comprado, o pedido prestado, este libro le coloca a usted en una situación algo comprometida, salvo que acabe por ponerle un forro blanco y discreto para que no pueda reconocerse.

«¿Lecciones de oratoria? Eso es cosa de norteamericanos y gente rara, ¿no es así?».

Naturalmente, esta curiosa actitud carece de todo sentido lógico o instructivo. Todo el mundo puede hablar en privado de forma natural; dirigirse a un público, en cambio, es algo muy diferente, que requiere entrenamiento y experiencia. Naturalmente, no hay ningún tipo de enseñanza que pueda producir un resultado excepcional en esta actividad, si no se cuenta con una aptitud especial para ella. Pero sin un adecuado entrenamiento, lo más probable es que cualquier intervención en público se convierta en una pesada carga, no sólo para el orador, sino también, y sobre todo, para sus desafortunados oyentes.

Por consiguiente, no descarte la posibilidad de recibir clases de oratoria. Si hablar en público constituye una molesta carga para usted y para sus oyentes... si necesita practicar en privado, pero ante unos oyentes experimentados y críticos... si está dispuesto a aprender de los errores ajenos más que de los propios... no dude en acudir a un curso de este tipo.

No es necesario que informe a sus clientes, a sus amigos o incluso a sus familiares de que se está sometiendo a esta forma peculiar de masoquismo. Quizá sea usted un orador experimentado pero consciente de la imperfección de su estilo, o una persona poco acostumbrada a hablar en público, cuya promoción a un puesto importante le exige un intenso aprendizaje en el arte de la expresión oral; tal vez se dedique a la presentación de productos o servicios de su empresa y necesite un asesoramiento sobre las técnicas de la exposición oral y un adiestramiento en su utilización; es posible también que padezca algún defecto de pronunciación o expresión. En todos estos casos, un buen profesor le resultará enormemente útil para alcanzar el éxito y evitarle posibles desgracias.

Estas mismas recomendaciones se aplican también a los cursos de expresión y exposición en público que pueden recibir sus empleados o ejecutivos. Incluso con un material modesto, un profesor experto puede conseguir resultados maravillosos.

¿Dónde puede encontrar un profesor o instructor? Como de costumbre, la recomendación es el mejor camino. No olvide, sin embargo, que un profesor puede resultar adecuado para unas personas e inadecuado para otras. Por consiguiente, infórmese bien antes de elegir un especialista.

Mis colegas y yo organizamos cursos de exposición oral para ejecutivos; hay cursos individuales especiales, cursos colectivos, generalmente para un máximo de seis personas, y cursos de un solo día para un mayor número de asistentes, en los que se explican las técnicas básicas. Nuestros clientes eligen la modalidad adecuada para cada caso.

Cuanto más se ajusta el adiestramiento a las necesidades individuales, mayor es su efectividad. La perfección de nuestro trabajo se basa en una combinación de nuestra experiencia y la utilización de la cámara de vídeo y la pantalla del monitor. La posibilidad de observarse y criticarse a sí mismo y de que otras personas asistentes al curso (desconocidas o, si lo prefiere, sus propios compañeros) le observen también y opinen sobre su actuación producirá resultados espectaculares en menos de dos días (según nuestra experiencia).

Si está dispuesto a emplear fondos en todo tipo de actividades directivas (presentaciones... previsiones... ofertas y cotizaciones... promoción o lanzamiento de productos... formación en técnicas de persuasión y promoción... empleo de especialistas para asesorarle en todo lo relacionado con organización, métodos y tiempos, dirección de personal, etc.), ¿por qué subestima la necesidad de entrenarse y perfeccionarse en el maravilloso arte de la oratoria y la exposición verbal?

La persona que habla en público puede ser un aficionado en el arte de la oratoria, pero no hay ninguna razón profesional o lógica por la que no deba recibir un adecuado adiestramiento. Si la mayor parte de quienes hablan en público recibieran clases de este tipo, aquellos que los escuchan pasarían muchos más ratos agradables, y los oradores tendrían un éxito profesional mucho mayor.

38. Práctica y perfeccionamiento

Practique cuanto le sea posible para alcanzar un mayor grado de perfeccionamiento y facilidad en su expresión oral. Recuerde, no obstante, que la adrenalina producida por los «nervios» sirve para activar el cerebro y agudizar la capacidad intelectual.

Todos los grandes oradores deben sentirse nerviosos en las ocasiones importantes, pues de otro modo podrían fracasar. Por consiguiente, reciba esos «nudos» en su estómago con respeto y valentía; el orador (como decía Roosevelt refiriéndose a la humanidad) sólo debe temerse a sí mismo.

Así pues, si en el momento de hablar comprueba que le tiemblan las rodillas, alégrese. Oradores más experimentados no manifestarán su inquietud, aunque a buen seguro la sienten por dentro.

El orador experto ha aprendido a disimular sus sentimientos; no juega con su sombrero ni se atusa el pelo, no se muerde las uñas ni se dedica a despedazar hojas de papel. La persona que habla en público es un actor que, por lo general, tiene que escribir sus propios guiones y sabe que no deben notarse sus temores.

Por consiguiente, descarte esos temores terroríficos a que se le seque la garganta, a que se quede sin voz o con la mente en blanco. Si ha preparado convenientemente su discurso, si sus apuntes son manejables, seguros y apropiados, si conoce bien el tema de su charla o al menos está en condiciones de disimular su ignorancia, entonces todo irá bien. No se deje vencer por el pánico o estará perdido.

Cuanto más haya practicado, mayor será su confianza en sí mismo. Por consiguiente, tenga en cuenta estas recomendaciones:

— Cuando asista a una reunión, haga preguntas para reforzar su confianza en sí mismo.
— Si le ofrecen la oportunidad de decir unas palabras de agradeci-

miento, acéptela. Cuando un pequeño grupo le invite a dirigirles unas palabras, hágalo.

— En el caso de que haya participado en algún proyecto nuevo o interesante, haya realizado algún viaje poco usual o tenga algo especialmente importante que decir, hágalo saber. Su organización, grupo político, sociedad benéfica o asociación profesional, en donde se le había considerado como una persona silenciosa, le invitará con entusiasmo a que hable ante sus compañeros o ante el sector más interesando de los mismos.

— Quizá tenga que organizar una reunión social: un banquete, un cocktail o un almuerzo de trabajo. En tales ocasiones, levántese y pronuncie unas palabras sinceras de bienvenida y agradecimiento. Si su intervención va a ser más larga (en cualquier tipo de reunión social), las normas indicadas en el capítulo 39 (sobre los discursos de sobremesa) le proporcionarán algunas recomendaciones de gran utilidad.

Recuerde: cuanto más elevada sea su posición social, cuanto mayores sean sus aspiraciones o sus deseos de ascender en cualquier campo profesional, más necesario será el aplomo y la seguridad con que debe expresarse. La única forma de adquirir experiencia es poniéndose de pie ante los demás. Al convertirse en el centro de la atención pública, abandone todos sus temores. Acostúmbrese a escuchar el sonido de su propia voz cuando habla ante un auditorio.

Hable sin miedo. Su nerviosismo desaparecerá en el momento en que su voz se extienda por la sala y el público empiece a escucharle.

PARTE 5

LAS DISTINTAS OCASIONES

39. Discursos de sobremesa

Un público atento que ha disfrutado de abundante comida y bebida puede ser una auténtica delicia para un orador. Sin embargo, lo más frecuente es que éste se encuentre demasiado nervioso para disfrutar de la comida, y se contente con comerse lo principal de su propio discurso. Para evitar esta innecesaria situación, sólo hay que seguir unas cuantas normas básicas.

En primer lugar espere a que se haga el silencio. A continuación, dirija una mirada afable hacia la concurrencia y empiece diciendo: «Señor presidente, damas y caballeros...», o lo que considere necesario, según el caso. Estas pocas palabras son muy útiles, pues gracias a ellas podrá descubrir que su voz sigue sonando bien después del banquete y, además, comprobará que (al menos en ese momento) su público está listo para escucharle y entretenerse con sus palabras.

Por muy pesada que haya sido la comida o la compañía, por muy importante que sea la ocasión o la posición social de los asistentes, nadie desea un discurso seco como postre para una comida bien regada. Por consiguiente, aunque su mensaje sea muy importante, procure ser condescendiente con el público; comience con un chiste, una observación ingeniosa, una historieta, etc.

Los mejores chistes suelen ser los improvisados: alguna broma amistosa sobre el presidente, el restaurante o la comida... o una referencia indirecta a algún titular del periódico (lo cual agradará muy especialmente a los asistentes que lo hayan leído). Incluimos a continuación, por si acaso, algunas fórmulas adecuadas para empezar:

«Hace unos momentos el presidente se volvió hacia mí y me dijo: «¿Quiere hablar ya, o les dejamos que sigan divirtiéndose un poco más?».

No hace mucho tiempo, una señora le decía al orador, después de haber pronunciado éste su discurso de sobremesa: «Señor Jones, ¡ha sido un discurso terrible!». El orador salió del paso como pudo y a continuación recibió el «consuelo» de otra dama: «Siento muchísimo lo que ha dicho la señora... Tiene una lengua demasiado larga... y además es tan estúpida que ni siquiera es capaz de tener opiniones propias. Se limita a decir lo que oye a los demás...».

«Gracias por la hospitalidad que nos han brindado a mi esposa y a mí. Como dice el refrán: Detrás de todo gran hombre, siempre hay una *asombrada* mujer...».

Aunque su observación sea poco ingeniosa, su humor sea poco agudo y sus chistes poco graciosos, siempre que los cuente con convicción, con seguridad y, por lo menos, con una sonrisa amable, podrá conseguir el *contacto* que desea establecer con los asistentes. Éstos se acomodarán en sus asientos, se relajarán y, o bien se prepararán para seguir pasando un rato entretenido, o bien (en el peor de los casos) se resignarán a recibir el mensaje que usted les quiere comunicar.

Láncese ahora al tema de su discurso. Procure que sea breve. Lo más probable es que nunca haya oído quejas de lo corto o resumido que ha sido un discurso de sobremesa. Si el orador es excepcional, no es extraño que escuche eso de: «Podría seguir escuchándole durante toda la vida». Pero, aunque de verdad sintiese lo que decía, la práctica sacaría bien pronto de su error al oyente.

Cuanto más bajo sea su turno en la lista de brindis, más conveniente será la brevedad. ¿Por qué muchos de los oradores más inseguros estiman que es necesario ser los más prolijos en sus intervenciones? Quizá piensen que con la extensión de sus discursos lograrán compensar su falta de agudeza, su terror y su escaso ingenio. Está bien que alguien intente ganarse el apoyo del director de su banco, que trate de anular la oposición de sus adversarios persuadiéndoles de que admitan su postura, o que muestre su extraordinaria capacidad como vendedor dejando entrever claramente que no está dispuesto a marcharse en tanto no consiga lo que desea. Pero todo esto debe hacerse en privado. Al salir a la arena pública, en general, y al dirigirse a sus compañeros de mesa, en particular, hay que ser breve.

En lo que se refiere a la estructura del discurso de sobremesa, su constitución requiere el mismo cuidado que cualquier otra. Las palabras han de fluir con la misma facilidad que las ideas. Cuanto más ingenio use en hilvanar sus palabras, mayor será la probabilidad de que el auditorio capte la sabiduría que contienen.

Por consiguiente, observe detenidamente al público. Cuando vea que empieza a cundir el sopor, cuente algún chiste o acabe enseguida. En caso de que los comensales se dediquen a juguetear con los cubiertos, dé por concluido su sermón. Si quiere que le vuelvan a invitar, no emplee en hablar más tiempo del que necesitaron para presentarle.

Cuando se aproxime el final, recuerde el motivo por el que ha sido invitado a hablar. Si está respondiendo a un brindis, debe empezar dando las gracias a la persona que lo ha formulado, y felicitarle por su ingenio y sabiduría. Por último, termine en el mismo punto en el que empezó, expresando de nuevo su alegría por la invitación, su satisfacción por haber sido honrado con el privilegio de responder al brindis, y sus buenos deseos hacia la organización que le invitó.

Si es usted quien ha de hacer el brindis, adelante, hágalo. Evite que quien presida la mesa se vea obligado a decir algo como: «Y ahora, sean tan amables de levantarse y brindar conmigo...». Esa es *su* tarea; por tanto, realícela *usted*.

¿Quiere conocer una fórmula estándar para brindar? «Señoras y señores, les invito a que se levanten y brinden conmigo por el continuo éxito y prosperidad de..., por la salud y felicidad de...», o lo que requiera cada caso. Procure modificar la fórmula en lo posible, pero no la olvide.

Por supuesto, nadie debe fumar antes de que haya concluido el brindis principal en un banquete oficial. Ello explica el hecho de que algunos presidentes de mesa benévolos inviten a hablar a la persona encargada de proponer el brindis cuando los camareros están recogiendo el primer plato. De esta forma, el orador puede relajarse y saborear posteriormente el resto de la comida, en medio del aroma de los habanos.

40.   Fiestas y homenajes póstumos

Quizá se vea alguna vez en la necesidad de «decir algunas palabras» con motivo de acontecimientos festivos o luctuosos que afecten a familiares, amigos o compañeros. Por lo general, las normas que deben seguirse son las mismas que las indicadas en el capítulo dedicado a los discursos de sobremesa (y en otras partes del libro). No obstante, indicamos a continuación algunas sugerencias específicas para cada uno de estos casos.

Homenajes póstumos

No debe decirse nada malo del fallecido, aunque, como siempre, las alabanzas hayan de ser sinceras y, si es posible, merecidas.

Es fundamental tener tacto. Lo que se espera de usted es que resuma todas las ideas y recuerdos felices que la gente desea evocar del fallecido; estos recuerdos servirán para animar y consolar a los allegados con la certeza del afecto que le dispensan todos los presentes... para recalcar la inmortalidad del finado a través de sus obras, que le sobrevivirán en el tiempo.

La extensión de la elegía puede oscilar entre la de una oración completa y la de una introducción para pedir unos momentos de silencio en memoria del amigo difunto (opción que resulta más conveniente). El siguiente ejemplo de introducción podría servir de modelo:

— «Damas y caballeros, compañeros y amigos. Antes de comenzar intentaré expresar el dolor que todos sentimos ante la pérdida de nuestro querido compañero y director James Smith. Era un hombre dotado de un enorme entusiasmo, de una intensa energía y de una gran capacidad de iniciativa. Fue fiel a sus amigos y a su empresa, para la cual trabajó eficazmente durante muchos años. La organización que creó, y en particular nuestra red de factorías, permanecerá en el futuro como un permanente tributo a su talento comercial. Nosotros, sus amigos y compañeros, le echaremos de menos. La empresa también. Pido a todos ustedes unos momentos de silencio en memoria de... James Smith».

Fiestas

Aunque toda existencia contiene en sí misma la semilla de su propia tribulación, por fortuna son mucho más frecuentes las ocasiones alegres que las tristes. Nacimientos, bautizos, confirmaciones y primeras comuniones, noviazgos, bodas (incluidas las de plata y oro)... todas ellas son ocasiones propicias para pronunciar unas palabras de felicitación al comienzo de una reunión o discurso, o para organizar una celebración festiva en la que tengamos que hablar.

El discurso de sobremesa puede constituir el modelo adecuado para este tipo de alocuciones (ver capítulo 39). La mejor recomendación al respecto tal vez sea la que se contiene en el dicho siguiente: «El secreto de hablar en público es el mismo que el de hablar a tu mujer: mantén tu lengua al mismo ritmo que tus pensamientos. Si te anticipas en uno u otro sentido, ¡estás perdido!

41. Discursos fuera del país y clientes extranjeros

El empresario aislacionista es, o debería ser, un animal tan extinguido como el dodó de la isla Mauricio. Exporte siempre que pueda; todos los gobiernos del mundo animan a hacerlo. Si tiene que importar, hágalo, pero a los precios más competitivos. Hay que regatear con el comerciante extranjero, comer con él, beber con él e incluso abonar las notas de gastos *de él*. Y lo más importante: es muy posible que se vea en la necesidad de pronunciar algún discurso en su presencia.

Naturalmente, si tiene la suerte de poder expresarse en el idioma extranjero con la misma facilidad que en el propio, sus problemas serán mínimos. En tales casos, sólo tendrá que seguir las normas señaladas a lo largo del presente libro para que todo vaya bien. Aunque hay que estar preparado, por supuesto, para ajustar los propios patrones al estilo del auditorio extranjero, esencialmente no hay ninguna diferencia en lo que se refiere a la tarea de animar, agradar, interesar y convencer (o aburrir) a personas de nacionalidad inglesa, francesa, rusa o griega.

El melodrama suele funcionar mejor en los Estados Unidos que en Inglaterra. La retórica florida, que desapareció de Gran Bretaña hace muchos años, aún prospera en algunos países (y con algunos públicos). En general, si ofrece la imagen que se espera de usted y actúa con elegancia e ingenio, evitando, por ejemplo, las bromas de mal gusto, le será fácil obtener los mejores resultados.

Si quiere asegurarse una acogida amistosa en Norteamérica, mantenga su propio estilo. Hace años, realicé una gira de conferencias por Estados Unidos en la que hablé sobre Gran Bretaña, el estado social e, incluso, sobre la «medicina socializada», como la llaman los norteamericanos. En aquella ocasión denoté cierta sorpresa en ellos al comprobar que el «caballero inglés» no se mostraba frío, reservado, carente de humor, arrogante y glacial. La imagen del anglosajón helado, que sólo habla cuando se le presenta debidamente (y sobre todo cuando se ha templado lo suficiente con alcohol), hace tiempo que desapareció. De este modo, la apertura amistosa y humorística tuvo un mayor y más importante significado. Cuando se consigue el *contacto* con el público, todo va mucho mejor.

Una vez que el público extranjero se ha dado cuenta de que lo que realmente se pretende es entretenerle e instruirle simultáneamente (es decir, establecer una comunicación con él), su predisposición a escucharle con atención será incluso más intensa que la de sus compatriotas. ¿El mejor consejo para caldear el ambiente? Utilizar el lenguaje de sus anfitriones.

¿Son iguales el inglés de Inglaterra y el de Estados Unidos? En general sí, aunque existen diferencias idiomáticas e idiosincrásicas. A un orador norteamericano en Inglaterra le puede ser muy útil tomarse la molestia de consultar la prensa británica y bromear sobre la actual ola de crímenes, la conflictividad laboral, los problemas políticos u otras desgracias locales. Cuando sea usted quien hable ante personas del otro lado del Atlántico, devuélvales este tipo de cumplido.

Un comienzo sencillo y de éxito garantizado en Estados Unidos sería: «En primer lugar, les tranquilizaré anunciándoles que no pienso enzarzarme en una disquisición sobre si lo que es bueno para la General Motors es bueno también para todo el país..., tampoco hablaré sobre los méritos de la obra política de los Cabot, los Kennedy o...» *(incluya aquí los nombres de políticos locales famosos en la actualidad).* «Si alguien me pregunta sobre mis preferencias hacia los Yankees, los Redskins o...» *(incluya el nombre del equipo local de béisbol),* «le responderé con firmeza que no tengo ninguna intención de inmiscuirme en los asuntos políticos de este país. Los ingleses deseamos solucionar nuestros muchos problemas sin provocar un nuevo motín del té como el de Boston. No. Me limitaré a tratar sobre...».

También podría contar una historia como ésta: «Me han pedido que opine sobre su actual crisis comercial, pero, con todos mis respetos, declinaré la invitación. Quizá conozcan la historia del cura que fue a visitar a un pobre moribundo. "Hijo mío", dijo el sacerdote, "¿renuncias a Satanás, ahora y para siempre?" "¡Pero padre!", respondió el moribundo, "¡éste no es momento de hacerse enemigos en ningún sitio!". Siendo, damas y caballeros, el único inglés entre los aquí presentes, preferiría que nadie llegara a enemistarse conmigo; por consiguiente, les hablaré de *nuestros* problemas, en lugar de arriesgarme a opinar sobre los suyos».

Una vez que haya establecido una relación amistosa con los compradores, proveedores o comerciantes extranjeros, procure ceñirse al tema que les interesa y todo irá bien. Sus interlocutores están deseosos de obtener sus provechosos consejos, del mismo modo que usted desea obtener los de ellos. Siempre que se exprese con la necesaria modestia, ellos se mostrarán encantados de conocer sus logros. Después de todo, para eso es para lo que le han invitado a hablar. Por tanto, no tenga miedo; refiérase abiertamente a su actuación profesional y compruebe cómo sus esfuerzos resultan más provechosos de lo que esperaba.

Supongamos ahora que tiene que hablar ante personas cuya lengua materna no es la de usted. Hay dos posibilidades básicas: dirigirse a ellas en su lengua —la de usted— y confiar en que puedan entenderle, o hablar en el idioma de los que le escuchan. La segunda opción es mucho más adecuada, siempre que se domine bien el idioma en cuestión.

Cuando tenga que referirse a asuntos profesionales recuerde que la exposición de datos, números, teorías o ideas debe ser muy precisa... sus palabras pueden crear malentendidos o expresarse sin los debidos matices... la esencia de lo que se quiere decir quedará eventualmente ensombrecida... En tales casos, use su propio idioma y, si es necesario, utilice un intérprete. No se es más valiente por prescindir del chaleco salvavidas cuando uno se aventura en mares extraños.

Por otra parte, en tales ocasiones puede resultar oportuno leer el discurso, preparado y traducido con antelación. Comience con alguna observación amistosa e improvisada (que no parezca escrita), de forma que el público se predisponga para escuchar un discurso que, si bien no va a ser

una obra maestra de la oratoria, al menos será escrupulosamente exacto.
¡Así aprenderán a invitar a expertos extranjeros!

En estas ocasiones, haga todo lo posible por atenuar los sufrimientos
del público: levante la mirada del papel y hable directamente a los asistentes, siempre que pueda... haga alguna pausa de vez en cuando para
contar un chiste o para excusarse por tener que leer el guión... y asegúrese de que se expresa con una buena pronunciación.

Todos hemos escuchado a paisanos nuestros que hablan alguna lengua
extranjera como si se tratase de la propia. Las palabras inglesas pronunciadas con deje gallego o andaluz, o con el acento peculiar de un nativo
del alto Ampurdán, adquieren un inconfundible tono festivo en boca de
un humorista, pero al oyente extranjero tal pronunciación le parecerá absolutamente ridícula.

Hay una excepción. Cuando vaya a pronunciar un discurso en su propia lengua, prepare siempre unas palabras de saludo en el idioma de sus
anfitriones (o en el de sus invitados, si es usted el anfitrión). En estos
casos, no importa pronunciar mal, pues ello contribuirá a hacer más divertida la presentación. Nadie le reprochará sus errores gramaticales, ni siquiera cuando su equivocación sea tan grande que sus palabras adquieran
el significado contrario al deseado. Lo que importa es el esfuerzo de hablar a los asistentes en su propia lengua. El público sabrá agradecerle esta
valerosa muestra de simpatía, que deberá realizar de la forma más natural
posible.

Comience del modo usual, en su propio idioma: «Señor presidente,
damas y caballeros, amigos todos de la empresa...» Si empieza a hablar inmediatamente después en la lengua extranjera correspondiente, conseguirá
crear el efecto sorpresivo que necesita para obtener una acogida amistosa.
«¿Saben que intenté aprender griego/hebreo/chino...?» (naturalmente, diga
esto en el idioma aludido). «Cuando conocí en... al señor..., que habla tan
perfectamente mi lengua, me dio vergüenza seguir intentándolo. Lo único
que siento es que mis esfuerzos hayan tenido tan poco éxito, como pueden
ustedes comprobar. Por tanto, para evitar futuros malentendidos en mis
palabras, espero que me disculpen si vuelvo a hablar en mi lengua, ¡lo
cual será un alivio para ustedes!». Si puede, memorice toda esta introducción en el idioma extranjero; si no, léala. No importa que se sepa que algún natural del país le ha ayudado a conseguir la traducción de sus palabras. El público le agradecerá de todas formas su esfuerzo.

Hay otra alternativa. Puede comenzar en el idioma extranjero: «Señor
presidente, damas y caballeros... Espero que todos se encuentren bien.
Les doy la bienvenida a mi país y les expreso nuestra alegría por tenerles
con nosotros. Confiamos en que tengan una agradable estancia aquí». El
público quedará encantado.

Termine diciendo: «Adiós; espero que pronto volvamos a vernos», en
el idioma de sus anfitriones o invitados. A continuación añada: *«Vive la*

France» o cualquier otro saludo apropiado para el caso. Una vez más, si comienza y acaba adecuadamente, el resto de su discurso quedará bien enmarcado.

La composición lingüística de su auditorio puede ser mixta; en tal caso, las normas que acabamos de señalar deberán modificarse. Alguna vez he oído una introducción muy oportuna: «Señoras y señores, Messieurs et Mesdames, Meine Damen und Herren... sean todos bienvenidos. Creo que no sé pronunciar bien siquiera estas pocas palabras de sus respectivos idiomas; por tanto, espero que ustedes comprenderán que prefiera seguir hablando en mi lengua. Confío en que así nos resultará a todos más fácil». Haga una ligera pausa para que los asistentes manifiesten su aprobación, sonrían y realicen comentarios en voz baja. «Los malentendidos que originan los oradores (y sobre todo los políticos) que se obcecan en utilizar su propia lengua sólo los superan los ocasionados por quienes tienen la temeridad de crear innecesarias confusiones internacionales mediante el asesinato de los idiomas ajenos; ¡y el asesinato es un crimen en todos los países del mundo!».

42. Peticiones y colectas de dinero

El arte de sacar dinero al público requiere prudencia y capacidad de adaptación a las circunstancias. Es posible que el ministro de Hacienda tenga problemas políticos, pero al menos puede hacer cumplir sus exigencias financieras. En cambio, el orador que intenta recaudar fondos para una institución benéfica, para una fundación de promoción profesional o industrial, o incluso para algún objetivo aparentemente menos altruista, tiene que conseguir el dinero moneda a moneda. ¿Cómo lo hace? Depende del público y de la motivación. Indicamos a continuación algunas sugerencias al respecto.

Aunque hay quien da dinero por simple generosidad, los sentimientos de culpabilidad y el interés personal suelen ser los motivos más poderosos.

Algunas personas se dedican en cuerpo y alma a conseguir algún fin benéfico, mientras que otras no lo hacen jamás. Sin embargo, estas últimas pueden aportar el dinero que han ganado mientras no estaban luchando por esa noble causa; a su manera, ayudan tanto al necesitado como sus otros compañeros aparentemente más dinámicos. Hágaselo saber... implícitamente.

«Algunos de nosotros tenemos la afortunada posibilidad de disponer del tiempo necesario para trabajar en esta importante obra benéfica. A otros, en cambio, les resulta imposible acompañarnos en nuestro esfuerzo. Sin embargo, quisiera hacer un llamamiento muy especial a estas personas. Aporten ustedes los medios y nosotros nos encargaremos del trabajo. Ésta es una tarea que necesita con urgencia hasta el último céntimo que puedan darnos, e incluso más...».

Por otra parte, ¿cómo se puede estimular el interés personal? En ocasiones es una cuestión de seguridad. ¿Quizá esa obra benéfica guarda relación tan sólo con los ancianos, los enfermos y los necesitados? ¿Y no es usted una persona joven o de mediana edad, o que, al menos, goza de buena salud? Eso es *ahora*. Pero ésta es una situación transitoria. ¿Qué pasará cuando le arrojen, por viejo, al cubo de la basura, cuando le despidan del trabajo o cuando quede impedido (Dios no lo quiera) por alguna terrible enfermedad? ¿Disfrutará usted de una pensión? Bien, pero quizá la empresa no pueda pagársela en el futuro, o no sea suficiente para cubrir las necesidades de su viuda. Por consiguiente, si usted se halla hoy en condiciones de asegurar su futuro, no dude en hacerlo.

Cosas así no se suelen decir ante un público. La fórmula más adecuada sería ésta: «Solicito su ayuda, instándoles a que la consideren como una expresión de gratitud por el hecho de no verse obligados a recurrir a esta gran institución benéfica en calidad de necesitados. Espero que ninguno de nosotros se vea nunca en la necesidad de ocupar una de las camas de nuestra clínica de recuperación... que ninguno tenga que recibir un subsidio procedente de nuestro fondo... que haya de recurrir a la bondad de sus compañeros de trabajo... Pero, ¿quién sabe lo que puede ocurrir en el futuro?». Haga una pausa, llena de significado. «No obstante, aun en el caso de que escapemos a la necesidad de este tipo de ayuda (como todos deseamos), podemos sentirnos orgullosos de estar cerca de los que sí lo necesitan. Son personas que han trabajado bien... que se han ganado cada céntimo que reciben... que han sufrido el infortunio que nosotros hemos conseguido evitar...», etc. Todos invertimos dinero en seguros, ¿no es así? Pues bien, ésta es también una saludable y provechosa forma de invertir en lo mismo, una inteligente respuesta a las posibles desventuras venideras.

Considere siempre la posibilidad de ofrecer ventajas económicas, echando mano, quizás, de la amable ayuda que proporciona el sistema tributario. Si un hombre de negocios piensa que podrá ser más generoso, si eso le sirve para pagar menos a Hacienda, usted tendrá más posibilidades de obtener dinero, de dotar de una nueva cama a la institución, o de utilizar locales cedidos por el benefactor. En consecuencia, estudie la legislación sobre donativos deducibles de impuestos...

«Piénsenlo, señoras y señores. Cualquier persona que pague el impuesto sobre la renta a los tipos vigentes puede conseguir por este donativo benéfico una desgravación totalmente desproporcionada con el importe de aquél. Veamos algunos ejemplos...». A continuación explique la importancia que podría tener para la institución un donativo por valor de una cantidad concreta. Recuerde, naturalmente, que cuando una institución benéfica recibe algún bien, éste puede servir para garantizar un préstamo si se necesita dinero inmediatamente. Los contables de las instituciones benéficas deben conocer a la perfección las leyes fiscales.

Recuerde también que el chantaje legítimo es el arma más poderosa que puede utilizarse para conseguir fondos benéficos. Llame por teléfono a su principal proveedor y dígale: «Jaime, nuestra sociedad benéfica ha tenido que hacer frente a tantos gastos, que no tenemos más remedio que conseguir diez millones. ¿Puedo contar con el 10 % como donativo tuyo?».

Jaime se lamenta interiormente. «Desde luego, Rafael», responde «entusiasmado». «Pero, ¿me podrás publicar un anuncio en el programa de la fiesta benéfica?».

Utilice la misma táctica cuando hable en público. Mire a su proveedor en el momento de pedir el dinero. Es posible que desvíe su mirada, pero seguramente no se atreverá a esconder su talonario. Después de todo, cuando vino al acto, o a la asamblea, ya sabía que le podían despellejar. También puede abordarle antes de intervenir, y averiguar cuánto dinero piensa donar. A continuación, dé a conocer su generoso gesto; ello servirá para estimular y avergonzar a los demás, quienes se sentirán obligados a elevar sus donaciones hasta un nivel digno de ser anunciado. Si es usted un hombre de buena voluntad, utilice el dinero para beneficiar a los menos privilegiados. Ninguno de los benefactores va a decir que está arrepentido de haberle dado su dinero. Al fin y al cabo, se trata de una buena causa, ¿no es así?

Por supuesto, el que pueda emplear un ataque directo de este tipo o actuar de un modo más sutil... anunciar los donativos más importantes o dejar que los rumores corran de boca en boca... simular una subasta vendiendo unas chucherías a precios muy altos, organizar una rifa o una tómbola, etc., dependerá de las circunstancias del «feliz» acontecimiento. No obstante, hay una norma que debe aplicarse siempre que sea posible: cuando se trata de recabar dinero de los bolsillos ajenos, uno no se puede permitir el lujo de ser vergonzoso o de preocuparse de las posibles negativas.

El mejor momento para atacar a esos bolsillos es aquél en el que el entendimiento de sus víctimas se encuentra aturdido como consecuencia de una copiosa comida o del efecto conmovedor de sus palabras. Si los que le escuchan se hallan en un estado de ánimo alegre, receptivo y generoso, aproveche la situación. Pídales el dinero en ese mismo momento (pasando por la sala la orden de cargo en cuenta bancaria, o el impreso correspondiente de suscripción) o escríbales al día siguiente, diciéndoles: «Ha sido muy agradable pasar la velada con usted... Le adjunto la orden de cargo en su cuenta bancaria... Estoy seguro de que podré seguir contando con su generosa ayuda en el futuro...».

El discurso nunca debe considerarse como una entidad independiente, divorciada del proyecto al que queremos referirnos. Si lo que desea es recabar fondos, tendrá que hacer un llamamiento a la generosidad de quienes le escuchan. Pero este llamamiento debe estar vinculado a la campaña previa y posterior al discurso. El auténtico carácter de éste dependerá del llamamiento que se haga y de su preparación, su seguimiento posterior y sus exigencias. La producción de bienes depende del mercado, de los recursos disponibles, de la situación económica y de las demás circunstancias que le afectan. Del mismo modo, cada discurso debe ajustarse al público y a las circunstancias concretas de cada caso, sobre todo cuando se trata de pedir dinero. Reproducimos a continuación una interesante entrevista en la que un experto en cuestaciones benéficas revelaba algunos de sus secretos:

«Conozco muchas personas capaces de pronunciar excelentes discursos», decía, «pero incapaces de recabar la generosidad del público. Se trata de técnicas muy diferentes. Al pronunciar un discurso es posible crear el ambiente propicio para convencer a la gente de lo que se dice... La persona que hace una petición de dinero no puede perder demasiado tiempo hablando. Sólo necesita un par de minutos para decirlo todo y, por supuesto, nunca debe provocar (ni admitir buenamente) una actitud negativa del público. Diga lo que diga, ha de crear un estado de ánimo propicio para que suelten el dinero. Tiene que saber cuándo debe parar».

La audiencia debe ser, por tanto, «como una naranja jugosa: hay que exprimirla, pero sin llegar a sacarle las pepitas. Su intuición o su psicología le indicarán el momento de detenerse».

¿Cómo puede saberse si nos apoya aún el público al concluir el llamamiento?

«Si cuando usted se sienta recibe un aplauso tan sonoro como cuando se levantó, eso significará que ha hecho bien su trabajo».

«Cuando se hace una petición de dinero nunca se debe leer un discurso. Lo que se diga debe salir espontáneamente, brotar del corazón. Hay que hacer que el público se sienta feliz de su generosidad. Cuando concluya el acto, los asistentes han de quedar contentos, mostrándonos su agradecimiento por nuestro éxito. Las personas saben reconocer la sinceridad de quien les pide dinero, y éste, por su parte, debe creer sinceramente en la causa que sostiene...

Por último, debemos dar ejemplo con nuestra propia generosidad».

Seamos generosos, y todos nos imitarán... Una persona tacaña no resulta atractiva en ningún sentido.

43. Discursos al aire libre

Los discursos al aire libre son bastante infrecuentes, pese a lo cual conviene saber cómo se pronuncian. La ocasión puede presentarse en las puertas de una fábrica, en un muelle o en alguna feria de muestras o reunión profesional al aire libre. Quizá se trate de unas simples palabras de agradecimiento en el «día del deporte» local, o de una charla o conferencia «a pie de obra»; es posible que tenga que lanzar una arenga en cualquier plaza, o al pie de algún monumento conmemorativo, de su ciudad. Sean cuales fueren el lugar y las circunstancias, hay una serie de normas básicas que le resultarán valiosas en este tipo de apariciones públicas.

La voz humana se transmite débilmente en los espacios abiertos. Por tanto, lo primero que tiene que hacer el orador al hablar al aire libre es asegurarse de que podrán oírle. Si dispone de un megáfono, utilícelo. Siga las mismas normas que se indicaron en el capítulo 30, pero con mayor cuidado. Los equipos de amplificación se averían con mucha mayor frecuencia en espacios abiertos que en locales cerrados. Los aparatos que van conectados a la batería de un automóvil son especialmente vulnerables. Escuche algún mitin durante las próximas elecciones: es triste ver el esfuerzo que hacen algunos políticos para lograr que se les oiga, sobre todo cuando la multitud se agolpa en todas direcciones y los altavoces sólo se orientan hacia el frente.

Recuerde las limitaciones que tiene el micrófono al ser empleado en la calle. Si, por ejemplo, tiene que hablar desde un vehículo en movimiento (en el asiento delantero de un coche o en la parte trasera de un camión), hable despacio y con claridad y pida al conductor que lleve el vehículo lo más lentamente posible. A las personas que circulan por la vía pública les gusta escuchar lo que se les grita desde un vehículo en movimiento; en cambio, se enfadan si éste pasa deprisa y no hay posibilidad de captar lo que se dice, por trivial o conocido que sea el mensaje. Por lo general, sólo da tiempo a gritar unas cuantas frases informativas: «Hoy es el gran día... acudan a la fiesta de Carnaval a las doce de la noche en el parque...».

La mayoría de los oradores que hablan al aire libre lo hacen desde un punto fijo. Con micrófono o sin él, muchas de las normas adecuadas para auditorios cerrados quedan aquí invalidadas. Así, por ejemplo:

— El orador tiene mayor libertad de movimientos y ademanes al hablar al aire libre.
— La antigua oratoria (demagógica) es más eficaz y parece menos falsa en auditorios abiertos.
— A veces el público no acude por sí mismo a escucharnos, sino que hay que atraerle. Cuando se habla en un auditorio cerrado no importa hablar con voz baja; en cambio, al hablar al aire libre no suele quedar otra alternativa que gritar del modo más sonoro y provocativo posible, con el fin de atraer al mayor número posible de oyentes.

Algunas de las normas señaladas para los discursos en locales cerrados deben acentuarse cuando se habla al aire libre. Por ejemplo:

— No tema hacer pausas... esperar... indicar de todos los modos posibles que se encuentra totalmente tranquilo y seguro de sí mismo.

— Aunque sea objeto de los ataques (y no sólo verbales) de una parte del público, no se deje dominar por el pánico. Recuerde que desde una plataforma siempre se tiene ventaja sobre los espectadores. Si mantiene la firmeza y sabe rechazar las provocaciones, la victoria final será suya.

— Asegúrese de que se oye su voz. Si utiliza un megáfono manual de batería, apriete con fuerza el gatillo. Un famoso profesor de Harvard solía decir: «Coge tu voz, lánzala contra la pared del fondo y haz que rebote sobre tu audiencia». No importa si al final se queda ronco: entonces ya será un profesional. Si se queda sin voz, volverá a recuperarla; si se queda sin público, éste nunca regresará.

44. Concesión y recogida de premios

Concesión de premios

Las ceremonias de entrega de premios se pueden apreciar desde dos puntos de vista: el de quien concede el premio y el de quien lo recibe. En ambos casos se requerirán «unas palabras», y la sinceridad será la clave del discurso.

A todo el mundo le gusta ser homenajeado. El arte de ensalzar correctamente las virtudes ajenas es uno de los más apreciados. Los halagos, cuando se dispensan con franqueza y entusiasmo, son siempre bien recibidos, aunque conviene mantener cierto grado de moderación.

«El señor X es el empresario más brillante, honrado y amable, un dechado de virtudes comerciales...». Esto es auténtica basura. Nadie creerá una sola palabra; ni siquiera el señor X.

Compárelo con esto: «Para empezar, diré que el señor Smith ha sido el cerebro de una importante y próspera empresa. Al comprobar la creciente competitividad que fue adquiriendo el mundo de los negocios, tomó la desagradable decisión de endurecer las actitudes comerciales de su empresa, con lo que aseguró su competitividad y consiguió su supervivencia, a pesar de las circunstancias económicas, las amargas y despiadadas rivalidades dentro del sector y la lucha por la mano de obra cualificada y los mercados, cada vez más restringidos.

»Por otra parte, el señor Smith se ha esforzado por mantener la reputación de su firma, y ha seguido manteniendo buenas relaciones con sus proveedores, clientes y competidores, y con el propio personal.

»Por haber sabido mantener la prosperidad de la empresa sin perder la honestidad comercial... por su capacidad para impulsar el bienestar de la firma sin degradar ni demeritar la honorabilidad y la integridad del consejo... por haber conseguido incrementar la reputación de la compañía y también la suya propia... por todo ello, nos alegramos de hallarnos hoy reunidos en este homenaje... y expresamos nuestro pesar por el anuncio de su próximo retiro».

También puede tratarse del homenaje a un directivo, capataz u operario que abandona la empresa después de muchos años de servicio, o a quien se le premia por su prolongada entrega.

«Habíamos pensado regalar un reloj al señor Jones, pero no creemos que nuestro compañero desee que lo hagamos precisamente en el momento en que el horario deja de tener importancia para él. Por tanto, hemos decidido que este juego de café será mucho más apropiado y útil para el caso. Se lo entregamos con todo el agradecimiento, admiración y reconocimiento de la empresa.

»Asimismo, expresamos la estima y consideración de sus compañeros de trabajo, los cuales han colaborado en la adquisición del regalo. Sé que ellos esperan, al igual que yo, que sirva para recordarle al señor Jones, a su esposa y a sus hijos el sincero cariño que todos le profesamos, y nuestro agradecimiento por su leal servicio a la empresa. Deseamos que el señor Jones disfrute de una larga jubilación en compañía de su encantadora esposa, con una excelente salud. Esperamos que venga a visitarnos con frecuencia. Aquí siempre podrá contar con la afectuosa acogida de sus compañeros y amigos».

Evite los elogios falsos y rimbombantes, la sensiblería, los cumplidos exagerados. Limítese a decir algunas palabras sencillas, sinceras y sensibles, que puedan ser apreciadas realmente por la persona aludida.

Algunas veces, la concesión de un premio no es sino una excusa para animar a determinadas personas a que acudan a un almuerzo o acto público, al suponer que no desearán ofender al homenajeado con su ausencia. Este tipo de ceremonias o celebraciones se hacen con la intención de que el homenaje vaya acompañado de un elogio a la organización que representa la persona premiada, y/o a las virtudes representadas por la institución que concede el premio. Cada vez se están haciendo más frecuentes estos encuentros sociales celebrados con el pretexto de un homenaje. Los profesionales de las relaciones públicas están creando un nuevo vehículo de trabajo, y hay que estar preparado para conducirlo.

«Estamos orgullosos de nuestros precursores en la nueva y floreciente industria de las saunas. Hemos organizado este almuerzo en honor del señor Finn, a quien damos nuestra más cordial bienvenida en su visita a nuestro país». Aplausos y vítores.

«El señor Finn ha contribuido a que esta industria se instale en nuestro país. Inmediatamente después del *boom* de la calefacción central, el público ha empezado a conocer la salud y el descanso familiar que proporcionan las sesiones de sauna. Aunque ninguna instalación oficial debía carecer de ellas, las grandes casas particulares de nuestro país representan una enorme e inexplotada fuente de demanda». (Los invitados de la prensa comienzan a escribir apresuradamente). «Ninguna ocasión sería más apropiada que ésta para anunciar este nuevo e importante impulso en la fabricación de saunas que vamos a emprender en nuestro país, y mediante la cual, no sólo conseguiremos crear una demanda nacional, sino que podremos propiciar una posible exportación a precios competitivos... A continuación, queremos expresar la admiración y el agradecimiento que profesamos a nuestro distinguido invitado, el señor Finn, a quien tengo el gusto de entregar este broche de oro en forma de sauna, como muestra de nuestro respeto y reconocimiento...». Estalla una sonora ovación. El público se levanta. Los flashes de las máquinas fotográficas relampaguean por la sala.

Este ejemplo, ligeramente exagerado, constituye una muestra del tipo de homenajes que se celebran por doquier en la actualidad. Si tiene que presentar alguno de estos actos, recuerde que la importancia de la sinceridad en sus palabras será mayor cuanto menores sean la autenticidad de la ocasión o los méritos del homenajeado, o cuanto mayor sea la publicidad esperada; de otro modo, el acto podría degenerar en una repugnante cursilería.

¿Cómo puede parecer sincero, incluso cuando no lo sienta? Evitando la retórica y las exageraciones... excluyendo los efectos melodramáticos o teatrales, las lágrimas y los suspiros. «Estoy tan conmovido que apenas puedo hablar...». Entonces no lo haga. «El señor Jones es fabuloso, fantástico, fenomenal...». Los superlativos casi nunca resultan sinceros o acertados. Unas pocas y serenas palabras constituyen el mejor himno de alabanza.

Recogida de premios

Quizá tenga usted la suerte, alguna vez, de ser la persona homenajeada en un acto público o presentación. Las alabanzas pueden amontonarse entonces sobre sus receptivos hombros. ¿Cómo podrá enfrentarse a la situación?

«Agradezco esta generosa elegía que me ha dispensado el señor Smith», dijo en cierta ocasión Adlai Stevenson.

«Hay una diferencia entre un discurso laudatorio como éste, dedicado a una persona viva, y una oración fúnebre en homenaje a un difunto», dijo el primer presidente de Israel, Chaim Weizmann. «En el primer caso, ya que no en el último, hay al menos una persona que está dispuesta a creer que todo lo que se ha dicho es verdad».

Las fórmulas más frecuentes son: «En primer lugar quisiera agradecer las amables palabras con que el señor Jones se ha referido a mi esposa y a mí. Le estamos sinceramente agradecidos, aunque nos contentaríamos con que sólo la mitad de sus elogios respondieran a la realidad», o «Le agradezco profundamente, señor presidente, la generosidad con que se ha referido a mi organización y a mí. Haremos todo lo posible por corresponder a sus amables atenciones».

La sinceridad, como hemos visto, es de vital importancia para la persona que tiene que elogiar a alguien; del mismo modo, el que recibe los elogios debe mantener una actitud de decoro y modestia. Sería descortés y poco sincero contestar como sigue: «Aunque son ciertas, usted no debería haber dicho esas cosas...». Aún peor resultaría esto: «Sus palabras se han quedado cortas...». En cambio se puede ser inmodesto con respecto a la propia esposa: «Es cierto todo lo que se ha dicho sobre mi esposa. Estoy muy orgulloso de ella... ¡es una joya!». A continuación se podría decir algo como: «Sólo quisiera poder dar crédito a las cosas que se han dicho sobre mí. No obstante, agradezco la amabilidad del señor Smith por sus palabras. Quizá haya podido convencer a mi mujer de la veracidad de sus elogios, aunque yo mismo no esté muy convencido».

El siguiente paso es el de corresponder a los cumplidos elogiando a la inteligente persona u organización que nos ha homenajeado. «He sido muy afortunado al servir a esta empresa durante tantos años... Ha sido un privilegio trabajar con todos ustedes... Ahora les dejo, pero espero volver a verles con frecuencia...». También puede decirse lo siguiente: «Han tenido la amabilidad de concederme un premio, aunque mi intención sería precisamente la de homenajearles a ustedes. Los honores deberían fluir hacia quien los merece de verdad. Intentaré equilibrar un poco la balanza señalando la enorme importancia que, en mi opinión, tiene la labor de esta organización, sobre todo en la actual situación de...».

Otra posibilidad: «El señor Smith ha sido muy amable al hablar tan bien de mí. Como sabemos todos los aquí presentes, la mayoría de las virtudes que me ha atribuido le pertenecen en realidad a él. Esta empresa tiene mucha suerte al estar dirigida por un hombre de su calibre...».

La sinceridad y los elogios no deben ser prerrogativa exclusiva de quien concede el premio.

Por último, la conclusión: «Y de este modo, señor presidente, mi discurso llega a su final, al igual que mi trabajo en la empresa. Gracias una vez más, señor Smith, por sus amables palabras. Gracias a todos ustedes, compañeros, por su bondad y por su generoso obsequio. Mi mujer y yo lo conservaremos siempre, junto con los recuerdos que nos unen a ustedes. Buena suerte a todos».

Otra posibilidad: «Y así, al aceptar este obsequio, agradezco el honor que nos hacen a mí y a mi organización, en cuyo nombre debo recibirlo. Mis compañeros y yo estamos muy contentos por haber podido realizar satisfactoriamente nuestro trabajo, y nos comprometemos a intentar en el futuro la superación de los logros pasados y por los que hoy hemos sido homenajeados. Muchas gracias a todos».

Incluya en su discurso anécdotas sentimentales, recuerdos, evocaciones, sucesos con moraleja y todo lo que pueda venir bien a la ocasión... pero remátelo siempre con una palabra final de agradecimiento. De este modo, concluirá donde había comenzado: con su gratitud. Ha sido una hermosa ceremonia y... un excelente discurso.

45. Los votos de gracias

El voto formal de gracias es un signo de cortesía que un orador siempre debe expresar, del mismo modo que tenemos que tener unas palabras de agradecimiento para nuestra anfitriona después de haber ocupado su mesa. Es posible que no le haya gustado la comida, o que la compañía haya sido terriblemente aburrida. O que al contrario que esas personas que hacen todo lo posible por que sus invitados se sientan como en su casa, aunque en realidad desearían de corazón que se hubieran quedado allí, es posible que sus anfitriones le hagan a veces sentirse verdaderamente molesto en el transcurso de estas invitaciones. Sin embargo, debemos dar las gracias a nuestra anfitriona (de todas formas), y felicitarla sin titubeos por lo bien que cocina y por el placer de haber compartido su mesa con los demás invitados, todos ellos distinguidos y encantadores. Estos cumplidos han de ser dignos de crédito precisamente por su aparente improvisación. En cualquier caso, siempre debemos ser corteses.

Lo mismo ocurre con el orador invitado, que debe recibir el agradecimiento y las felicitaciones de quienes le han escuchado. En Norteamérica es normal pagar generosamente a los conferenciantes, incluso cuando éstos intervienen en los Rotary Clubs, asociaciones u organizaciones profesionales o benéficas. Los oradores invitados reciben un agradecimiento tangible. En cambio, en Inglaterra el público considera que con escuchar al orador ya se le hace suficiente favor...

Cuando su invitado diga: «Ha sido muy amable de su parte invitarme a este espléndido y apacible paraje», lo que probablemente quiere decir es: «Me gustaría haber podido rechazar su invitación y no haber tenido que subir hasta este páramo desolado, ártico, subdesarrollado y dejado de la mano de Dios.» En consecuencia, consuélele al menos con el calor de su agradecimiento.

Por cierto, ¿se ha acordado de ofrecer a su invitado el pago de sus gastos? Es muy posible que éste se avergüence de pedírselo y quizá llegue a rechazar incluso su ofrecimiento. Pero lo que es una estupidez es solicitar los servicios y el tiempo de un orador ocupado y dar por supuesto que es él quien tiene que pagar el viaje y el alojamiento. Todos los oradores conocen la desdicha que supone recorrer muchísimos kilómetros para pronunciar una conferencia de pocos minutos ante una insignificante audiencia. Son los gajes del oficio, pero no por ello deja de ser comprensible la irritación del orador que se ve obligado a correr con todos los gastos, tanto en dinero como en tiempo.

Ahora bien, ¿cómo se ofrece adecuadamente un voto de gracias a un invitado? ¿Cuál es el mejor modo posible de comunicarle nuestro reconocimiento?

Lo más importante es ser sincero. Esta sinceridad se basará en una apreciación auténtica (si es posible) y bien informada (por supuesto) de los aspectos positivos y útiles del discurso pronunciado por el visitante. Hay que hacer referencia a su ingenio e inteligencia... al modo detallado y desenvuelto con que ha desarrollado el tema... al interés que nos ha despertado una parte determinada de su discurso, etc. Extiéndase sobre algún punto concreto, para demostrar que lo ha comprendido. No aproveche la ocasión para lanzar una perorata personal. Su misión es la de reconocer las cualidades de su invitado; en consecuencia, limítese a ello.

Cuando se felicita a alguien es como si se hiciera un minidiscurso. Las normas generales se aplican también a estas intervenciones, aunque en forma abreviada.

Lleve escritas la primera frase y la estructura de su intervención, pero no cometa la ridiculez de preparar con antelación la integridad de su discurso. «Todos hemos quedado extremadamente impresionados por las sabias palabras del señor Stout», lee el orador en una hoja mecanografiada. «Nos ha proporcionado una clara exposición del tema, por lo cual le estamos sinceramente agradecidos». Espantoso; una memez de este tipo no merece ser escrita. Los discursos de felicitación y agradecimiento son los menos adecuados para redactarse con antelación.

«Nos sentimos muy honrados por haber tenido hoy con nosotros al señor Slim. Somos conscientes de los kilómetros que ha tenido que recorrer para venir hasta aquí, y se lo agradecemos sinceramente, pues sabemos el esfuerzo que ello le supone. Al manifestarle mi profundo reconocimiento sé que expreso los sentimientos de todos los aquí presentes». Haga una pausa para los aplausos. Si continúa hablando inmediatamente, el público no sabrá lo que se espera de él. Sonarán algunas palmadas tímidas y el orador no se sentirá debidamente cumplimentado.

«Hemos escuchado con gran interés las opiniones del señor Slim acerca de... Me ha impresionado sobre todo el concepto de... Si mi empresa no toma las medidas necesarias para poner en marcha este sistema, no se deberá a falta de entusiasmo por mi parte, ni a ningún defecto en la exposición de nuestro distinguido invitado. Éste ha tenido la amabilidad de explicarnos con la mayor claridad posible la esencia del método organizativo que ha conseguido depurar después de años de trabajos empíricos.

»El mejor elogio que podemos tributar a nuestro invitado sería la adopción de sus ideas». A todos los oradores les gusta sentir que su semilla ha arraigado en tierra fértil. Su invitado nunca pensará mal de usted si sus palabras son debidamente elogiadas.

«Nuestro mayor placer, señor presidente, ha sido el de comprobar la forma con que el señor Slim ha dado vida a un tema tan árido. Él ha demostrado que se puede hablar sobre... sin ser aburrido. Gracias a su ingenio y su sentido del humor, hemos podido pasar una tarde entretenida.

»Tras dar las gracias al señor Slim por sus interesantes palabras, sólo nos queda formular el deseo de que podamos volver a escucharle muy pronto. Le deseamos el mayor de los éxitos. Gracias, señor Slim, muchas gracias».

Y gracias también a usted por la brevedad, sinceridad, cordialidad y perfección de su intervención. Recuerde que los asistentes sintieron una terrible preocupación cuando usted subió al estrado para hablar, pues pensaron que gracias a usted se les haría aún más tarde y perderían el último autobús o tren, o se ganarían la antipatía del chófer de la empresa... Quizá pensaron también que les pondría en un compromiso el expresar lo que realmente pensaban sobre el invitado. Por consiguiente, el público ha quedado agradablemente sorprendido... y dispuesto a invitarle en otra ocasión para realizar el mismo servicio. También es posible que supieran desde el primer momento que usted sabría desempeñar esta incómoda tarea con seguridad, y por eso le invitaron. En tal caso, la confianza del público no ha quedado defraudada. Gracias, muchas gracias.

46. Debates públicos

Curiosamente, hay muchas personas importantes que se muestran dispuestan a participar en los llamados debates públicos. En ellos, el público tiene la oportunidad de conocer al menos dos puntos de vista distintos sobre una misma cuestión. El orador, en lugar de rechazar la competencia por considerar que el público quedaría más satisfecho si fuera él sólo quien hablara, tal vez accede a participar porque no se ve obligado a preparar de antemano su discurso. Muchos oradores, si no todos, aceptan la invitación bien por creer que los demás participantes ya lo han hecho, o bien porque se sienten obligados hacia la persona que ha auspiciado el debate.

En cualquier circunstancia, la mayoría de los oradores tienen que comparecer tarde o temprano en uno de estos debates. Por tanto, incluimos a continuación algunas sugerencias útiles.

Los organizadores deben suministrar un bolígrafo y un cuaderno a cada uno de los oradores. Es muy frecuente que no se haya previsto esta necesidad, por lo que conviene acudir provisto de lápiz y papel a cualquier tipo de acto público, especialmente si se trata de un debate.

Cuando le hagan una pregunta, anótela. Escriba a un lado las primeras ideas que se le ocurran para contestarla. Si no se le ocurre ninguna, indique al moderador que pase el turno a otro de los participantes. Mientras habla éste, esfuércese por pensar algo apropiado y si no, prepárese para decir: «Estoy de acuerdo con lo que se ha dicho», o «Prefiero no hacer ningún comentario sobre ese asunto, gracias».

Algunas preguntas provocan respuestas precipitadas que no resultan convenientes. No diga cosas de las que luego se pueda arrepentir.

Cada respuesta debe constituir un pequeño y bien construido discurso. Debe ser concisa; precisamente por ser improvisadas, es posible que este tipo de respuestas le resulten más difíciles que las intervenciones normales preparadas de antemano. Y es que participar en debates públicos no deja de ser un arte.

Quizá tenga que soportar las interrupciones provocadas por sus colegas o por el moderador. Sepa enfrentarse a ellas con serenidad. Adáptese a la informalidad de la ocasión. No tema romper el hilo de su discurso y, si no puede volver a tomarlo, diga: «Bien, ¿a qué me estaba refiriendo antes de la divertida intervención del señor Brown?» Alguien se lo recordará.

Familiaridad e informalidad; éstas son las claves para intervenir con éxito en un debate. Si el acto se celebra durante un banquete, ante un público dispuesto a pasar un buen rato, emplee todos sus recursos de actor. Adáptese a su audiencia. Intente provocar los aplausos y las risas. Si usted se siente cómodo y entretenido, el público le imitará.

Para que el debate sea interesante, los participantes deben tener distintas ideas y puntos de vista. Cada orador sabe que los ataques satíricos que se le hagan se mantendrán dentro de los límites de la cordialidad y la corrección. Por tanto, acepte las bromas que se hagan sobre usted. Las réplicas ingeniosas y agudas a las observaciones de los otros oradores siempre suelen quedar bien. Hay que evitar a toda costa las réplicas agresivas y hostiles, las refutaciones groseras o crueles y las observaciones personales en contra de otros oradores (tanto si hay intención de ofender como si no). De lo que se trata es de demostrar el propio talento, no de atacar el de los demás participantes.

47. Conferencias y seminarios

Los empresarios y profesionales suelen sentirse atemorizados, avergonzados o nerviosos al presentar sus conocimientos específicos en conferencias o seminarios. Esto también tiene su técnica.

Sus posibilidades de éxito dependen de lo que pretenda conseguir.

Quizá desee, por ejemplo, presentar un producto con la intención de captar nuevos clientes o de reforzar la fidelidad de los antiguos. Tal vez se trate de una reunión de delegados que acuden para aprender de aquellas personas experimentadas y cualificadas que pueden enseñarlas. En cualquier caso, su misión es la de salir a escena y actuar correctamente.

Nunca hay justificación para dar una conferencia aburrida. Por muy árido que sea el tema que se trate, el acto siempre puede animarse con el apoyo de medios visuales (capítulo 31), con ingenio y con entusiasmo.

El orador debe seguir las normas habituales de cualquier exposición oral. Especialmente importante es que conozca el tema de su conferencia o seminario, que se comunique y entre en contacto con el público, que hable con estilo y se explique con habilidad.

Tanto si se trata de un seminario informativo a escala reducida como de una gran asamblea o conferencia, el ponente debe respetar a las personas que le escuchan. Si además quiere que vuelvan a escucharle en otras ocasiones, tendrá que entretenerlas.

El aburrimiento y el fracaso de muchas conferencias es responsabilidad de las personas que las organizan y hablan en ellas. Su ineptitud no sólo perjudica a su propia causa, sino al conjunto de este tipo de actividades. Con frecuencia se olvida que, a diferencia de los escolares, que están obligados a permanecer en sus pupitres, los delegados de una conferencia pueden optar por el bar y los asistentes de hoy a un seminario pueden ser los ausentes de mañana.

El éxito del presentador de una conferencia o seminario depende en gran medida de las condiciones que hayan creado para él los organizadores. Compruebe estas condiciones con antelación, preferiblemente antes de confirmar su participación. Es posible que la sala sea demasiado grande y la audiencia demasiado reducida, que la acústica sea mala y la amplificación deficiente, o bien que los delegados se hallen apretados e incómodos y la comida sea indigerible; en tales casos, procure que no haya ocasión para que el disgusto de los asistentes se extienda también a su buen nombre.

En cualquier caso, y para todo tipo de intervenciones en público, procure llegar con tiempo suficiente a fin de poder comprobar la ambientación del local, el funcionamiento de los aparatos que vaya a usar, el estado del público y la acústica. Ponga especial cuidado en los siguientes aspectos:

— ¿Responde a sus gustos o necesidades la disposición del escenario, el estrado y/o la mesa?
— ¿Cómo podrá sacar el mejor partido de la instalación de sonido, teniendo en cuenta el mal estado en que ésta puede encontrarse? Por ejemplo, ¿podrá sacar el micro de su soporte, graduarlo y desplazarse con él en la mano? Si está fijo, compruebe si lo tiene a su altura o a la de un pigmeo o una jirafa.

— ¿Se encuentra adecuadamente dispuesto y situado el proyector de diapositivas y los demás aparatos de ayuda visual? ¿Es posible contar con algún ayudante para pasar las diapositivas?

— Si necesita que se realicen algunos preparativos para su comodidad, ¿podrá conseguirlos? Estos preparativos pueden ir desde la botella de agua (y sus vasos) para remojar la garganta hasta (como en mi caso) la habitación tranquila para echar una cabezada y recargar las baterías después de la comida. Otro tanto puede decirse de la provisión de bebidas, té o café, para antes de la comida o para el descanso.

— Si va a recibir una retribución por su intervención, ¿se ha asegurado de dejar claras todas las condiciones, anotándolas y confirmándolas por escrito? Si, de algún modo, aquélla dependiera de una comisión o participación variable de acuerdo con el éxito del acto, ¿cómo sabrá usted lo que se le debe?, ¿tendrá que enviar una cuenta o factura?

— ¿Pedirá que los fumadores se sitúen a un lado o en la parte trasera de la sala, o preferirá mezclarlos con los no fumadores?

— Procure que la sala se vaya ocupando a partir de los asientos delanteros. Si no está seguro de poder llenar la sala, ¿podrá convencer al público de que nadie se coloque en las filas traseras hasta que queden llenas las centrales y delanteras?

— ¿Conseguirá evitar las interrupciones producidas por el ruido de los platos y cubiertos antes y después de los descansos? Si las salas de recepción y descanso están separadas, mejor. La separación a base de paneles arruinará el mejor de los planes.

— ¿Cómo conseguirá que los delegados/asistentes se vayan con una sensación de satisfacción al final de su intervención? Si no puede conseguir flores para las señoras, consiga, al menos, un cálido aplauso para las personas que hayan intervenido.

— En caso de que vaya a presentarle el moderador a otro empresario, ¿conoce éste todos los detalles necesarios para hacerlo bien? Si él o usted van a presentar o vender sus productos o servicios, deberán tener preparados todos los detalles, explicaciones y muestras (o folletos, hojas de pedido y otros documentos) que sean necesarios para hacer una presentación adecuada y atractiva.

48.   Posdata: pasatiempos mientras hablan otros

A veces, el placer de escuchar la propia voz debe compensarse con la penitencia de soportar discursos ajenos. Por supuesto, se puede tener suerte, ya que si es el único orador invitado de la velada, sólo tendrá que escuchar la presentación y el voto de gracias. Durante la primera, el orador pensará en su discurso y (si sigue al pie de la letra los consejos de este libro) intentará tener en cuenta las cosas que se están diciendo para citarlas, adaptarlas o contestarlas posteriormente y establecer así un *contacto* con el público. Durante el voto de gracias, el orador se limitará a intentar creer lo que se dice de él. Nadie necesita mostrar falsa modestia hacia sí mismo.

El orador de sobremesa, por el contrario, nunca tiene suerte, independientemente del lugar que ocupe en la lista de los brindis. Aunque el presidente de una reunión pueda regular el orden de intervenciones, los invitados tienen que permanecer en el acto hasta el final. Si tiene la suerte de ser un diputado del Parlamento, quizá pueda escaparse con el pretexto de una llamada urgente de la Cámara. («El señor Jones debe volver a sus obligaciones parlamentarias. Todos nos sentimos halagados por haber podido disfrutar de su valioso tiempo».) En otros casos, no suele ser tan fácil justificar el abandono de la reunión antes de que hayan intervenido todos los oradores.

Por consiguiente, el arte de escuchar merece un esmerado cultivo.

Al buen oyente se le suele considerar como una persona dotada de finos poderes de percepción, inteligente e incluso elocuente. En cambio, a quien se duerme mientras otros hablan se le califica de maleducado. ¿Cómo puede evitarse esto?

Todos los oradores experimentados son hábiles dibujantes de garabatos. Un experto grafólogo afirmaba ganar mucho dinero con la interpretación de los garabatos de personas famosas. De cualquier modo, suele resultar más provechoso ser el autor de esos garabatos.

Si una comida le resulta aburrida, intente al menos convencer a su vecino de que hable sobre un tema que domine; quizá compruebe que su conversación es más interesante de lo que usted suponía. Si los discursos de sobremesa le resultan insufribles, utilice el dorso del menú, el de la lista de brindis, el de la de invitados o lo que tenga a mano. Saque su pluma y escriba su «correspondencia». Levante la mirada de vez en cuando hacia el orador. Todos los asistentes (y especialmente el propio orador) creerán que su interés le mueve a tomarse la molestia de tomar apuntes sobre lo que se dice. Mis parientes de Australia siempre saben cuándo he tenido que aguantar un discurso soporífero, pues en tales ocasiones reciben cartas escritas en hojas a medio llenar con el orden del día o los apuntes de un discurso, o en cualquier papel que se me haya puesto a mano.

Por supuesto, puede tomar notas de lo que se está diciendo. En el improbable caso de que el orador exprese una idea interesante, apresúrese a anotarla antes de que se le escape. Si cuenta una historia graciosa, escríbala. En caso de que no suceda nada de esto y no pueda contener el sopor

por más tiempo, haga lo posible por echar una cabezadita sin levantar demasiadas sospechas.

Después de largos años de prácticas, un conocido mío ha aprendido a dormirse erguido en el asiento, y con los ojos abiertos. La mayoría de nosotros tendrá que contentarse con apoyar la cabeza sobre la mano y el codo sobre la mesa. Otra posibilidad es inclinar la cabeza sobre los apuntes o folletos o sobre el orden del día, de forma que (con suerte) parezca que está leyendo o, al menos, que se encuentra sumido en profundos pensamientos. Todo orador debe aprender a entretenerse durante los nada entretenidos discursos de otros, procurando siempre, eso sí, que nadie se dé cuenta de su falta de atención o de su concentración en otros asuntos.

49. La radio: Una maravilla ciega

¿Cuáles son las personas más hábiles y cuáles las más torpes en el arte de la intervención radiofónica? Si pregunta a algún experto de este medio de comunicación lo más seguro es que le diga que los más hábiles son los profesionales del tipo de los actores y los políticos (y sobre todo éstos últimos, debido a su experiencia en la preparación sobre la marcha de sus guiones). ¿Cuáles son los más torpes? Los ejecutivos, tanto del sector industrial como del comercial. Convencidos de que su éxito comercial les cualifica para hablar correctamente, aunque no se les vea, sólo aciertan a hablar entre dientes, a divagar y a salirse continuamente del tema, lo cual perjudica de modo considerable a su imagen pública y a sus intereses.

En caso de que usted tenga que realizar una intervención radiofónica, ¿cómo podrá evitar este tipo de fracasos? Siga la concisa guía que le ofrezco a continuación.

En primer lugar, llegue a la cita con puntualidad. Si es el entrevistador el que llega tarde, será una descortesía por su parte; si el que llega con retraso es usted, o perderá la oportunidad de intervenir o no volverán a invitarle.

Un caso extremo de falta de puntualidad por parte del presentador me dio hace algunos años la añorada y todavía irrealizada oportunidad de entrar en las páginas del *Guinness Book of Records*. En aquella ocasión, como de costumbre, llegué al estudio de grabación radiofónica con varios minutos de antelación. El presentador aún no había llegado.

Después de media hora de paciente espera, hice una propuesta sorprendente al técnico del estudio: «¡Déjeme que me entreviste yo mismo!», sugerí. Sólo me haría preguntas comprometidas y de interés para el público. «Usted puede introducir la voz del presentador cuando éste llegue al estudio». Afortunadamente para mí, el técnico accedió.

Desarrollé la entrevista con extremada cortesía, pero incidiendo en mis propios puntos débiles, asegurándome de dar respuestas sucintas y adecuadas. Cuando por fin llegó el entrevistador, se encontró con que sólo tenía que intercalar su voz en la grabación, entre respuesta y respuesta.

En segundo lugar, conviene ser muy precavido al hablar por la radio. Como señaló en cierta ocasión Henry Kissinger: «Aunque es cierto que tengo manía persecutoria, ¡ello no significa que no tenga enemigos reales!». Tenga cuidado cuando le hagan preguntas por teléfono («en línea abierta») o en el estudio, a no ser que sepa con seguridad que sus palabras no van a salir al aire.

Hace unos años el presidente Reagan se disponía a hacer unas importantes declaraciones sobre el «estado de la nación». El realizador le dijo: «Por favor, señor presidente, podría decir algo para que comprobemos el nivel de sonido? Díganos lo que piensa sobre la economía estadounidense».

«Debo decir a la nación», dijo el presidente, «que nuestra economía se encuentra en un auténtico caos». Por desgracia para él, el estudio estaba ya conectado con los altavoces de la Casa Blanca y de la sala de prensa. A pesar de los frenéticos esfuerzos de los consejeros del presidente, sus palabras se habían difundido ya por todo el mundo, haciendo las delicias de todos los que disfrutan con las equivocaciones garrafales de los demás. Hace poco, Reagan ha repetido el error con su famosa broma de «dentro de cinco minutos Rusia va a ser bombardeada».

Concéntrese en lo que dice. Olvídese del ruido que hace el entrevistador al sorber el café, de las noticias que aparecen en la pantalla del monitor, de las personas que vea, a través del cristal, en la sala de control o en el estudio contiguo «montando» las cintas magnetofónicas. No se aparte del tema que le ocupa, o su intervención será un desastre.

Lo que más ayuda a concentrarse es una postura correcta: siéntese bien derecho.

En caso de que se grabe su intervención, no se preocupe por las equivocaciones. Diga: «Lo siento, lo repetiré». Espere a que el entrevistador o el director del programa borren su frustrado intento, y vuelva a empezar. Ellos no se enojarán con usted; son profesionales y están acostumbrados a corregir errores, provocados por ellos en muchos casos.

La sinceridad es fundamental. Al no existir imagen, la voz es el único medio de comunicarla. Sea conciso y oportuno. Responda con brevedad y seguridad a las preguntas que le hagan ciñéndose al tema sobre el que le hayan preguntado.

Anime la retransmisión con anécdotas, chistes, etc. Hable con su entrevistador como si estuviera conversando normalmente a solas con él. Concéntrese en él y olvídese de la audiencia.

Tenga cuidado con el sonido que pueda hacer su ropa. Recuerde que la imagen no importa demasiado al hablar por la radio. En cierta ocasión, una joven ensordeció a sus oyentes con un extraño rugido que emitía al respirar. El micrófono direccional por el que hablaba, particularmente sensible, captó y amplificó el sonido que hacía su nuevo sujetador lleno de apresto; la silueta de la joven quizá ganó algo con esta prenda, pero su intervención radiofónica se vio arruinada.

Procure no llevar pulseras ruidosas, collares de cuentas y chaquetas de cuero. No juguetee con el botón del bolígrafo ni con los clips para sujetar papeles. Por encima de todo, evite los ruidos que produce el papel al doblarse. Si utiliza un guión de varias hojas, no las coja todas a la vez; póngalas sobre la mesa y vaya cogiéndolas con cuidado y silenciosamente, una por una.

No beba demasiado café antes de «salir al aire», si su intervención va a ser larga; la madre Naturaleza podría interrumpir en lo mejor de su discusión. Del mismo modo, manténgase alejado del alcohol; muchas carreras se han visto frustradas por esta peligrosa unión de micrófono y botella.

Nada hay más preocupante de prever, desafiante en la realidad y duradero en la memoria que una confrontación radiofónica. Si su entrevistador le ataca con excesiva acritud, manténgase sereno. Podría perder, al mismo tiempo, el dominio de sí mismo y de su audiencia. Pierda el dominio de sí mismo y habrá perdido el de sus argumentaciones.

Si quieren utilizarle para un sacrificio humano, póngase su armadura. Si lo que desean es comérselo vivo, asegúrese de que lo encuentren totalmente indigesto.

Recuerde que el trabajo del entrevistador consiste en hacer un buen programa de radio; no tiene más que amenazar con negarse a hablar en caso de que le resulte molesta la actitud del presentador.

Si tiene que enfrentarse a otros invitados, procure asegurarse la mayor cantidad posible de tiempo para hablar. Y siempre deberá intentar que las últimas palabras sean suyas.

En cierta ocasión, después de una discusión radiofónica especialmente sangrienta, uno de mis partidarios me dijo: «Lo has hecho bien, pero no lo suficiente. ¿Cómo permitiste que ese *(exabrupto)* dijera la última palabra?».

Mantenga en todo momento la corrección y la firmeza. Conozca con antelación el tiempo que va a durar su intervención. Sepa si ésta se va a grabar antes de emitirse el programa (en cuyo caso podrían borrarse sus errores, aunque también podrían recortarse sus mejores razonamientos), o si va a salir directamente al aire (de forma que sea imposible borrar nada).

Actúe sin miedo. Un buen entrevistador hace sus preguntas y permite que su víctima responda con libertad. Si piensa que se le trata injustamente, quéjese. Si necesita más tiempo del asignado para pensar una respuesta, solicítelo. Si no puede contestar adecuadamente, dígalo.

Cuando le inciten a hablar mal de alguna persona, lo que es muy diferente de criticar sus opiniones, recuerde que la difamación radiofónica se considera delito. Sea muy precavido en estos casos.

Por último, compruebe si la emisión ha concluido efectivamente, antes de relajarse y hacer comentarios. Muchas intervenciones radiofónicas se han ido al traste, junto con la reputación de sus protagonistas, por decir cosas inoportunas antes de tiempo. Como en cierta ocasión se le escapó al «Tío Mac» en el lamentable programa *Children's House:* «Bueno, esto contentará a esos pequeños bastardos durante un día más». Usted no tiene que ganarse la vida con sus cualidades de locutor radiofónico; así pues, tranquilícese, siga las normas y confíe en su buena suerte. ¡La necesitará!

50. La televisión: su rostro en la caja tonta

En el caso de la televisión, los problemas habituales de hablar en público se multiplican. Este medio constituye el desafío definitivo para el orador o cualquier persona cuya profesión le obligue a hablar en público. La televisión ofrece las mayores posibilidades para sacar partido de la audiencia, y también para fracasar. A la dimensión sonora de la radio se añade la imagen, y con ella un mayor riesgo en los errores.

En televisión, cada segundo se cuida y se mima con esmero. Compare el precio en la radio de una cuña publicitaria de 10 segundos con el de un spot televisivo de la misma duración. El alto coste de la televisión refleja su enorme poder de influencia.

En televisión, los peligros de la intervención radiofónica se concentran, se condensan y se hacen literalmente visibles. Políticos y hombres de negocios medran y caen gracias a la pequeña pantalla. Cuando se le ofrezca la oportunidad de hablar en televisión sobre usted, su empresa o sus ideas, tenga en cuenta los siguientes consejos:

— Mantenga la calma. Llegue con tiempo de sobra, examine el estudio y, si se agita su estómago, recuerde que la adrenalina agudiza el entendimiento.

— No intente apuntalar sus nervios con alcohol: si se comporta como un automovilista bebido, el desastre será inevitable. Por consiguiente: coma bien pero beba poco.

— El maquillador se encargará de su rostro, pero es usted quien debe ocuparse de su vestimenta. Recuerde que la pantalla amplifica hasta los más insignificantes descuidos: la corbata torcida... la etiqueta blanca que sobresale del cuello de la chaqueta... la caspa sobre los hombros... los faldones de la camisa colgando sobre los pantalones... los calcetines caídos... las medias con carreras... Si le gusta parecer descuidado, quédese en casa.

— Vístase de la forma que más se ajuste a la imagen que quiera dar y con colores que no se muevan, reluzcan o distorsionen en la pantalla. Lo más peligroso son los cuadros o las rayas finas en chaquetas y (especialmente) en vestidos, trajes y corbatas. Evite las joyas «relumbrantes», en todos los sentidos de la palabra. Los mejores colores son los de tono pastel; los peores el negro y el blanco.

Es posible que su rostro sea agraciado, pero al sacarlo en televisión quizá sufra alguna transformación (seguramente para mal). Relájese, confíe en su suerte y siga algunas normas básicas:

— Fije la mirada en el entrevistador o en el contrincante que le hayan puesto, con el fin de deleitar al público. La expresión de la mirada es fundamental para conseguir el contacto con el espectador, para infundir confianza y para expresar la propia sinceridad.

No se debe mirar subrepticiamente hacia los lados, ya sea para observar al público, ver el reloj o la pantalla del monitor. Si en ese momento la cámara le enfoca, por casualidad o por una fatalidad del destino, su imagen aparecerá con una expresión maliciosa, siniestra, sospechosa...

Si le hacen la entrevista en un lugar o estudio separado del de su entrevistador, pida que le señalen la altura de la vista, de forma que su mirada parezca alineada con la de su interlocutor.

— Limite sus gestos al mínimo; cuanto más escasos sean, mayor será su efecto. Observe en la pantalla los gestos inconscientes que suelen hacer los inexpertos: se rascan, se mueven con nerviosismo, se pasan la lengua por los labios, se hurgan las narices, agitan los dedos o los brazos y (lo que resulta todavía más desastroso) dan golpes con los puños o hacen ruidos con los dedos.

Así pues, incorpórese en el asiento. La animación debe reflejarse en su rostro, en sus ojos y en sus palabras, no en su cuerpo.

— Si trata con amabilidad a su entrevistador, éste, por poco condescendiente que sea, se comportará del mismo modo con usted. En cierta ocasión, un distinguido colega que tenía que comparecer ante un entrevistador particularmente famoso me dijo: «Las palabras clave para él son: respeta y desconfía».

— Seguramente estará prohibido fumar en el estudio, como lo estará cualquier otra actividad que dificulte la visibilidad. Mi mujer fuma; yo solía hacerlo antes. Ella dice que si alguna vez nos divorciamos el cómplice del demandado será un cigarrillo... y tiene razón.

— Al comienzo de la entrevista procure no sonreír complacientemente. En lugar de eso, mire fijamente al frente.

— A continuación, permanezca quieto en su sitio. En cierta ocasión, un distinguido clérigo, dueño de una gran tranquilidad y habilidad para hablar por televisión, se agachó bruscamente para buscar algo en el portafolios que había dejado en el suelo y se salió completamente de imagen, lo que provocó el delite de sus amigos telespectadores y la desdicha del estudio.

Los jueces sabios observan a los testigos cuando éstos han abandonado el estrado. Los cámaras inteligentes avisan la conexión y desconexión con esas luces rojas intermitentes; cuando se queda fija la luz roja, la cámara está tomando imagen. La de usted.

— Si tiene que leer un texto preparado, le será muy útil un «Teleprompter». Utilícelo sin temor. El actuante es quien lo gobierna y el operador lo avanzará a la velocidad que usted precise.

— No mire al reloj. El director del estudio (que seguramente será la persona que le haya acompañado hasta su asiento) se quedará donde el entrevistador pueda verle y captar las señales indicativas del tiempo que queda.

El momento de hacer el resumen definitivo de su intervención llegará cuando vea la señal de «vaya terminando». Si es necesario interrumpir a alguien (con educación, pero con firmeza), no dude en hacerlo.

Si quiere tener éxito en la pequeña pantalla, debe proyectar en ella su personalidad, irradiar tranquilidad sin ser excesivamente «tranquilo»... confianza sin ser presuntuoso, sinceridad sin afectación... Las mismas cualidades que, de hecho, se aplican en las intervenciones en persona, pero con mucho más tacto.

¿Cómo alcanzará estos deseables objetivos? Mediante el entrenamiento. Obsérvese a sí mismo en una pantalla de vídeo y adquiera toda la práctica que este medio pueda proporcionarle.

Durante una entrevista no podrá practicar, pero podrá seguir las reglas básicas. Escuche atentamente las preguntas; si no entiende bien alguna de ellas (o si necesita más tiempo para pensar), haga que se la repitan. A continuación responda a esa pregunta, y no a la que hubiera preferido oír en realidad.

En cierta ocasión un ministro se perdió durante un paseo en coche por el campo. Se detuvo en un pequeño pueblo, abrió la ventanilla y preguntó a un aldeano: «¿Dónde estoy?».

«Está en su coche, señor», respondió el aldeano sin vacilar.

«Ésa es una perfecta respuesta, digna de cualquier Cámara», replicó el ministro. «Es breve, precisa, ¡y no añade nada en absoluto a todo el saber humano!».

Por tanto, si quiere que su intervención televisiva sea brillante, añádale una pizca de información, ingenio o sentido común. Debe responder primero a la pregunta, y añadir después la observación que juzgue pertinente: «La contestación a su pregunta es... Pero quizá podríamos preguntarnos si...» Otra posibilidad será: «La respuesta es afirmativa; pero recuerde que...».

Mantenga la calma. No subestime a su oponente, si lo tiene. En caso de que resulte usted derrotado, manifieste su intención de volver a la carga o quítele importancia a su fracaso.

No se sienta intimidado. Si le interrumpen diga: «¿Puedo terminar con lo que estaba diciendo, por favor?», o «Si no le importa, permítame concluir y le cederé enseguida la palabra...». A continuación, redondee su intervención de la manera más rápida posible.

Lo más importante es que se concentre en lo que está diciendo. Olvídese de los centenares de miles de telespectadores que le están viendo. Un momento de distracción puede significar el desastre. Si pierde la concentración, lo perderá todo.

Un productor me dijo una vez: «Cometo algunos errores, pero nunca el de equivocarme». Es como mi mujer. Siga el ejemplo de ambos y así, si su actuación sale mal, no será por un error suyo.

Dos camareros pasan por detrás de la silla de un comensal. Uno comenta: «¡Dios mío, ha conseguido comérselo!». Si le hubiera oído alguien más, el camarero habría tenido problemas.

El encanto de la televisión radica en que todo el mundo puede vernos y oírnos al mismo tiempo, y en que los problemas más graves pueden surgir por los errores más insignificantes.

PARTE 6

EL MODERADOR

51. La función del moderador

El moderador o presidente de una reunión (de cualquier reunión) es quien marca el tono. Si está de buen humor, la reunión será animada; si es demasiado prolijo en su presentación, los asistentes poco interesados desaparecerán; si se halla enojado o irritado, si tiene poco tacto o es antipático, su estado de ánimo se reflejará enseguida en el ambiente. En ningún momento podrá bajar la guardia. Es el presentador del acto, su vida y su alma... o su ruina y su muerte.

Observe un programa normal de variedades. El presentador es la piedra angular que mantiene la unidad de todo el espectáculo. Si él falla, el espectáculo se viene abajo. Lo mismo puede decirse de cualquier tipo de acto público.

A continuación incluimos algunas sugerencias para mantener el buen humor de una reunión, en caso de que le toque a usted presidirla:

— No se deje dominar por la irritación. Cuanto más agitada esté la reunión, más importante será que mantenga el dominio de sí mismo y sus buenos modales.

— Marque el tono antes de que comience la reunión. Tenga con sus colegas o audiencia la delicadeza de llegar a tiempo. Dedique unos pocos minutos antes del comienzo del acto, si lo juzga necesario, a eliminar dificultades y prevenir enfrentamientos personales.

— Si la reunión es reducida, procure no ignorar a las personas que lleguen con retraso. «Buenas tardes. Gracias por venir». Con estas palabras conseguirá desvanecer los sentimientos de culpa del recién llegado, que ahora se sentirá cómodo y predispuesto en favor de usted.

— No es necesario seguir al pie de la letra la vieja máxima del presentador que reza: «levantarse, hablar y callarse». Intente facilitar en lo posible las intervenciones de los demás. Si es posible, indique con antelación el tiempo asignado a cada intervención. Presente a los asistentes, invíteles a hablar, pídales su opinión sobre tal o cual punto... Intente relacionar entre sí a los participantes en la reunión y proporcióneles la posibilidad de comunicarse. En cuanto a usted, hable sólo cuando sea necesario.

— Todos los asistentes a la reunión deben pensar que han tenido oportunidad suficiente para hablar. Haga lo posible por establecer un adecuado turno de preguntas.

— Pida a los oradores que sean breves y que accedan a responder a las preguntas que les formulen al final del acto. El público casi siempre queda satisfecho cuando se contestan sus preguntas.

— Si el acto es reducido (una reunión de comité o del consejo) aplique estos principios con mucho más cuidado. Conozca las opiniones de los demás antes de que comience la reunión y no intente cortar una discusión antes de que ésta concluya. Aguarde hasta comprobar que los asistentes dan por terminada la discusión de un punto controvertido.

— Todos los asistentes al acto deben agradecer su presencia. Una forma de expresarle este reconocimiento sería que alguien dijera: «Estamos encantados de tenerle con todos nosotros». En caso de que la reunión sea suficientemente reducida, asegúrese de que todos los presentes hayan intervenido. «¿Cuál es su opinión al respecto?». La persona silenciosa puede proporcionar consejos más valiosos que el charlatán que monopoliza la discusión. El participante tímido puede tener unos conocimientos mucho mayores que los de otro más decidido. Aproveche en todo lo posible la cualificación de los asistentes.

— No tema emplear un poco de buen humor para animar el acto. Unos cuantos minutos dedicados a contar un chiste oportuno pueden resultar más valiosos que media hora de discusiones. Evite las interrupciones descorteses. Concluya la reunión con unas palabras de agradecimiento, de forma que el ambiente quede adecuadamente preparado para la próxima ocasión.

La mayoría de estas sugerencias podrían resumirse en una sola palabra: tacto. Usted dirige la reunión, pero, excepto en el caso de que se produzca algún tipo de desorden, su función debe pasar lo más inadvertida posible. El caballo sabe que el jinete que lo monta es un experto cuando éste nota suaves las riendas y no dañan su boca. El mejor líder hace todo lo posible para que sus seguidores crean que son ellos quienes dirigen su propia actuación. Del mismo modo, los presentadores avezados se limitan a dirigir el curso del programa y a mantener animados y cómodos a todos los asistentes. Los mejores moderadores son los que dirigen las reuniones con buen humor, tacto, amabilidad y capacidad de persuasión.

52. Cómo controlar al auditorio

Tanto si tiene que dirigir un comité de tres participantes como si debe enfrentarse a una multitud de 3.000 asistentes, su misión como moderador es la de mantener el orden. Excepto en los raros casos en que algunas personas acuden con la intención deliberada de reventar el acto, el público espera que su tiempo se emplee en la consecución de un objetivo constructivo. Este objetivo bien puede ser el deseo de lograr el progreso de las actividades de la empresa y, por consiguiente, el de satisfacer las aspiraciones de cada uno. Quizá se pretenda adquirir conocimientos o pasar un buen rato. También es posible que los asistentes deseen ampliar las actividades de su sociedad benéfica. Sea cual fuere el motivo, lo que desean es que se alcance el objetivo de la reunión y, a continuación, regresar a sus oficinas o (con un deseo incluso mayor) a sus hogares. Siempre se reconoce la habilidad de un moderador que sabe dirigir a los participantes en una reunión y que lleva a buen término el desarrollo de la misma.

Por consiguiente, no tema el poner pies en pared (metafóricamente), o golpear la mesa con el mazo (literalmente), si lo cree conveniente. Usted ha sido elegido o designado como moderador para mantener el orden. Cumpla con su función y conseguirá que la reunión sea un éxito.

No es necesario gritar. Hay otros recursos más correctos y eficaces. Diga con firmeza: «Damas y caballeros, orden, por favor», «Tengan la amabilidad de escuchar al señor Black», o «Debo insistir en que guarden silencio para escuchar a nuestro orador». En algunas ocasiones quizá deba argumentar: «Siento comunicarles que, si las personas que están intentando reventar la reunión no desisten en su actitud, me veré obligado a llamar a los conserjes para que procedan a su expulsión». Sin embargo, es mucho más frecuente el «Gracias, caballeros», dirigido a los colegas de quienes se espera una actitud correcta.

Hay que saber bien lo que se va a hacer. Se deben conocer las normas básicas de procedimiento. En caso de que cometa algún error, tiene dos alternativas: mantenerse en su error, o sonreír y pedir disculpas; sea cual sea la decisión que adopte, debe asumirla con firmeza.

Otra posibilidad sería: «Está claro que los asistentes desean discutir esta cuestión, así que, comencemos el debate», o «Está usted en lo cierto, señor Jones. Debería haber concedido más tiempo para la discusión. Tome de nuevo la palabra, por favor». Es una forma elegante de reconocer los propios errores y de subsanar con decisión incluso la propia indecisión.

No obstante, lo más importante suele ser «sentir» la reunión. El moderador necesita «antenas» para captar y juzgar lo que quiere el público. Debe emplear su tacto para no decepcionar a los que le han designado para dirigir la reunión. Aunque no hay que ser condescendiente con los inevitables revoltosos (ese recalcitrante e irritante mal que parece segregar toda organización, grupo o comunidad), siempre hay que dar la oportunidad de desfogarse a todo el mundo (incluso a esas personas que a veces pueden tener razón o sernos de utilidad). Cuando los demás asistentes estén hartos de los alborotadores, usted será el primero en saberlo, al igual que éstos. «Sienta» el tono de la reunión, y diríjala en consecuencia. Esa es su labor como moderador.

53. Orden y desorden

Hasta cierto punto, el orador puede y debe dominar a su propia audiencia. Debe despertar interés, conocer el modo de enfrentarse a los alborotadores y, si es necesario, estar preparado para amonestar a quienes no le presten atención. Pero si el orador falla, el moderador es quien tiene que intervenir; parte de su tarea consiste en conseguir que se escuche debidamente al orador.

En la mayor parte de los casos, un golpe seco con el mazo y una llamada al orden serán suficientes. Si no dispone de un mazo, podrá sustituirlo convenientemente con una moneda, un llavero o un mechero; esta posibilidad será más efectiva y elegante que la de aporrear la mesa con el puño, lo cual, además, puede resultar doloroso.

En caso de que se produzca una situación de desorden, el moderador debe conocer bien la forma de dominarla. La norma principal, por supuesto, es la de dominarse a sí mismo y comportarse con moderación, calma y dignidad. Si no quiere fracasar, debe hacer todo lo posible por no perder la cabeza. Con un poco de suerte, quizá pueda consultar a alguien —el secretario— sobre las normas de procedimiento. No obstante, estará más seguro si se estudia estas normas con antelación. El secretario también deberá conocerlas. Nosotros las transcribimos a continuación.

54. Normas de procedimiento para debates

El moderador o presidente debe conocer bien las normas de procedimiento para los debates. Su deber es hacerlas cumplir. Los oradores también deben conocerlas, tanto para cumplirlas como para eludirlas.

* * *

El moderador es el que manda. Ha sido elegido o designado para desempeñar esa función y su misión es la de guiar la reunión y mantener el orden dentro de ella. Es el responsable del procedimiento.

Al levantarse el moderador, los demás asistentes deberán sentarse y guardar silencio. Si después de hacer sonar su mazo y pedir silencio no ha conseguido poner orden en la sala, el moderador puede posponer el acto. Mientras éste no se haya dado por concluido está capacitado para hablar cuando lo desee, y para evitar que los demás hagan lo mismo sin su consentimiento. Él es quien decide el orden de intervenciones. Además tiene a su cargo el orden del día, cuyos puntos pueden modificarse si él lo cree necesario. El moderador es el que manda.

Un buen moderador dirige la reunión con la aquiescencia de los demás participantes. Si, por ejemplo, decide alterar el orden del día, tendrá que explicar por qué lo hace. Si la mayoría de los asistentes se opusiera a dicha alteración, el moderador tendrá que reinstaurar el orden del día originario. No es un dictador.

Normalmente, cada grupo de asuntos se debe tratar por separado. Cuando hay que tomar alguna medida con respecto a una cuestión concreta, o incluso cuando se acuerda no emprender ninguna acción, se «adopta» una propuesta o moción. Esto puede hacerse de modo informal, en caso de que no haya oposición o de que exista un consenso general. En cambio, si después de discutir los pros y los contras no se ha llegado a un acuerdo, habrá que proceder a la votación.

En caso de que deban observarse los trámites formales, cada moción tendrá que ser, en primer lugar, presentada y argumentada por sus defensores. A continuación se someterá a la discusión de la asamblea, durante la cual el moderador invitará a intervenir a aquellas personas que deseen oponerse a su adopción. Cuando se haya discutido suficientemente el tema, se concederá el derecho de réplica a la persona que propuso la moción, y seguidamente se podrá realizar la votación.

Si la moción o propuesta no está en el orden del día, habrá que pedir a su proponente que la exprese de la forma más concisa y clara posible. El moderador que tenga que someter una resolución que incluso su proponente no haya formulado en un lenguaje comprensible (y que se pueda registrar en el libro de actas) va por mal camino. Antes de someterla a debate, la moción debe quedar bien explicada por su defensor o por el moderador.

La extensión y el número de las intervenciones serán decisión del moderador. Pero cualquiera puede «proponer el fin del debate». Una votación a mano alzada servirá para indicar si los presentes han discutido suficientemente el asunto o si es necesario prolongar el debate. Cuando el moderador no esté seguro del momento en que debe dar por concluido el debate, o cuando tema parecer parcial al señalar su fin, puede comprobar fácilmente la opinión de los participantes preguntando, en caso necesario, si alguien desea «proponer el fin del debate».

En caso de que haya acuerdo en «decidir ahora» sobre la cuestión, no queda más que someter la propuesta a votación.

Si la discusión de una propuesta desemboca en el siguiente punto del orden del día, quizá no sea necesario realizar la votación. A veces no resulta conveniente revelar la división de la asamblea, y también puede ocurrir que todos los bandos enfrentados prefieran evitar una votación que no están seguros de ganar.

Algunas organizaciones permiten plantear la «cuestión previa», consistente en decidir si se ha de someter a votación una determinada propuesta. Si se aprueba la cuestión previa, se da por terminada la discusión sobre el tema en curso, del que no queda referencia alguna en el acta de la reunión. Por supuesto, no se realiza votación alguna. Hay ocasiones en que la gente piensa que hubiera sido mejor para la organización o la reunión no haberse enzarzado en ciertas discusiones. El sistema de la «cuestión previa» es un procedimiento muy útil.

Del mismo modo, cualquiera puede solicitar que se levante la sesión. El moderador no es el único facultado para dar por concluido el acto; si los participantes en la reunión desean ponerle fin, normalmente pueden hacerlo. No obstante, se iniciará, por supuesto, un prolongado debate «sobre el aplazamiento».

Durante el desarrollo del debate es posible que se produzcan interrupciones. Uno de los recursos más habituales es el de plantear una «cuestión de procedimiento». Cualquiera de los participantes puede plantear en todo momento un debate sobre el procedimiento de la reunión. En teoría sólo puede cuestionarse la corrección del procedimiento por el que se rige la reunión, lo que está diciendo el orador o la actuación del moderador. No sería válido desviarse hacia asuntos secundarios o utilizar la ocasión para plantear cuestiones de interés particular. Bien es verdad que algunos expertos en el arte de interrumpir debates pueden aprovechar estas cuestiones de procedimiento para hacer ataques destructivos, introduciendo así una intervención adicional que de otra forma no se les permitiría.

En algunas reuniones los oradores suelen ceder la palabra para permitir «intervenciones informativas». Por lo general son los propios oradores quienes deciden la realización de estas intervenciones. El moderador no puede obligarles a ello, ni tomar medida alguna si aquéllos se niegan a hacerlo. Cuando es el propio moderador quien se dirige a un orador, este último puede permanecer en pie, pero tiene la obligación (como todos los demás componentes de la reunión) de ceder a aquél el turno y guardar silencio mientras tanto.

El orador, por tanto, debe obedecer las «decisiones del moderador», y por el hecho de «tener la palabra» no está autorizado a emplear ésta en contra de las prerrogativas de aquél.

Si las mociones mantuvieran su formulación inicial después de pasar por los procesos de propuesta, apoyo, oposición y votación, la labor de los moderadores resultará bastante fácil. Lo cierto es, sin embargo, que siempre se producen enmiendas y modificaciones. En general, hay que permitir las mociones de enmienda a una propuesta (siempre que tales mociones se formulen y secunden adecuadamente). Deben considerarse de forma individual y someterse a votación, si es necesario. Cuando se acepta una moción (por votación o por otro sistema) quedará incorporada a la propuesta original, que debe formularse a continuación con las enmiendas introducidas. Una vez formulada, la propuesta rectificada puede dar lugar a otra enmienda posterior, para lo cual se seguirá el mismo procedimiento.

Un moderador avezado puede inducir frecuentemente al autor de una propuesta a que modifique o amplíe los términos de la misma a fin de incorporar la enmienda. Una reunión pacífica constituye un placer para el moderador; en caso de que se plantee alguna enmienda cuyo objetivo sea el de desvirtuar o aniquilar una propuesta determinada, lo correcto es evitar la discusión de dicha enmienda y pedir a su autor que exprese los motivos por los que se opone a la propuesta inicial.

El moderador ha de asegurarse de que todos los asistentes hayan tenido una oportunidad razonable de exponer sus opiniones, pero no permitir que una minoría se imponga sobre la asamblea. No sólo está capacitado para seleccionar a los oradores, sino también para clasificar las propuestas y enmiendas, de forma que puedan comprobarse las opiniones de los asistentes del mejor modo posible.

Cuando todos los asistentes hayan tenido la oportunidad de expresar sus puntos de vista, el propio moderador podrá (con el consentimiento de la asamblea) dar por concluido el debate y someter la propuesta a votación.

Algunas observaciones adicionales:

— A no ser que los estatutos de la empresa (o la constitución de la organización) exijan que se secunden y realicen por escrito las mociones, nada de esto será estrictamente necesario.
— Nadie tiene derecho a hablar más de una vez sobre una moción o enmienda, aunque al autor de una moción original se le suele conceder el derecho de réplica (que no se concede, en cambio, al que presenta una enmienda).
— Cuando una moción haya sido rechazada, no podrá volver a presentarse, aunque se formule con otras palabras.
— Una vez que una moción haya sido aprobada o rechazada, no se admitirá ninguna nueva enmienda.
— Los autores de la moción original no pueden proponer o apoyar enmiendas a la misma, aunque, por supuesto, pueden aceptar (o discutir) las enmiendas propuestas por otros.

— Si usted desea introducir una enmienda, la mejor forma de conseguirlo es que proponga la adición, retirada o intercalación (dependiendo del caso) a, de o en la moción o resolución de aquellas palabras que tenga en mente.

Las asambleas suelen regirse mediante la aquiescencia y el sentido común. El moderador debe mantener su posición dominante y no dejarse llevar nunca por el pánico. Los oradores siempre colaborarán con el moderador, excepto en el caso de que éste demuestre una predisposición a actuar con parcialidad, lo cual significará el enfrentamiento general.

55. El presidente de empresa

La ley establece algunos de los deberes del presidente. De cualquier modo, lo más importante es estudiar cuidadosamente los estatutos de la propia sociedad, en donde se especificarán la mayor parte de las facultades y deberes del presidente, en lo que refiere a la dirección de las reuniones de la organización.

En los casos no previstos por la ley y los estatutos, la propia asamblea puede decidir sobre el modo de conducirse. Ya hace años que lord Russell se refería a este aspecto con estas palabras:

«La decisión sobre muchas de las cuestiones relativas a la dirección de una junta corresponde enteramente a las personas presentes que componen la misma... Es competencia de la asamblea decidir si se deben leer o no las cuentas, propuestas, actas, avisos, etc., dictaminar el momento en que hay que concluir una discusión y proceder a la votación, permitir la presencia de periodistas u otras personas ajenas a la reunión, o indicarlas que se retiren cuando se crea necesario, y aprobar el aplazamiento del acto. Todas estas cuestiones, y otras muchas, las decide la asamblea; en caso necesario se realizará una votación para determinar los deseos de la mayoría. Cuando no hay objeción por parte de algún miembro de la asamblea, se entenderá que ésta aprueba la medida adoptada».

En la práctica, si consigue mantener de su parte a la asamblea, el presidente concluirá su labor con éxito; si pierde su apoyo, fracasará.

¿Qué se puede hacer con la persona que acude con la intención de reventar la asamblea? El presidente tiene competencia para ordenar su expulsión; otra alternativa es suspender la asamblea hasta que se haya marchado el «elemento perturbador».

En una reunión de empresa, el presidente necesita el asesoramiento de un secretario experimentado. En cualquier otro tipo de asamblea, hay que encontrar un colega prudente y experimentado que pueda aconsejarnos sobre las cuestiones de orden y procedimiento. Si él conoce su tarea, la nuestra se desarrollará con mayor seguridad.

56. La presentación de los invitados

Por muy bien que conozca a la persona que va a presentar, procure tener su nombre claramente escrito en un papel bien visible. Es muy difícil que se le quede a uno la mente en blanco en tales ocasiones, pero a veces ocurre. Uno de los casos más famosos sucedió en 1970, durante las elecciones generales del Reino Unido. Un dirigente regional del Partido Conservador se disponía a presentar a Edward Heath: «En el poco tiempo transcurrido desde que nuestro invitado de honor fuera elegido líder de nuestro partido», vociferó, «su nombre ya es algo familiar en boca de todos nosotros. Tengo el orgullo, el honor y el placer de presentarles a nuestro próximo primer ministro, el señor... er... er... er...». ¡Un desastre!

Otros ejemplos de este tipo de error serían:

«El nombre de nuestro invitado es harto conocido en nuestra profesión. Damas y caballeros, el señor... er... er...».

«Nuestro invitado no necesita presentación... Sin más prolegómenos, me complazco en presentarles a Sir Robert... er... er...».

(En cierta ocasión, mi hijo Daniel presentó de la siguiente manera al Cambridge Union a un parlamentario desconocido y más bien mediocre: «El nombre del señor Smith es muy conocido... ¡entre sus conocidos!»).

El daño que se hace al olvidar un nombre es irreparable. Aunque este olvido puede producirse incluso en el caso de que el presentador haya preparado de antemano su intervención, es mucho más probable cuando esta preparación ha sido inadecuada. La pésima fórmula de «nuestro invitado no necesita presentación» suele significar que el presentador no se ha tomado la molestia de obtener información sobre dicho invitado. Por eso conviene que nuestra secretaria consulte las páginas de cualquier libro en el que se puedan encontrar referencias biográficas.

Otra posibilidad es ponerse en contacto telefónico con algún colaborador, secretario o representante de la persona a quien se vaya a presentar, y preguntar sobre su vida y sus actividades. Puede ser interesante indagar sobre alguna anécdota simpática de carácter personal. Aunque en estos casos no conviene dar la impresión de que estamos haciendo una investigación; cuanto más se investigue, más eficaz podrá ser nuestra presentación.

Si no tiene ninguna información sobre el orador que acaba de llegar, no se desespere. A los oradores les gusta que les hagan preguntas. Coja un papel y un lápiz y diga tranquilamente a su invitado: «Voy a tener el honor de presentarle a nuestro público. ¿A cuál de sus cargos desea que me refiera? ¿Cómo le gustaría que le presentara?».

Cada cual tiene sus manías. Puede ocurrir que alguien no quiera que se sepa que fue presidente de la Asociación de Enterradores, o que le han derrotado en una reciente y enconada lucha electoral. Otro invitado quizá prefiera olvidar que fue el autor de un libro acusado de difamación. Por otra parte, hay quien tiene un interés especial en que se recuerde el hecho de haber sido ex presidente del Oxford Union... antiguo secretario del consejo de administración de... campeón de golf... empresario eminente o líder sindical.

Suponga que va a presentar a un hombre que ha logrado ascender en la escala social gracias a sus propios esfuerzos; posiblemente deseará que se refiera a sus humildes orígenes, aunque también puede ser que prefiera ocultarlos. Usted no puede saber cuáles son sus deseos, a no ser que alguien se lo diga.

En un reciente banquete, presentaron a un famoso, generoso y caritativo empresario como la persona que «no sólo había concebido la idea de la escuela de..., sino que había recaudado personalmente la elevada cantidad de dinero necesaria para construirla. Por desgracia, el presentador no se molestó en comprobar la evolución del proyecto. Si lo hubiera hecho, habría descubierto que sólo había ocho aspirantes para las 120 plazas del centro, y que el proyecto había sido un completo fracaso que el invitado de honor no tenía ningún deseo de recordar.

La mezcla de silencio embarazoso y risas con que fue acogido este *faux pas* no afectó de ningún modo al aprecio que sentía el público por el personaje aludido, muy conocido por sus cualidades personales. La gente sintió pena por él... y por el presentador. El hecho de que este último fuera también una persona muy admirada por su apoyo a las causas humanitarias y por su labor profesional no le disculpó en ningún modo de su responsabilidad en un error que podía haber evitado fácilmente.

Si está muy ocupado en preparar una presentación, encargue el trabajo a alguien (el de la preparación o, si fuera necesario, el de la propia presentación). No hay ninguna ley que prohíba decir algo como: «Propongo que nuestro invitado sea presentado por su asesor/discípulo/consejero delegado» *(según el caso)*. Aunque esto no ocurre con demasiada frecuencia, el resultado suele ser bastante más satisfactorio.

Por consiguiente, refiérase a los aspectos conocidos de la vida del invitado. Haga todo lo posible por acompañar estas observaciones con referencias amistosas o elogiosas a su empresa o a sus antepasados. No obstante, evite frases como ésta: «Estamos muy contentos de que el señor Jackson nos acompañe esta noche. Será un placer escuchar al hijo de alguien que es gran figura del sector...».

Poco mejor es decir: «El señor Bloggs es el distinguido hijo de una famosa familia...».

En cambio, frases como ésta resultan fatales (aunque en la práctica se digan con frecuencia):

«Por desgracia, lord Bloggs no ha podido estar con nosotros esta noche. Sin embargo, tenemos la suerte de que lady Bloggs haya accedido a dirigirnos unas palabras. Sin más prolegómenos, les presento a lady Bloggs».

Se puede elogiar la unidad y felicidad del matrimonio Bloggs, pero no hay que dejar ver la desilusión que nos produce la ausencia del invitado original. Por otra parte, ¿acaso lady Bloggs no tiene más cualidades que la de su buen gusto para escoger marido? El honorable James Bloggs heredó su título, pero probablemente habrá hecho algo en su vida que sea digno de contarse. A los invitados les agradará escuchar cosas sobre la vida del orador que les están presentando. La nobleza hereditaria no lo es todo.

Puede intentar algo como esto: «Nuestra empresa está orgullosa de sus vinculaciones familiares. Muchos de nosotros somos compañeros y amigos de William Harness, y sentimos un inmenso placer al ver la activa participación de su hijo Roger en nuestra gran obra benéfica. Naturalmente, hoy le rendimos homenaje por ser el hijo de nuestro viejo y distinguido amigo, pero si le invitamos a hablar es porque tiene suficientes méritos para hacerlo. Son muchos los éxitos que ha conseguido. Es... fue... y esperamos que siga siendo durante muchos años uno de los principales cerebros de nuestra empresa. Damas y caballeros, el señor Roger Harness...».

Otra posibilidad es: «Esta noche tenemos el honor de contar con la presencia de lady Bloggs, aunque en realidad era a su marido a quien esperábamos escuchar». No repetiré el desliz de aquel presentador que en una circunstancia similar a ésta dijo: «La desafortunada indisposición de sir William nos hace sentirnos felices, puesto que, en su lugar, tenemos el placer de dar la bienvenida a su esposa». «El motivo de la ausencia de lord Bloggs es que en estos momentos se halla ocupado en la venta de sus productos en Estados Unidos, con lo que contribuye a mantener el magnífico nivel de exportación de su empresa. Afortunadamente para nosotros, ha tenido la amabilidad de dejar a su esposa en Inglaterra, para que pueda acompañarnos en esta velada. Ella es...».

Si el orador invitado debe ser sustituido por otro a última hora (como suele ocurrir con frecuencia), no se disculpe por ello. «Contábamos con la intervención del señor Hodge, pero en el último momento nos ha fallado. Por fortuna, el señor Black, su consejero, se ha ofrecido para sustituirle. Señoras y señores, el señor Black». Existen dos alternativas dignas. La primera consiste en ignorar el hecho de la incomparecencia del señor Hodge. De cualquier forma, todo el mundo lo va a saber; el rumor correrá de boca en boca, y ello será mucho menos violento si no se dice nada. La otra alternativa es la de intentar sacar provecho de lo que ya no tiene remedio.

Esta sería una fórmula válida: «Señoras y señores, comprendo la tristeza que habrán sentido al oír que el invitado que habíamos anunciado, el señor Arthur Hodge, se encuentra enfermo de gripe. No obstante, se alegrarán al saber que su recuperación progresa con rapidez. En un telegrama suyo que tengo aquí» (detalle inteligente por parte del señor Hodge), «nos envía un saludo y nos desea buena suerte a todos. Sé que aprobarán la idea de contestarle expresándole el deseo de todos los aquí presentes de que se recupere lo antes posible.

»No tengo palabras para expresar nuestro agradecimiento al señor Black, que se ha prestado a unirse a nosotros en cuanto se lo hemos dicho. Su disponibilidad para estar al pie del cañón constituye un signo claro de su lealtad a nuestra organización... y una de las razones por las que se ha ganado el afecto de todos sus compañeros. El es... fue... será...».

Otra posibilidad es: «Siento comunicarles que nuestro amigo e invitado de hoy, el señor Arthur Hodge, ha tenido que salir del país para participar en una urgente negociación. Como bien sabemos, él nunca habría faltado a la cita si ello hubiera estado a su alcance. Deseamos que sus gestiones comerciales sean satisfactorias y que tenga un éxito total en su negocio de exportación de productos cárnicos. Debemos agradecer la amabilidad que ha tenido al pedir en nuestro nombre al señor Robert Rook que le sustituya en el presente acto.

»El señor Rook es muy conocido entre todos nosotros. El es... fue... será... Sabemos que es un hombre muy ocupado, y deseamos expresarle nuestro enorme agradecimiento por estar con nosotros esta tarde. Damas y caballeros, el señor Rook...».

Por supuesto, hay algunas ocasiones en las que el orador no debe ser presentado. Por ejemplo en este caso: «Pido a nuestro presidente, Edward Smith, que pronuncie el brindis de homenaje a la Corona».

Otro ejemplo sería: «Gracias, señor Hodge. Tengo el placer de pedir a nuestro tesorero, Richard Bright, que pronuncie unas palabras de agradecimiento».

El moderador o presidente es, por tanto, el que marca el tono y el timbre de la reunión. Una de sus funciones más importantes es la de presentar a los oradores. Debe realizar su trabajo con seriedad. Debe aplicar a los breves discursos de presentación las mismas normas que a las intervenciones más largas. Una presentación necesita un comienzo, un desarrollo y un final. Las frases iniciales y finales son fundamentales. También es muy importante realizar una cuidadosa preparación (la cual, como siempre, no debe notarse al pronunciar el discurso). Una mala presentación puede arruinar un buen discurso, e incluso una reunión potencialmente interesante.

57. Cómo tratar a los oradores

Entre las funciones del moderador, la más arriesgada es la de tratar adecuadamente al orador invitado. Veamos algunos consejos:

— Cuando no esté seguro de cómo se pronuncia el nombre de su invitado, pregúnteselo. Si hay que escribir dicho nombre en un programa, lista de brindis, invitación u otro documento, compruebe que su transcripción es correcta. Los oradores son muy susceptibles con respecto a esta cuestión.

— Acopie anticipadamente toda la información posible sobre el orador. Los miembros de la familia real británica son famosos por su espléndida memoria. Al entrar en una sala reconocen inmediatamente a las personas que ven, e incluso recuerdan la última vez que las vieron. Ello se debe en parte a que están dotados de buena memoria, pero sobre todo al trabajo que han realizado previamente. La mejor forma de elogiar a su orador invitado es recordar todo lo que pueda sobre su vida. La manera más segura de conseguir su enemistad es mostrar indiferencia hacia él y sus éxitos pasados.

— Si el orador ha tenido algún gasto, pídale que le tenga informado al respecto.

— Acuérdese de expresarle su agradecimiento (y de escribirle posteriormente repitiéndole su gratitud). Los agradecimientos nunca son suficientes.

— Cuando intente asegurar el buen desarrollo del discurso, procure no interrumpir con demasiada frecuencia al orador. Muchos oradores competentes pueden controlar ellos mismos al público y prefieren, siempre que sea posible, hacerlo así. El moderador debe ejercer su autoridad de forma equilibrada.

— Informe anticipadamente al orador del espacio de tiempo que piensa concederle para hablar y pregúntele si desea que se le avise unos minutos antes del momento previsto para concluir. La mayoría de los oradores aceptan gustosos esta sugerencia, y no se ofenden al ser avisados. En cambio, si el aviso se hace sin haberlo acordado previamente, el orador se sentirá molesto y su amistad con él se resentirá.

Gran parte del trabajo del moderador se realiza antes del comienzo efectivo de la reunión. Si lee este libro con antelación, seguramente le saldrá mejor su tarea. En cualquier caso, siempre puede llevarlo consigo... forrado con papel blanco y sin título si lo prefiere...

Sólo me queda desearle toda la suerte posible (tanto si desempeña el papel de orador como el de moderador). Por muy experimentado y capacitado que esté, por mucho cuidado que haya puesto en seguir las normas que le he aconsejado y sea cual sea la ocasión, no hay nada que pueda sustituir a la buena suerte. Tanto si sube al estrado como si se sienta en la mesa del moderador o presidente, le deseo el mayor de los éxitos.

Sección II

Modelos de discursos

PARTE 7

MODELOS DE DISCURSOS PARA DIVERSAS OCASIONES

58. Inauguraciones y aperturas

Frecuentemente los personajes prominentes son invitados a declarar inaugurados diversos actos o eventos, ya sean exposiciones comerciales, ferias o conferencias de ventas, la presentación de unos nuevos locales o ia sempiterna fiesta organizada por la parroquia local o por una sociedad benéfica.

Existen, en cualquier caso, dos tipos de discursos de apertura que han de distinguirse cuidadosamente entre sí: el meramente formal, de salutación, y el que pretende marcar unas determinadas pautas. Puede haber, además, diversas razones por las que le hayan pedido que hable: porque es usted una figura importante, en agradecimiento a algún buen oficio o favor anteriores, en la esperanza de una futura dedicación o donativo, o en fin, por una suma de todos estos factores. Sea como sea, lo cierto es que, si quiere que vuelvan a llamarle, tendrá que hacerlo bien en esta ocasión.

A continuación presentamos diversos ejemplos de breves aperturas formales y la estructura general de algunos discursos que, por su naturaleza, se espera alcancen mayor extensión y densidad y resulten más apropiados para inducir a la reflexión o a la acción que para crear una atmósfera de general benevolencia.

En la inauguración de una feria de muestras

Señor presidente, damas y caballeros.

Algunos de nuestros antepasados tenían costumbres ciertamente desagradables, tales como examinar las entrañas de los animales para ver si los augurios eran favorables a la ejecución de una empresa. Yo he tomado un camino mucho más sencillo y agradable, dirigiéndome al mayor oráculo de esta organización, el señor... Él me asegura que los preparativos para esta reunión se han llevado a cabo con diligencia y espíritu de armonía, y sin que mediara ningún tipo de «rencillas» sectoriales; que las órdenes de compra anticipada ya recibidas totalizan casi el cincuenta por ciento más que las recibidas por la misma fecha el año pasado y que, por todo ello, esperamos que ésta sea una de las más multitudinarias concentraciones de la historia del gremio.

Es para mí un placer, pues, hacer sonar el clarín y proclamar por adelantado la valía, la importancia y el éxito de la decisiva exposición de este año.

En el nombre de ustedes y en el mío, doy las gracias a nuestros organizadores, los señores... y a todo su personal. Si la distribución presenta un aspecto tan sencillo y elegante, se debe a lo mucho que todos ellos han trabajado.

Y ahora, antes de comenzar a disfrutar de una buena compañía, de los éxitos de ventas y de la continuación y clausura de la exposición, que serán sin duda tan brillantes como su inicio, tengo la enorme satisfacción de declarar abierta la feria.

Inauguración de una exposición industrial

Señor presidente, damas y caballeros.

En esta rama de la industria no somos tan dispendiosos como nuestros colegas de la construcción naval. No estrellaremos y desperdiciaremos buen champán sobre nuestras máquinas (o sobre mobiliario, el equipamiento, o lo requerido por el caso). En lugar de eso, emplearemos el vino para acompañar nuestros brindis.

En primer lugar, brindaremos por la prosperidad de nuestra rama/industria/compañía. El esfuerzo que hoy emprendemos es de vital importancia para ella y para todos nosotros.

· En segundo lugar, beberemos a la salud de aquéllos cuyo trabajo ha hecho realidad esta exposición, desde nuestro presidente/director ejecutivo/organizador *(etc.)* en la cima del edificio, hasta los carpinteros, electricistas y limpiadores que han asentado sólidamente sus bases. Nuestro más cálido agradecimiento a todos ellos.

Por último, brindaremos por el futuro de nuestro nuevo gran producto, el.. *(aquí dar detalles).*

Esta es una exposición de maquinaria/equipamiento/muebles *(o lo requerido por el caso),* y está concebida, por tanto, para exponer productos y ayudar a su éxito, que dependerá de las ventas y los cheques, no de las palabras, por muy sinceras y bienintencionadas que éstas sean.

Me siento, pues, orgulloso de proceder, sólo de manera simbólica, a su botadura. Espero que a su fin brindaremos una vez más por el comienzo de una nueva era de prosperidad en nuestra rama/industria/compañía.

Señor presidente, damas y caballeros, la exposición queda abierta.

En la inauguración de un nuevo edificio

Señor presidente, damas y caballeros.

Como la mayoría de los aquí reunidos, he pasado muchos años, sin duda felices, pero apretados y sofocantes, en nuestros antiguos locales. Siento auténtico placer, pues, al anunciar la inauguración de este nuevo edificio.

Piensen en todo lo que nos será posible hacer ahora. Cada uno de nosotros podrá moverse a sus anchas, volverse en su silla sin que nadie le acuse de agresión, e incluso beberé una taza de café sin temor de haber acabado con el sustento del vecino.

Hablando ahora con seriedad, estaremos en condiciones de aumentar nuestro negocio y, confío, nuestros beneficios, proporcionando así la mayor satisfacción al director de nuestro banco, a nuestros accionistas, y a todos los que nos sentimos orgullosos de formar parte de esta empresa, cuyos nuevos locales comerciales esperamos ver atestados con más y más clientes satisfechos. Nos hallaremos en magníficas condiciones para realizar nuestro trabajo, no sólo con mucha mayor economía y rapidez, sino también con gran comodidad, pues, es preciso destacarlo, el entorno de trabajo de nuestros empleados ha sido un factor prioritario en el diseño estructural del nuevo edificio.

Señor presidente, damas y caballeros: éste es un tiempo para construir. Los ladrillos, el cemento, el mortero, el acero... todo está dispuesto y en su sitio. Ahora hemos de edificar el negocio tal como lo hemos expresado con nuestras palabras. Doy, pues, las gracias a los arquitectos, señores... a todos ustedes, que han aceptado con la mejor voluntad las inevitables incomodidades derivadas del traslado, y a los organizadores de esta recepción, en particular a nuestra colaboradora la señorita... Con el mayor placer, en suma, declaro inaugurado el edificio.

Inauguración de una residencia de ancianos

Señor presidente, damas y caballeros.

Un sabio dividió en cierta ocasión las obras de caridad en diversas categorías según su mérito. La más baja de todas era aquella en la que el beneficiado conocía al donante, y éste a aquél. En la cima se hallaba aquella en la que tanto uno como otro se desconocían entre sí. Esta residencia ha sido creada gracias a la generosidad de los hombres del comercio y de la industria —particulares, firmas y sociedades— que han contribuido así a que otros puedan disfrutar en la vejez.

Hay demasiada retórica acerca de la vejez, ¿no les parece? Años otoñales..., tercera edad..., bien ganados años de agradable reposo... Desde luego, así debería ser. Pero con demasiada frecuencia sucede que los últimos años de nuestra vida lo son de soledad y pobreza.

No será ésta la situación de los que residan en esta casa. Aquí tendrán intimidad en sus propias habitaciones, compañía en las salas comunes, paz cuando la deseen y cuidados médicos y ayuda cuando lo precisen.

Nuestro comité ha tenido más problemas para seleccionar a los residentes que para conseguir el dinero que ha permitido levantar este edificio. ¿Con cientos de necesitados de ayuda, cómo elegir a sólo unas decenas de entre ellos? ¿A quiénes vamos a elegir para que vivan aquí felizmente, y a quiénes para que mueran solitarios? Todos ellos nos han servido, y todos ellos merecen nuestros servicios.

Así pues, mi función aquí es doble. Primero, me congratulo en unirme a ustedes para contemplar con orgullo y satisfacción lo ya conseguido, y en expresar nuestro agradecimiento a los responsables de ello. Gracias en especial a... y...

Segundo, les exhorto a que trabajemos todos juntos para mejorar y ampliar la residencia.

En cierta ocasión fui a visitar a un multimillonario y le pedí que aportara el dinero necesario para construir un edificio destinado a una determinada obra benéfica. Él me respondió: «¿Cómo piensan equiparlo, conseguir el personal y pagar todos los gastos de mantenimiento una vez que lo hayan abierto? Estoy cansado de donar edificios para que los mismos que me lo pidieron regresen diciéndome: "¿qué hay de bueno en poner el dinero para el edificio si no se pagan los costes de mantenimiento?"».

Bien, nosotros tenemos el edificio, que no ha sido pagado por una sola persona sino por muchas, a todas las cuales queremos mostrar nuestro agradecimiento. Y poseemos también dinero suficiente para sufragar los costes de mantenimiento durante... meses. ¿Sabían ustedes que el coste por cada residente es de... por año?

Así pues, agradeciéndoles a todos su amabilidad y generosidad, su presencia hoy aquí y la ayuda que han prestado a esta residencia en el pasado, me permito pedirles asimismo su apoyo en el futuro. Sólo cerramos una era cuando iniciamos otra.

Señor presidente, señoras y caballeros. Con el mayor orgullo, y en la confiada esperanza de que esta residencia proporcionará comodidad y felicidad a los que habiten en ella, declaro inaugurado el edificio.

Hasta aquí los ejemplos de inauguraciones formales. Veamos ahora dos modelos de discursos «de fondo».

Conferencia de ventas

Señor presidente, amigos y colegas.

Esta empresa vive gracias a las ventas, y todos nosotros vivimos gracias a la empresa. En consecuencia al aumentar aquéllas garantizaremos un próspero futuro no sólo para la empresa sino también para cada uno de nosotros. Todos estamos en el mismo barco. Esta conferencia se ha preparado cuidadosamente para ayudarnos en nuestro trabajo.

Al tiempo que os doy la bienvenida a esta conferencia, me complazco también en presentaros nuestra nueva gama de temporada/línea de gran éxito/equipamiento, especialmente diseñado para satisfacer las exigencias del mercado por... *(o lo requerido por el caso).*

(Aquí se procede a la descripción y explicación del nuevo producto, servicio, etc.)

El propósito fundamental de esta conferencia estriba, en suma, en conseguir la expansión de nuestra cobertura territorial y nuestras ventas, con la ayuda de las nuevas líneas/productos/equipamiento *(etc.).*

Mi presentación marca el inicio de dos/tres días/semanas de intensa discusión/asesoramiento/coloquio, lo que confío anunciará a su vez con fanfarrias y clarines el comienzo de un año de venturas y prosperidad.

Esta conferencia nos permitirá además conocernos unos a otros y disfrutar de ese ambiente de compañerismo que forma parte primordial de nuestra organización. En nombre de vuestro consejo de administración/directores/presidente, os deseo unas agradables jornadas y unas fructíferas discusiones, seguido todo ello por un continuo incremento en las ventas y un gran éxito para todos vosotros. Me complazco en declarar esta conferencia abierta. Buena suerte a todos.

Inauguración de una exposición

Señor presidente, damas y caballeros.

Nos sentimos honrados al acoger en nuestros locales/fábrica una exposición formada por cuadros de Martha Smith y esculturas de Roger Jones, que han buscado su inspiración en el campo de nuestro comercio/industria.

Todos ustedes habrán contemplado ya el catálogo, diseñado por nuestro colaborador Walter Brown. Una mitad, la parte superior enumera las obras de Martha Smith; la otra, en este caso la inferior, relaciona las esculturas de Roger Jones.

Estoy seguro de que nuestros dos artistas no se ofenderán si les digo que el comité encargado de montar la exposición se sintió en ocasiones en situación muy parecida a la registrada por dicho catálogo: no demasiado seguro de la parte que debería quedar arriba al colgar las pinturas, o al colocar las esculturas. Carece de importancia. Las formas son gloriosas, y los colores soberbios.

Todos ustedes se sentirán sin duda tan complacidos como yo cuando sepan que ambos creadores han prometido donar una de sus obras a nuestro comité benéfico. Ello es sumamente amable por su parte, y les estamos muy agradecidos.

Tengo entendido que Martha Smith tardó aproximadamente una semana en realizar cada uno de estos cuadros, lo mismo que Roger Jones en el caso de sus mayores esculturas. Pero en el arte no es el tiempo lo que importa, sino el espíritu que lo anima. Les contaré algo a este respecto.

Hace muchos años, cuando el dinero era aún algo más que papel y una libra valía su peso en oro, el pintor Rex Whistler reclamó 500 libras por un retrato al óleo que le había encargado un cliente. No se había acordado previamente ningún precio y el artista consideró que, de acuerdo con el mérito de la obra, esa cantidad era justa y razonable.

El abogado le interrogó en nombre de su cliente: «Señor Whistler», dijo, «¿cuánto ha tardado en pintar este retrato?».

«Tres días», fue la respuesta del pintor.

«¿Luego pretende usted que mi cliente le pague 500 libras por un trabajo de tres días?».

«En absoluto», replicó el artista. «Reclamo 500 libras por toda una vida de trabajo que me ha capacitado para pintar este retrato en tres días».

No es el tiempo invertido por nuestros generosos artistas lo que cuenta, pues, sino la maestría adquirida a lo largo de tantos años, que les ha convertido en figuras destacadas en sus respectivos campos. Nos están donando una parte de su mejor trabajo, y en nombre de todos no puedo sino darles las más cálidas gracias.

La industria y el comercio han tomado siempre el cuidado de sus diseños como una cuestión de prestigio. Cada uno de nosotros por separado no llegaría a convertirse en un mecenas de las artes. Pero una exposición como ésta nos permite conciliar las formas artísticas con nuestro entorno de trabajo. Es una iniciativa que merece el éxito, una contribución nuestra al prestigio de los artistas, y un esfuerzo de éstos para nuestro deleite y admiración.

Es hora, por tanto, de recorrer con calma el recinto, de contemplar y aprender. Quizá algunos de ustedes posean talento artístico; yo, personalmente, paso grandes apuros para trazar un círculo con un compás. Un cínico dijo en cierta ocasión: «El que puede, hace; el que no puede, enseña». Nosotros podríamos afirmar: «El que no puede, visita exposiciones y admira a aquellos que sí pueden».

Pues bien, nosotros estamos ante una exposición, aquí y ahora. Agradezco a los artistas el esfuerzo realizado para brindarnos todo este conjunto de obras, permitiéndonos así disfrutar de ellas en nuestros momentos de esparcimiento. Con sumo placer declaro abierta la exposición.

59. Invitados de honor

Cómo dirigirse a minusválidos

Señor presidente, damas y caballeros.

Hay personas cuya incapacidad resulta evidente porque han perdido algún miembro, o porque alguna parte de su cuerpo no responde de la forma adecuada. Sin embargo, conozco a mucha gente con el tronco y las extremidades en excelente forma, pero que jamás emplea su cabeza. Por tanto, felicito a esta organización por la labor que lleva a cabo, pues ayuda a los incapacitados a hacer el mejor uso posible de sus facultades, y estimula a todos los aquí presentes, que poseen excelentes cabezas, a aprovecharlas y compensar sus imposibilidades físicas.

Todos hemos de hacer el mejor uso de aquello que poseemos: esta organización ayuda a sus miembros a reconocer este hecho, y a explotar todas sus posibilidades al máximo.

Son muchos, demasiados, los minusválidos que se ven obligados a permanecer en sus casas vegetando. Ustedes ayudarán a que puedan integrarse en la sociedad, derecho inalienable en la medida en que también forman parte del mundo, y al trabajar para ello disfrutarán con su labor.

Los miembros de su comité son también disminuidos físicos, pero gracias a su trabajo han conseguido no sólo proporcionar una nueva y pujante vida a otros, sino que, además —yo lo sé y ellos lo saben—, al mismo tiempo han enriquecido su propia existencia.

Así pues, felicito al comité por sus esfuerzos, y doy la bienvenida a los numerosos asociados aquí presentes. Me siento honrado de ser su invitado de honor, así como de apoyar e impulsar su tarea cuanto pueda, ahora y en todo momento. Y les doy las más sinceras y efusivas gracias por su invitación.

Y ahora, amigos míos, adelante con la fiesta...

Nota: estas palabras están pensadas, evidentemente, para dirigirse a incapacitados físicos. A continuación ofrezco una variante para disminuidos mentales.

Cómo dirigirse a disminuidos mentales

Señor presidente, damas y caballeros.

Nuestro objetivo ha de ser capacitar a todos los miembros de nuestra sociedad para que hagan el mejor uso posible de sus facultades.

Recuerdo que, cuando estuve en el Ejército, uno de mis más íntimos amigos era el hijo de un cartero. Ambos hicimos juntos las pruebas de aptitud.

Yo encontré sumamente sencillos los problemas de razonamiento verbal y el test de inteligencia. Aún recuerdo la primera pregunta: «El sol es azul, amarillo, verde: tache las respuestas equivocadas». Dick resolvió las primeras veinte o veinticinco cuestiones sin demasiados problemas, pero entonces cayó en la más absoluta perplejidad. Su vocabulario era escaso.

A continuación pasamos a las pruebas de aptitud técnica. Agoté la primera hora intentando montar una cerradura, y la segunda devanándome los sesos con una bomba de bicicleta. Fallé rotundamente en ambos empeños. Dick compuso aquellos diez auténticos rompecabezas sin la menor dificultad.

Todos poseemos diferentes talentos, y los trabajos que hoy se exhiben aquí demuestran cuánto placer y satisfacción pueden proporcionar los miembros de esta asociación a los demás y, a la vez, a sí mismos. Tienen derecho a desarrollar sus capacidades al máximo, y no puedo por menos que felicitar al comité y a los promotores por la labor que han llevado a cabo para permitirles vivir su propia vida.

Este lugar rebosa felicidad, ¿no les parece? La gente tiene la singular idea de que los seres humanos que no han sido bendecidos con su mismo grado de capacidad mental son necesariamente menos felices. Algunas de las personas más desdichadas que he conocido eran verdaderos genios, y no pocos, por cierto, inmensamente ricos. ¿Cómo no felicitarles, entonces, por la satisfacción que esta organización proporciona no sólo a sus miembros, sino a todos los que los quieren y los cuidan?

Gracias, pues, a todos ustedes, asociados, comité y organizadores, por haberme llamado para que sea su invitado de honor. Estoy a su servicio, y muy orgulloso de encontrarme aquí. Les deseo la mejor de las suertes.

Nota: esta charla está dirigida esencialmente a los organizadores, dado que lo probable es que los afectados no la entiendan. Esto es esencial: usted debe tener siempre claro a quiénes se va a dirigir. Si está ante una audiencia escolar, por ejemplo, nunca piense en los padres, hable para los chicos. Veamos una muestra.

Conmemoración escolar

Señor director, padres presentes, chicos y chicas.

Estoy aquí como representante de la junta de gobierno de esta escuela. En esta institución dicha junta no es ningún estamento supremo: como miembro suyo, soy uno más del colectivo que colabora con el director, el profesorado y todo el personal para ayudaros a vosotros, los alumnos, a que saquéis el mejor partido al tiempo que pasáis aquí.

¿Por qué, entonces, es esta escuela diferente de otras? ¿Por qué mis compañeros de la junta y yo nos sentimos tan orgullosos de nuestra asociación con ella?

Primero...

Segundo...

Tercero...

Bien, supongo que conoceréis la historia de Enrique VIII, ¿buena época aquélla, verdad? Pues os diré lo mismo que él repetía a cada una de sus mujeres: «No os retendré mucho».

¿Que nunca dijo eso? Por desgracia, muchas de las mejores anécdotas históricas no son necesariamente ciertas. Sabemos con certeza que Carlos II hizo que desenterraran a Oliver Cronwell y que, siguiendo las órdenes del rey, le cortaron la cabeza, la clavaron en una pica, y la tuvieron durante seis años expuesta en el tejado de Westminster Hall, la antigua sala del palacio de Westminster, que es la única parte del Parlamento que se conserva casi igual que cuando fue construida.

Lo que no puede probarse es la vieja historia según la cual la cabeza de Cronwell estuvo goteando sangre todos esos años. Una noche, sin embargo, hubo una terrible tormenta y la cabeza cayó al suelo con un siniestro estruendo. En ese momento un enorme gato famélico salió corriendo de la cripta, atrapó la cabeza entre sus colmillos, y estaba ya huyendo hacia la puerta cuando el sargento de armas —un cargo parecido al de vuestros prefectos— desenvainó la espada, atravesó al gato y recuperó la vieja testa de Cronwell.

La siguiente parte del relato es cierta. La cabeza se llevó posteriormente al Sidney Sussex College de Cambridge, donde fue enterrada y en donde todavía se conserva.

No os aconsejo que uséis esta versión en vuestros ejercicios de historia, pero confío en que alguna vez os lleven a Westminster Hall. Si miráis con la suficiente atención, podréis ver todavía la sangre de Cronwell entre las losas.

En cualquier caso, antes de que mi sangre sea derramada por robaros demasiado de vuestro tiempo, quiero tan sólo desearos un buen..., felicitaros por un año de esfuerzo y éxitos..., desearos unas felices vacaciones... *(o lo que requiera el caso).*

Buena suerte a todos.

Nota: los recuerdos personales constituyen un factor esencial, y pueden introducirse sin que el que los utilice resulte por ello egocéntrico o inmodesto. De otro modo, una narración imaginativa vivifica cualquier discurso. Rebusque en su experiencia o en la de cualquier otro, pero nunca hable de forma excesivamente simple a su audiencia, sea cual fuere su media de edad.

En las entregas de premios, evite comentar a los chicos lo mal estudiante que era usted de joven; aunque fuese cierto, no le creerán. Pero procure por todos los medios no olvidar a los que han conseguido galardones. Deje a un lado la historia de lo pillastre que era Winston Churchill en sus tiempos escolares, e intente algo parecido a esto:

Entrega de premios

Señor director, padres aquí presentes, chicos y chicas.

Desde luego, es maravilloso ser el primero de la clase, el alma de la escuela, un delegado o un monitor, ¿no es cierto? Incluso pertenecer al curso más avanzado confiere ya un determinado *status*. Eres un carácter maduro, admirado por los nuevos alumnos.

Desgraciadamente, tan pronto como alcanzamos un pináculo, apenas pisamos la cima de la montaña, nos deslizamos de nuevo hacia abajo y, una vez más, formamos parte de los recién llegados, de los «novatos».

Todos los que hoy partís estaréis sintiendo ya un poco de nostalgia. Cuando comencéis vuestra nueva escuela, colegio mayor o universidad, en vuestro trabajo, tendréis que empezar de nuevo desde el primer escalón.

Sin duda, aquellos que habéis ganado hoy algún premio —por lo que os felicito— atesoraréis el recuerdo de este día como un momento de alegría y triunfo. Pero no estaréis más altos en la escalera que aquellos de vuestros compañeros que, sin haber recibido galardones, consigan los mismos empleos que vosotros. Quizá en la próxima ocasión les toque a ellos.

En muchos aspectos es una pena que tengamos que dar premios, ¿no os parece? Muchos de vosotros, lo sé, habéis trabajado duramente y con sumo esfuerzo sin obtener reconocimiento público. No importa. Llegará vuestro momento.

Pensad, por ejemplo, en todos aquellos triunfadores, en los políticos, los científicos, incluso los profesores, que día tras día recibieron parabienes y ganaron todos los premios que la sociedad concede. ¿Dónde están diez años más tarde? ¿Dónde está el hombre de negocios... el líder de la industria... el gran magnate? Se retiraron, y con ello llegó el olvido y la tranquilidad para todos ellos.

Ninguno de vosotros tiene intención de retirarse, ¿verdad?

Aparte de entregaros vuestros premios, lo que haré con sumo placer, mi tarea se limita a desearos buena suerte, vayáis donde vayáis y hagáis lo que hagáis. Confío en que vuestras ambiciones se vean colmadas.

Por lo que respecta a los que os quedáis, espero asimismo que os aguarden muy buenos momentos. El año que viene algunos alcanzaréis el curso superior. Disfrutadlo. Jimmy Durante, el famoso cómico norteamericano, dijo en cierta ocasión: «Sé amable con la gente que encuentres en tu camino hacia arriba, porque volverás a hallarlos cuando vayas hacia abajo».

A los que vayáis hacia arriba o hacia abajo, como a los que estéis simplemente estabilizados, buena suerte para todos, y gracias por invitarme a compartir este día con vosotros.

Nota: nunca se preocupe por los padres, quienes disfrutarán viendo que se dirige a los chicos. Hábleles como si fueran sus hijos, y no olvide que los niños perciben la pomposidad y la falta de sinceridad mucho mejor que los adultos. Aunque esté hablándoles desde una plataforma, intente ser uno más de ellos. Aunque a veces puede eliminarse el estrado, en los grandes acontecimientos públicos resulta necesario mantener la dignidad y el decoro. De cualquier modo, cuando he de dirigirme a muchachos, me gusta apoyarme en el borde de una mesa, andar entre ellos, e incluso quitarme la chaqueta y colgarla del respaldo de una silla; de esa forma casi siempre se rompe el hielo. Un miembro del Magic Circle me enseñó una forma de apertura que requiere cierta habilidad manual particularmente interesante de aprender. Héla aquí.

Apertura mágica

Buenos días.

Lamento veros tan tristes a todos. Os prometo que no voy a aburriros. Podéis estar tranquilos. Hay un chico dormido en la última fila, no creas que no te estoy viendo.

¿Qué es esto...? *(sosteniendo una moneda en la mano izquierda).*

¿Sólo una vulgar moneda, no? *(la moneda desaparece).*

¿Dónde está ahora? *(inevitables murmullos y gritos de «en su bolsillo... escondida en la manga».*

No, simplemente ha desaparecido, pero vosotros no vais a desaparecer hasta que termine de hablaros, así que lo mejor que podéis hacer es relajaros...

Nota: en una célebre escuela se produjo una prolongada pausa antes de que comenzaran los actos. Era una habitación pequeña, atestada por unos cincuenta inquietos muchachos. Entonces dije: «Lamento haceros esperar, empezaremos en seguida»; «Yo diré cuándo empezamos» me reprochó, pública y severamente, el director. Esta forma de reprimenda a un invitado es poco usual, pero una sola de éstas vale por muchas. Antes de abrir la boca, consulte siempre a los organizadores, ciudadanos prominentes o líderes del lugar o del acto.

Es importante también que elija la apertura de su discurso y, por así decirlo, corte sus hechuras de acuerdo con la naturaleza y dignidad de la ocasión. En caso de duda, manténgase relajado, pero recuerde que hay quienes interpretan un inicio demasiado informal como una ofensa a una falta de reconocimiento de la importancia del evento o (aún peor) de los allí presentes.

Para los que carecen de hogar

Señoras y caballeros.

Algunas personas consideran las casas sólo como bienes inmuebles que se compran y se venden. Otras, como todos los que estamos aquí, consideramos que el hogar es algo inherente al concepto de persona. ¿No es, pues, vergonzoso que haya tanta gente viviendo en condiciones ínfimas de alojamiento?

Estoy encantado de hallarme hoy con ustedes porque conozco sus esfuerzos para proporcionar un techo a los desposeídos y ayudar a asentar sus raíces y afrontar la vida a aquellos que recogen en sus residencias.

Éstos son los dos retos. En primer lugar, la preocupación puramente física por dar a la gente un lugar en el que vivir con bienestar y felicidad. En segundo lugar, la aceptación del hecho de que hay muchos individuos en nuestra civilización que no son capaces de afrontar su existencia actual.

A esta última categoría pertenecen muchos de los desposeídos y de los desheredados de la sociedad. No están organizados: carecen de representantes en el Parlamento, ya que no constan en el registro; vagan desarraigados a través de un mundo que prefiere ignorarlos.

Igual que los ignorantes en medicina aconsejan a los depresivos crónicos que «se quiten de la cabeza esas tonterías», con lo que sólo consiguen empeorar la situación, así los que tienen éxito en la vida tienden a no entender a los que son incapaces de vivirla adecuadamente.

Esta organización... *(exponga sus objetivos).*

Esta organización... *(exponga sus logros).*

Esta organización... *(exponga sus problemas pendientes y muestre la forma en que cada uno puede ayudar a resolverlos).*

Sólo puedo expresar a esta organización, a quienes luchan por ella y a aquellos a los que intenta ayudar, mis más sinceros y cálidos ánimos. Si mis colegas y yo podemos servirles de ayuda, estaremos encantados de cooperar; mientras tanto, nos agrada sobremanera hallarnos asociados a su trabajo.

Nota: este tipo de discurso puede adaptarse con facilidad a cualquier asociación de carácter comercial o benéfico.

La magia de la plabra

Los oradores deben (o cuando menos deberían) entretener a su audiencia. Y en ocasiones nosotros los políticos somos invitados a participar en el mundo del espectáculo y del ocio. El siguiente discurso fue el primero de una gran cena celebrada en Londres por la Hermandad Internacional de Magos. Entre los invitados se hallaban no sólo algunas de las más destacadas personalidades del campo de la magia, sino también una selecta representación de figuras del espectáculo.

Obsérvese, en particular, el giro retórico hecho hacia el fin del discurso, que da paso (con un floreo tomado de un prestigioso *showman*) a la entrega de un obsequio especial.

Señor presidente, damas y caballeros.

El maestro de ceremonias acaba de susurrarme al oído: «¿Quiere hablar ahora, señor Janner, o les dejamos disfrutar un poco más?» Yo creo que había olvidado que los políticos, como los magos, formamos parte del negocio del espectáculo. La única diferencia es que los políticos resultan mucho más dañinos.

Pienso que hay tan sólo dos personas capaces de hacer desaparecer las monedas con mayor rapidez que David Berglas: el canciller del Exchequer y mi esposa, Myra. Tanto ella como yo sentimos el mayor placer en compartir esta noche con ustedes.

La primera vez que vi trabajar a David Berglas, con la perfección de siempre, fue hace unos veinticinco años. Por entonces yo llevaba los asuntos de un grupo de música folk en el Brady Boys Club, situado en una zona particularmente dura del East End londinense. Nos hallábamos desesperadamente cortos de fondos, así que decidimos organizar un concierto público. Yo tenía amigos en el mundo del espectáculo y les pregunté quiénes, entre las figuras de auténtico renombre, serían las más dispuestas a ayudarnos si les fuera posible. En respuesta recibí tres nombres, y todos ellos accedieron.

La primera fue la emotiva y cálida cantante Alma Cogan. El segundo, ese auténtico príncipe de los actores de carácter llamado David Kossoff. Y el tercero no fue otro que nuestro presidente, David Berglas, famoso por sus espectáculos de magia en radio y televisión.

David no sólo participó en el espectáculo, sino que tomó bajo su protección a un joven y no muy brillante mago, especializado en un número de malabarismo con balones acompañado por la música de nuestro grupo. David supo animar y encorajinar al muchacho, que ciertamente terminó adorándole.

Desde entonces, he visto a David, con su sobria y digna elegancia, utilizar la magia de la magia, para proporcionar distracción y felicidad a quienes más lo necesitaban. Puedo contar, por ejemplo, cómo hace algunos años renunció a sus vacaciones de Navidad para acompañarme a Leicester, donde montó diversos espectáculos para ancianos, para niños y para los jóvenes de un reformatorio.

Esta noche tengo una sorpresa para él. Quiero ofrecerle un pequeño obsequio. He intentado encontrar un vaso de los llamados «Berglas», que siempre creí eran una especie de Santo Grial que no arroja sombra. En lugar de ello, he hallado una copa grabada, de porcelana Wedgwood Parliamentary, la cual le ruego acepte como una muestra de afecto, no ya por mi parte, sino sobre todo en nombre de los miles de personas a las que ha hecho disfrutar y ha ayudado sin esperar ningún tipo de recompensa y que no pueden compartir conmigo el honor de rendirle homenaje esta noche.

* * *

Los que piensan que los políticos y los magos llevan una vida fascinante y carente de dificultades sufren un error muy común y pernicioso. Pocos son los que comprenden las tensiones que se ven obligadas a soportar nuestras esposas. Esta noche queremos rendir tributo no sólo a David, sino también a Ruth, su mujer, que le ha sostenido durante treinta años en los distintos avatares de la fortuna, y a sus hijos.

Así como el afecto por David establece un vínculo entre nosotros, la Sección Británica de la Hermandad Internacional de Magos une a los hombres de la magia de todo el mundo con nuestros 1.500 asociados, que conforman la más nutrida federación.

Os invito ahora a levantaros y a brindar por esta Sección Británica, por su presidente, David Berglas, y por Ruth, su esposa. Que puedan disfrutar juntos durante muchos años la magia de la buena salud y la mutua realización en tan perfecta armonía.

Asociaciones benéficas y mutualidades

Queridos amigos.

Todos formados parte del mismo gremio/sector, ¿no es cierto? Algunos hemos tenido más suerte que otros, y los que hoy estamos reunidos aquí somos, sin duda, muy afortunados.

Ninguno de nosotros ignora que nuestro progreso no ha sido ningún camino de rosas. Todos recordamos días difíciles en los que podríamos haber quedado asfixiados por los problemas; de hecho, hay aquí presentes personas que han tenido que luchar duramente para ascender a la cima tras haberse visto al borde de la ruina, generalmente sin culpa alguna por su parte.

Nuestra asociación benéfica está concebida, sin embargo, para ayudar a aquellos que no han tenido la fortuna suficiente para estabilizarse, y que por consiguiente precisan nuestro apoyo y respaldo.

La asociación ha conseguido grandes logros... *(esquematícelos)*. La asociación tiene asimismo grandes planes... *(esquematícelos)*.

La reunión de hoy tiene como fin... *(exponga el propósito de la reunión)*.

Mis compañeros y yo nos sentimos honrados de cooperar en vuestra tarea. Experimento una enorme satisfacción de ser vuestro invitado / presidente, y puedo asegurar que haré todo lo que esté en mi mano para ayudaros. Que la gracia de Dios acompañe a todos los que formamos parte de esta gran empresa.

60. Presentaciones, bienvenidas y agradecimientos

A un ministro

Señor presidente, señor secretario de Estado, damas y caballeros.

Todos nosotros nos sentimos muy agradecidos al ministro por reunirse con nuestra gran familia *(o: la gran familia de nuestro gremio, sector, o lo que el caso requiera)* cuando le hubiera resultado mucho más sencillo y placentero permanecer con la suya propia. Apreciamos no sólo las palabras que nos ha dirigido, sino el hecho de que haya debido robar parte de su tiempo para estar hoy y aquí con nosotros.

En cierta ocasión le pregunté a un amigo que trabajaba como oficial de seguridad de qué manera definiría su labor. «Bueno», respondió, «estoy a cargo de los accidentes». De acuerdo con ese criterio, el ministro está a cargo de la enfermedad, el dolor y el abandono *(o el desempleo, o lo que el caso requiera)*. Él afronta nuestros problemas y los suyos con admirable serenidad y, por el bien de todos, le deseamos el mayor de los éxitos.

Todos comprendemos los enormes peligros que se ciernen sobre nuestra sociedad ante cualquier situación generalizada de inquietud. Cuando el pueblo contempla a todos los políticos con el mismo disgusto, la democracia está en peligro. En cierta ocasión se definió a un estadista como un político muerto; pues bien, nos sentimos satisfechos de que haya estadistas vivos, como nuestro invitado, que se preocupen por los problemas de este país.

(Aquí haga referencia a uno o dos puntos de los citados por el invitado.)

Una vez más, por tanto, agradezco al ministro el refrendo que con su presencia le ha dado a este acto, y les pido a todos que se unan a mí para expresarle nuestro más cálido aprecio.

Disculpas por una audiencia reducida

Tras conseguir que un importante personaje se presente como orador invitado ante su asociación, club u organización, no hay nada más embarazoso en el mundo de la oratoria que, por una u otra razón, la audiencia sea vergonzosamente reducida. ¿Cómo arreglaría usted la situación?

- Discúlpese de la mejor forma que pueda, aduciendo el mal tiempo, los problemas sindicales, o cualquier otra excusa que parezca razonable.
- Si es posible, traslade el acto a una sala de menores dimensiones. Unas pocas personas en una sala pequeña parecen una audiencia selecta, pero en un gran auditorio apenas se les distingue.
- Adapte su presentación al caso. Por ejemplo:

Distinguido invitado, damas y caballeros.

Sin duda todos lamentamos que las inclemencias del tiempo *(la huelga, o lo adecuado a la ocasión)* hayan impedido a muchos asistir a este acto. Nosotros, los pocos afortunados que aquí estamos, tendremos ese privilegio en exclusiva. Recuerdo ahora cierta historia: Breznev y Kosiguin estaban discutiendo la cuestión de la minoría judía que quería emigrar. Breznev comentó: «¿Por qué no les dejamos marchar?».

A ello replicó Kosiguin: «Una vez que les dejes irse, tendrás que permitírselo a los ucranianos, los armenios, los cristianos, los uzbecos... y después yo también me marcharé... Te quedarás tú sólo».

Y Breznev respondió: «No, yo no me quedaré solo. ¡La Unión Soviética será la que quede vacía!».

Estamos lejos de hallarnos ante un vacío esta noche. Entre nosotros se encuentran los más distinguidos miembros/algunos de nuestros más destacados industriales/algunos de los más prestigiosos nombres de nuestro sector.

Nos hemos reunido aquí porque conocemos la labor realizada por nuestro invitado, a quien en nombre de todos doy la bienvenida...

(Aquí detalle las principales actividades del invitado.)

Señoras y señores, les presento al señor...

Agradecimiento - relato sorpresa

Señor presidente, damas y caballeros.

Tengo sumo placer en proponer un voto de agradecimiento a nuestro orador invitado, el señor... Es un hombre de enorme prestigio, y todos le estamos muy reconocidos por su visita aquí esta noche.

Tal vez una de las razones por las que el señor... ha alcanzado tamaña celebridad sea, curiosamente, su carácter poco pretencioso y propicio a producir equívocos. Ello me trae a la memoria la historia verídica que le aconteció a un miembro del Parlamento cuando, tras una sesión particularmente larga, se dirigía en coche a su casa a las tres de la madrugada. Al encaminarse a la entrada del Parlamento para ver si podía acercar a alguien a su lugar de residencia, un colega le preguntó si tendría inconveniente en llevar a un amigo al norte de Londres. «Con sumo placer», respondió el parlamentario, y acomodó a su lado a aquel caballero de mediana edad e incipiente calvicie.

Pronto resultó evidente que el visitante había aprovechado la noche para disfrutar de las delicias del bar de invitados. Después de dar algunas indicaciones acerca del lugar al que quería ir, comenzó a dormitar.

«¿Es usted uno de los nuevos parlamentarios?», preguntó el político.

«No, soy un representante sindical», contestó el otro.

«¿Vive en Londres?».

«No, en Escocia».

El parlamentario encendió la radio, y al poco el interlocutor comenzó a tratar importantes acontecimientos sindicales. «Debería escuchar esto», le dijo a su acompañante.

«Oh, ya lo he oído antes», replicó éste.

Unos quince minutos más tarde, el parlamentario preguntó al desconocido cuál era su nombre. La respuesta le dejó paralizado: ¡se trataba de uno de los más célebres líderes sindicales del país!

«Me alegro mucho de conocerle», dijo el político, «yo soy miembro del Parlamento por...», y mencionó su circunscripción.

«¿Que es usted qué?», repuso el otro, a todas luces alarmado. «¡Un miembro del Parlamento! ¿Y qué demonios hace conduciendo un taxi por Londres a estas horas de la noche?».

Por fin, aclarada la equivocación y superado el consiguiente embarazo, ambos hombres se hicieron amigos, y lo han seguido siendo desde entonces.

Señoras y señores, yo era aquel miembro del Parlamento, y nuestro invitado de honor de esta noche era el líder sindical.

Le damos la bienvenida..., agradecemos su presencia... y le deseamos los mayores éxitos y la mejor fortuna en el futuro.

Agradecimiento a una celebridad

Damas y caballeros.

Lamento de veras no haber podido conocer hasta esta noche a nuestro orador invitado; personalmente, se entiende. Como todos ustedes, le conocía hace tiempo a través de la prensa, la radio y la televisión, y siempre le he admirado por su lucha para mejorar la suerte de otros. La oportunidad que hoy nos reúne no reviste caracteres dramáticos, pero sea bienvenida.

Señor... *(nombre del orador),* todos le estamos muy agradecidos, y confiamos en que nos acompañará en más ocasiones. Le deseamos la mejor suerte en su trabajo, y le mostramos nuestro reconocimiento por hablarnos acerca de él.

Jubilación

Señor presidente, compañeros y amigos.

Resulta extraño asistir a una reunión del... sin que Arthur Jones la presida. En los últimos... meses/años, se ha convertido en el ejemplo vivo de todo lo mejor que hay en nuestra organización. Es mucho lo que debemos agradecerle.

En primer lugar, quiero darle las gracias por la amable forma en que se ha referido a mí. Ha sido cordial, generoso y sumamente preciso.

Yo puedo afirmar con similar seguridad que sus cualidades de... y ... han sido una constante de su trabajo y le han ayudado a crear una vigorosa organización.

La mayor parte de nosotros somos en extremo individualistas, o de lo contrario no estaríamos haciendo este trabajo. Podemos estar en desacuerdo sobre la mejor manera de servir a los intereses de nuestros consumidores/clientes/firmas comerciales. Argumentamos, debatimos y discutimos. Pero todos estamos unidos en nuestra admiración al señor...

Déjeme recordarles algunos de sus logros... *(extiéndase sobre este tema).*

Ahora que deja atrás una vida de trabajo, sabemos que, como miembro honorario de nuestra... nos dispensará la misma sencilla, cálida y afectuosa bienvenida, y ayuda, que cuando ostentaba el más alto cargo y honor que pudimos darle.

Dijo el poeta:

Resuenen, resuenen los clarines y los pífanos,
dejemos a la naturaleza entera proclamar
que una agitada hora de nuestra gloriosa vida
vale lo que una impersonal eternidad.

Nuestro amigo y mentor, Arthur Jones, ha disfrutado sus muy agitadas horas, y ha insuflado gloriosa vida a nuestras actividades / compañía / organización. Le damos las gracias por ello, y deseamos para él todo lo mejor.

Invitados distinguidos

Damas y caballeros.

En la insustituible ausencia de nuestro presidente, se me ha pedido que, en nombre de los invitados, dé las gracias a los anfitriones por este espléndido y al tiempo austero *lunch (canapés de salmón ahumado).* Quisiera que los hombres de negocios de todo el mundo compartieran tal austeridad.

En particular, deseo agradecer a nuestros invitados el honor de su compañía, y sus palabras entusiastas. Es para mí un misterio cómo consiguen soportar, física y psíquicamente, sus continuos viajes por todo el mundo. Quizá se deba a la energía que proporciona el ya internacional salmón ahumado.

Uno de nuestros huéspedes es abogado, el otro financiero. Cuando la justicia y el dinero se unen sobre una misma plataforma, es evidente que nos hallamos ante una causa común.

Hemos escuchado con placer sus discursos, y pueden estar seguros de que nos sentimos felices de asociarnos a su labor. *(Aquí algunas palabras sobre dicha labor.)*

Todos estamos inmersos en ella, y les damos las gracias a nuestros invitados por aumentar nuestro grado de participación. Esperamos que muy pronto volveremos a tenerles entre nosotros, y que la próxima vez su estancia sea mucho más prolongada.

61. Discursos de negocios

Juntas generales de sociedades

Cuanto más prolongada sea una junta, mayores posibilidades existen de que se produzcan conflictos y disputas. El informe del presidente ha de marcar el tono, al exponer los datos fundamentales que deben conocer los accionistas, e indicar las perspectivas de futuro.

Recuerde que este informe frecuentemente se publica y, por tanto, debe prepararse cuidadosamente y leerse con escrupulosa meticulosidad. Es conveniente que vaya precedido o seguido por algún adorno retórico, ya sea éste espontáneo o aparentemente improvisado.

Agradezco a lord Sieff de Brimpton su permiso para reproducir el siguiente informe, breve y modélico ejemplo, que dirigió a los accionistas de Marks & Spencer.

Informe del presidente de Marks & Spencer, lord Sieff de Brimpton

Durante los últimos seis meses, la recesión económica se ha agudizado, al tiempo que crecía el desempleo y se mantenía elevada la inflación. En tales circunstancias, nuestras cifras de ventas resultan estimulantes, sobre todo si tenemos en cuenta su aumento durante los meses de agosto y septiembre.

Este incremento se debe fundamentalmente a una mejora en la oferta de confección de calidad y productos alimenticios, campos en los que, con la cooperación de nuestros proveedores, hemos reducido de manera sustancial el precio de numerosos e importantes artículos. Nuestros artículos de confección valen sólo un 2 % más que hace un año, y un 8 % más los de alimentación. Todo ello se ha conseguido manteniendo inmutables nuestros altos niveles de calidad.

Si la tendencia actual continúa, confiamos en que el beneficio final del ejercicio será satisfactorio.

Hemos proseguido con nuestra inveterada política de «comprar productos británicos». En los últimos años varios de nuestros principales proveedores han invertido sumas sustanciales en el más moderno equipamiento. Merced a una estrecha colaboración con ellos, en la mayoría de los casos hemos podido afrontar el reto de la confección importada.

El 1 de abril, tres meses antes que el año anterior, hemos concedido a nuestro personal el aumento de salarios. Debido a ello, y en comparación con el ejercicio anterior, los costes incluyen una cantidad adicional en concepto de incremento de salarios durante un trimestre; esta suma asciende a unos 3 3/4 millones de libras. De esta forma se completa la actualización de nuestras revisiones salariales, que en años futuros tendrán siempre lugar a principios del mes de abril.

Nuestras sucursales en Canadá están haciendo progresos. Por lo que se refiere al continente, afrontamos problemas económicos similares a los del Reino Unido. Una parte sustancial de la mercancía vendida es de manufactura británica, y los márgenes de beneficios se han resentido del fortalecimiento de la libra.

El consejo de administración ha decidido repartir un dividendo a cuenta de 1,5 peniques por acción, el mismo que el año anterior; se abonará el 16 de enero próximo a aquellos accionistas cuyos nombres figuren en el registro de accionistas el 14 de noviembre de este año.

La situación del sector

Me siento feliz al tener esta oportunidad de analizar la situación actual de nuestro sector, y hacer un llamamiento en nombre de todos nosotros al Gobierno para que nos brinde comprensión y ayuda. Nos hemos atenido respetuosamente a los consejos y las indicaciones del Gobierno, llevando a cabo una política de austeridad y reducciones. Pero ello nos ha dejado en una situación de debilidad sumamente peligrosa. Veamos a continuación los peligros, que son muchos.

Afrontamos una competencia, cada vez mayor, de países donde los trabajadores reciben salarios miserablemente bajos. Hemos de luchar contra el *dumping* realizado por proveedores que, directa o indirectamente, por medios legales o no, reciben fuertes subsidios de sus gobiernos. Y el Gobierno no parece dispuesto a ayudarnos a hacer frente a esta competencia desleal.

No estamos, quede claro, ni contra la competencia ni contra las importaciones, y reconocemos que los demás también necesitan vender, igual que nosotros hemos de exportar para vivir. Sabemos que si establecemos restricciones indebidas a nuestras importaciones, deberemos esperar el mismo trato por parte de aquellos a los que exportamos. Nos manifestamos contra la competencia *desleal...* las importaciones *desleales,* el *dumping...* y las exportaciones *subvencionadas* por otros gobiernos, todo lo cual no encuentra la necesaria ayuda gubernamental a nuestra decaída industria.

Si a todos esos problemas externos, sobre los que no podemos influir, añadimos las consecuencias de nuestra recesión, el difícil momento que atraviesa nuestra moneda, la crisis de nuestra economía, y la reducción de la demanda exterior acrecentada por el colapso de nuestro propio mercado, las razones para mi inquietud resultan evidentes.

Así pues, debemos planificar, organizar, movilizarnos en las instancias políticas y trabajar juntos por la conservación de nuestro sector. Si aprendemos la lección de los sindicatos en el sentido de que mientras permanezcamos aislados seremos débiles, y somos capaces de unir nuestras fuerzas en la lucha, entonces estos difíciles años habrán sido una provechosa enseñanza para todos.

Remedios

El diagnóstico sobre nuestro sector es evidente: hemos de curar el estado de debilidad provocado por la recesión. Esta operación precisa capital e inversión, pero, por encima de todo, necesita ánimo y confianza.

Ya ha pasado el tiempo en que cada industrial intentaba estrangular las actividades de los demás. Ahora hemos de trabajar juntos en pro de la supervivencia de..., y comprender que el colapso de uno constituye señal inequívoca de tormenta para todos los demás.

Por tanto, mis compañeros y yo proponemos los siguientes pasos, que tienen como objeto exponer la situación ante el Gobierno y solicitar su ayuda constructiva para solucionar nuestros problemas, de los cuales no es el menor, por cierto, el mantenimiento del nivel de empleo en este área básica de nuestro sector.

Primero...

Segundo...

Tercero...

Éstas son las propuestas que sometemos a su consideración, y les pido que las aprueben por unanimidad. Nosotros necesitamos la mayor confianza posible, y ustedes precisan una política firme y bien orientada, que entre todos sabremos llevar adelante.

62.   Sindicatos y órganos directivos

Nunca le hable a nadie dándoselas de superior, y menos a los sindicatos. He visto fracasar lamentablemente discursos en entregas de premios escolares, actos comerciales, debates universitarios y congresos sindicales, y ello se ha debido casi siempre a que el orador dejaba traslucir que consideraba a sus oyentes como inferiores, ya fuera por su juventud, su educación, su posición social o cualquier otra razón. Por el contrario, la mayor parte de los discursos bien recibidos fundaron su éxito en el trato al oyente como un colega, un compañero, un igual en suma.

Los sindicatos son particularmente sensibles a las aparentes condescendencias, aun cuando éstas constituyan sólo una máscara para la timidez o el recelo.

Cuanto más joven y menos educada es la audiencia, mayor es su capacidad para percibir la falta de sinceridad. Sólo engañará a los sindicatos una vez. La próxima ya no confiarán en usted. Tampoco aceptarán compartir las penalidades de la recesión, si no ocurre lo mismo con los beneficios en épocas de prosperidad. Siempre que sus planteamientos económicos no lleguen a oídos de quienes les dan crédito, los empresarios están siempre dispuestos a mostrar sus miserias a los trabajadores. Pero, en momentos de crisis esos informes sólo salen a la luz después de haber separado lo necesario para la reserva del fondo de pensiones, así como para otros «destinatarios» de los beneficios que se prefieren guardar en el anonimato.

Por tanto, la clave para dirigirse con éxito a los empleados —sobre todo a los que están apoyados por un sindicato fuerte— estriba en compartir con ellos la información, las inquietudes y las esperanzas, con sinceridad y franqueza. O, para decirlo de otra forma, en ponerse a su nivel...

Información a la junta, etc.

Señor presidente, señoras y señores.

Les agradezco que hayan accedido a reunirse hoy conmigo. Quisiera exponerles brevemente la situación en que se halla la sociedad, así como nuestros planes y esperanzas para el futuro.

Nuestro secretario, Roger White, que está aquí a mi lado, ha proporcionado al consejo nuestras últimas estadísticas. Yo he traído un resumen para cada uno de ustedes, y, una vez finalizada la exposición, Roger tendrá sumo gusto en unirse a mí para responder a todas las preguntas que quieran hacer sobre las cuentas que les presentamos. Las cuales marcan a la dirección la pauta de nuestras obligaciones y nuestras perspectivas. También les proporcionarán una idea acerca de la situación del negocio, del que al fin y al cabo depende el modus vivendi de todos nosotros.

Recordándoles que el período cubierto por el informe es el año (semestre/trimestre) comprendido de... a..., procedo a efectuarles un resumen:

Primero: durante este período el volumen de ventas aumentó (decreció) de... a...

Segundo: nuestra plantilla creció (disminuyó) de... a...

Tercero: el número de días de trabajo perdidos a causa del absentismo por enfermedad aumentó de... a...; y como consecuencia de conflictos laborales aumentó (bajó) de... a...

Cuarto: y, por favor, consideren la siguiente información como estrictamente confidencial, en términos generales, al comienzo de este período teníamos en cartera pedidos suficientes para mantenernos ocupados (a jornada completa de trabajo) durante... semanas (meses). En estos momentos podemos mirar con seguridad hacia adelante, sólo hasta...

Nuestros planes para el futuro son los siguientes.

Haremos todos los esfuerzos para mantener nuestra plantilla actual. Si por desgracia nos vemos obligados a reducir su número, intentaremos llevarlo a cabo por medio de un proceso natural, esto es, no reemplazando a aquellos empleados que nos abandonen. Pero si la reducción de puestos de trabajo se torna inevitable —e insisto que esperamos y creemos que esto no ocurrirá— consultaremos con todos los sindicatos implicados, e intentaremos que dicha reducción se realice de la forma menos penosa posible.

De cualquier modo, repito que tengo la firme esperanza de que esta situación no llegue a producirse. Tanto el consejo como el equipo de dirección en pleno están resueltos a recorrer el país (mundo entero) en busca de pedidos y a tomar todas las medidas necesarias, dentro de nuestras posibilidades, para mantener unida nuestra organización, con toda su capacidad, experiencia y solidaridad. Sabemos que conocen los problemas existentes, y apreciamos enormemente su apoyo y ayuda. Creemos que si todos trabajamos juntos podremos sobrevivir a esta penosa recesión. Gracias por su atención. Y ahora, por favor, hagan las preguntas que deseen. Trataremos de responderles con la mayor franqueza, y en la plena confianza de que comprenden que todos estamos trabajando unidos por el futuro de nuestras fábricas (negocio/empresa).

Nota: la parte de este discurso referida a la reducción de plantilla destaca la situación de crisis, y no debe emplearse si tal crisis no es cuando menos una probabilidad previsible. Si puede ofrecer cualquier motivo de satisfacción, introdúzcalo por todos los medios. Como alternativa, puede utilizar la sección de posibles despidos como parte importante de otro discurso aún más sombrío, en caso de que la reducción de plantilla se haga realmente inevitable.

Los mismos principios resultan aplicables cuando haya de hablar al equipo de dirección. Veamos un ejemplo:

A los compañeros del equipo de dirección

Os agradezco sinceramente que hayáis acudido hoy a esta reunión. No ignoro la gran distancia que algunos habéis tenido que recorrer, y las dificultades que ha supuesto para otros el abandonar vuestro trabajo (departamento). Pero era esencial que nos reuniéramos todos a fin de decidir cómo afrontar esta situación de emergencia (cómo obtener el mejor provecho de la presente oportunidad/cómo evitar) *(o lo que el caso requiera)*.

Voy a hacer primero algunas consideraciones sobre el guión que se os ha entregado. Quisiera destacar los siguientes puntos:

1...
2...
3...

El consejo de dirección cree que deberían tomarse las medidas que a continuación os exponemos; antes de tomar una decisión irrevocable, sin embargo, deseamos conocer vuestros puntos de vista. Nuestras propuestas son:

1...
2...
3...

Esperamos escuchar vuestros comentarios y contrapropuestas. Valoraremos vuestras críticas constructivas y vuestras ideas, al igual que apreciamos vuestra solidaridad, camaradería y apoyo, sin los cuales esta empresa no podría mantener su excelente funcionamiento.

Nota: los resúmenes económicos (como en el caso anterior), los guiones (como en este caso), o cualquier otro documento, preparados cuidadosamente con antelación, evitarán pérdidas de tiempo, constituirán una base para la discusión y reducirán el tiempo de su intervención.

Charla al equipo de ventas

He pedido a los integrantes del equipo de ventas que os reunáis hoy conmigo a fin de que planeemos juntos el futuro de nuestro negocio. En el pasado, los clientes venían a buscarnos; en estos tiempos difíciles, sin embargo, somos nosotros los que hemos de ir a buscarlos, y llegar, además, mucho antes que nuestros competidores.

Ahora pido a nuestro compañero Bill Black que os presente nuestro nuevo producto, que constituirá el centro de todos nuestros esfuerzos durante la próxima campaña. Bill...

(El señor Black presenta y explica las características del producto, empleando diagramas adecuados, esquemas o ayudas visuales.)

Ahora ya conocéis el producto y sabéis nuestros proyectos. ¿Cómo conseguiremos, entonces, derrotar a nuestros competidores, obtener buenas ventas, y hacer honor al esfuerzo y la inteligencia derrochados por nuestros compañeros de investigación y desarrollo? ¿Cómo sacaremos el mejor provecho de esta nueva y magnífica oportunidad? Si tenemos éxito la empresa prosperará. En cuanto al fracaso, es impensable tanto para la firma como para todos nosotros.

Nota: las ayudas visuales constituyen un complemento fundamental para su charla. Son indispensables para: a) explicar conceptos complicados y maquinaria; b) puntualizar una charla prolongada o darle más brillantez a una de corta duración; c) incluir el talento de otros en su intervención.

PARTE 8

DISCURSOS CLÁSICOS

63. Lloyd George: «Discurso en Limehouse»

Extracto del discurso de Lloyd George a unas cuatro mil personas en Limehouse, en 1909.

Ahora, a menos que esté cansándoles, quisiera discutir otro impuesto sobre bienes raíces, el establecido sobre los cánones de explotación minera. Los propietarios de tierras están recibiendo ocho millones de libras al año. ¿Por qué razón? Ellos no depositaron allí el carbón, ni fueron los que colocaron esas enormes rocas graníticas en Gales, ni quienes pusieron los cimientos de las montañas. ¿Acaso hizo todo eso el terrateniente? Y, sin embargo, en virtud de algún derecho divino, reclama, sólo por conceder a los hombres el derecho de arriesgar sus vidas excavando esas rocas, ¡ocho millones al año!

Acudan, si no, a cualquier cuenca carbonífera. Yo estuve en una el otro día y, señalándome una entre las muchas minas que allí había, me dijeron: «Observe aquella mina. El primer hombre que comenzó a trabajarla gastó un cuarto de millón abriendo túneles y galerías en todas las direcciones y niveles. Nunca encontró carbón. El segundo invirtió cien mil libras, y también fracasó. Sólo el tercero que perseveró obtuvo al fin el carbón. ¿Qué hacía mientras tanto el dueño de la tierra? El primer hombre no tuvo éxito, pero el propietario cobró sus cánones y sus rentas fijas. El siguiente tampoco triunfó, y el propietario continuó cobrando. Estos capitalistas invirtieron su dinero. Pero cuando el asunto no funcionó, ¿qué puso de su parte el dueño del terreno? Tan sólo una denuncia ante el juzgado para cobrar. Mientras tanto, el capitalista arriesga su dinero, el ingeniero se esfuerza en la mejora de la explotabilidad y el minero pone en peligro su vida».

¿Han bajado alguna vez a una mina de carbón? Si es así, habrán experimentado lo mismo que yo. Primero descendimos por un pozo que tenía media milla de profundidad, y después caminamos por las profundidades de la montaña, tres cuartos de milla bajo las rocas y la pizarra. La tierra sobre nosotros parecía querer aplastarnos: podían verse las apeas, dobladas, retorcidas, agrietadas hasta reventar. De hecho, ello ocurre en ocasiones, y entonces hacen acto de presencia el dolor, las mutilaciones y la muerte. Con frecuencia prende una chispa de gas, el pozo entero se inunda en llamas, y el hálito vital queda sofocado en cientos de pechos por el fuego aniquilador.

En la siguiente mina a la que descendí habían perecido de esa forma, tres años antes, trescientas personas. Y, sin embargo, cuando el primer ministro y yo llamamos a la puerta de los grandes terratenientes y les dijimos: «Como bien saben, estos pobres trabajadores han estado excavando y produciendo cánones para ustedes, con riesgo de sus vidas. Algunos ya son viejos, han sobrevivido a los peligros de su profesión, están rotos, son incapaces de producir más. ¿No darán ustedes algo de dinero, para que no se vean obligados a seguir trabajando?», nuestros interlocutores pusieron el grito en el cielo. Y cuando insistimos: «¿Ni siquiera medio penique, unos céntimos?», llenos de indignación nos llamaron ladrones, echaron sus perros sobre nosotros, y no hay día en que no se escuchen sus ladridos. Esto nos muestra cómo entienden estos propietarios su responsabilidad hacia la gente que, a riesgo de sus vidas, está labrando su riqueza; y por ello yo afirmo que su día de ajuste de cuentas está llegando.

Hace pocas fechas, en el gran congreso del Partido Conservador, celebrado en el Cannon Street Hotel, las paredes ostentaban este cartel: «Protestamos contra el presupuesto en nombre de la democracia, la libertad y la justicia». Mas, ¿dónde está la democracia en este sistema de propiedad de la tierra? ¿Qué justicia hay en todas esas prebendas? Nosotros afirmamos que el impuesto que hemos establecido sobre la tierra es correcto, justo y moderado. Nos amenazan con que si lo llevamos adelante cerrarán las explotaciones y despedirán mano de obra. ¿Pero qué clase concreta de mano de obra piensan elegir para sus reducciones? ¿Amenazan acaso con devastar la Inglaterra rural mientras ellos continúan comiendo y vistiendo lujosamente? ¿O piensan tal vez en prescindir de algunos de sus guardabosques? Eso sería muy triste; desde luego, los agricultores y los granjeros podrían aprovechar para sí algo de la caza que ha engordado con su propio trabajo, pero ¿se imaginan lo que ocurriría cuando llegase la temporada?: ¡habrían acabado para todos ellos las cacerías de fin de semana con el duque de Norfolk! En cualquier caso, no es ésa la clase de mano de obra que tienen pensado reducir. No, es el trabajo productivo, el de los obreros y los agricultores, y están dispuestos a arruinar sus propiedades hasta que no se les retiren los impuestos.

Lo único que puedo decir es que ser propietario de tierras no supone sólo un privilegio; es también una responsabilidad ante los demás. Así se reconoció en el pasado, y si ellos dejan de desempeñar sus funciones, a saber, mantener la seguridad y defensa del país, y ayudar a los desamparados que viven en sus tierras, entonces aquellas funciones que forman parte de los deberes tradicionalmente asociados con la propiedad de las tierras y que dan sentido a este término, si ellos, repito, no cumplen con estas obligaciones, será preciso reconsiderar las condiciones bajo las cuales dicha propiedad se ostenta en esta nación.

Ningún país, por rico que sea, puede permitirse comprometer su prosperidad por salvaguardar las rentas de una clase que no acepta las responsabilidades que le competen. Uno de los primeros deberes del Estado es investigar estas condiciones. Pero no creo que una tal situación llegue a presentarse; ya otras veces han proferido las mismas amenazas, y han visto que no les convenía llevar adelante tan fútiles provocaciones. Ahora protestan porque tienen que pagar la parte que en justicia les corresponde de los impuestos sobre la tierra, y se justifican diciendo: «Están ustedes asfixiando al país, abruman al pueblo con un peso que no puede soportar». ¡Ah!, no piensan en su propio provecho. ¡Almas nobles! No se lamentan por los grandes duques, sino por los huertanos, los obreros de la construcción y, hasta hace poco, los pequeños propietarios.

En todos los debates de la Cámara de los Comunes repetían: «No nos preocupamos por nosotros mismos, no en vano podemos soportar la situación con nuestros grandes terrenos; pensamos en los pequeños propietarios que sólo poseen unos acres». Y tanto nos impresionaron sus doloridas apelaciones que, por último, dijimos: «De acuerdo. Los dejaremos fuera». A decir verdad, yo casi esperaba ver al señor Prettyman saltar del escaño y arrojarse en mis brazos. Sin embargo, rígido y con el rostro contraído de ira, exclamó: «El presupuesto resulta así más injusto que nunca». Pero no es cierto. Pondremos las cargas más pesadas sobre los hombros más anchos. ¿Por qué habría yo de oprimir con ellas al pueblo? Soy uno más de sus hijos, crecí con sus gentes y conozco sus problemas. Dios me libre de añadir la más mínima preocupación a las muchas que el pueblo llano soporta con tanta paciencia y entereza. Cuando el primer ministro me hizo el honor de proponerme que tomara a mi cargo el National Exchequer, en tiempos de grandes dificultades, decidí elaborar el presupuesto rigiéndome por una regla básica: en el futuro ningún ciudadano se empobrecerá más ni sufrirá mayores penalidades. Sobre esta base, les desafío a que juzguen el presupuesto.

(Reproducido, con el amable permiso de Caxton Publishing Co. Ltd., de The Book of Public Speaking, *vol. 3, editado por C. Fox-Davies.)*

64. George Bernard Shaw: «El Partido Laborista»

Discruso de Shaw en su septuagésimo cumpleaños, con motivo de una cena celebrada en su honor por el Partido Laborista.

Durante los últimos años el público ha estado intentando fastidiarme de todas las formas posibles hasta que, dado que no conseguían nada, han decidido tratarme como a un gran hombre. Éste es un destino terrible de sobrellevar para cualquier persona. En fecha reciente se ha producido un evidente intento de insistir sobre el tema, y por eso me he negado rotundamente a comentar nada acerca de la celebración de mi septuagésimo cumpleaños. Pero cuando mis viejos amigos del Partido Laborista me invitaron a venir aquí, supe que todo marcharía bien; porque nosotros hemos descubierto el secreto de que no existen grandes hombres, y hemos comprendido asimismo que no hay grandes naciones ni grandes estados.

Ésa es una forma de pensar que le dejamos al siglo XIX, al que en puridad pertenece. Todos saben que soy un individuo extraordinariamente brillante en mi trabajo. Pero, al igual que cualquiera de ustedes, no tengo el sentimiento de ser un «gran hombre». Mi predecesor en este negocio, Shakespeare, vivía en un círculo de clase media, pero en ese círculo había otro hombre que no pertenecía a la clase media, se trataba de un albañil. Cuando Shakespeare murió, toda la clase media comenzó a celebrar al escritor publicando una edición *infolio* de sus obras (yo aún no he llegado a eso, pero no tengo ninguna duda de que lo haré), y se escribieron todo tipo de pomposos poemas sobre la grandeza de Shakespeare. Paradójicamente, sin embargo, el único tributo que aún hoy se recuerda y se repite es el que le dirigió el albañil, quien afirmó: «Le admiré tanto como puede admirarse a un hombre sin caer en la idolatría.»

Cuando yo era joven, el Partido Laborista estaba ligado al liberalismo y al radicalismo. El liberalismo tenía sus propias tradiciones, las de 1649, 1798, 1848, que todavía se mantienen firmes en lo que se denomina Partido Comunista. ¿Cuáles eran tales tradiciones?: las barricadas, la guerra civil y el regicidio. Ésas son las genuinas tradiciones del liberalismo, y la única razón por la que hoy podemos decir que no existen, es porque el propio Partido Liberal ha dejado de existir.

El Partido Radical era republicano y ateo, y su gran principio consistía en la no menos grande e histórica frase de que el mundo nunca gozaría de paz hasta que el último rey fuera colgado de las tripas del último cura. Cuando se les rogaba que fueran un poco más explícitos y lo expresaran en términos de política práctica, explicaban que la tierra rebosaba de tribulaciones e injusticias debido a las quince mil libras anuales que ganaba el arzobispo de Canterbury y a las pensiones perpetuas de que disfrutaban los descendientes de las cortesanas de Carlos II.

Ahora, sin embargo, hemos construido un partido constitucional, y lo hemos edificado sobre bases socialistas. Mis amigos, los señores... y yo mismo, declaramos desde el primer momento que nuestro propósito era hacer del partido socialista un partido constitucional, al que cualquier ciudadano respetable y temeroso de Dios pudiera pertenecer sin la más leve mancha de su honorabilidad. Nos hemos desembarazado de todas aquellas tradiciones, y a ello se debe que los gobernantes nos teman ahora más de lo que nunca temieron a los radicales.

Nuestra posición es sumamente sencilla, y tenemos la gran ventaja de dominarla a la perfección. Oponemos el socialismo al capitalismo y, de hecho, nuestro principal problema estriba en que los capitalistas no tienen la más ligera noción de lo que significa el capitalismo. Es, sin embargo, algo muy simple. El partido socialista afirma que, si te haces cargo de la propiedad privada, privatizas todos los medios de producción, y los mantienes así —en cuanto que es un contrato establecido por personas sobre tal base—, entonces la propiedad funcionará por sí misma, e igualmente lo hará la distribución de los bienes.

Según los capitalistas, ello garantizaría al mundo que todo hombre tendría siempre un empleo. No pretenderían que fuera bien pagado, porque en tal caso una persona podría ahorrar lo suficiente en una semana para no trabajar la siguiente, y ellos están decididos, por una parte, a mantener a cada individuo trabajando a jornada completa con una paga de simple subsistencia, y por la otra a impedir cualquier acumulación de capital.

Afirman, además, que el capitalismo no sólo proporcionaría esta seguridad al trabajador, sino que, al acumular fabulosas riquezas en las manos de una clase minoritaria, ésta no tendría más remedio que invertir todo ese dinero. Esto es el capitalismo, y, sin embargo, nuestro Gobierno está constantemente perjudicando al capitalismo. En lugar de proporcionar empleo a los hombres o dejar que se mueran de hambre, se les da un mísero subsidio de paro, eso sí, después de asegurarse de que lo han pagado antes. Conceden subvenciones a los capitalistas, y establecen todo tipo de normativas que les quiebran su propio sistema. Eso es lo que hacen todo el tiempo, y cuando les decimos que el sistema no funciona, no lo entienden.

Ésta es nuestra crítica a los defensores del capitalismo: vuestro sistema no ha cumplido sus promesas ni un solo día desde que fue establecido. Nuestra producción es ridícula. Estamos fabricando enormes coches de superlujo, mientras que deberían construirse muchas más casas. Estamos produciendo las extravagancias más lujosas, mientras los niños mueren de hambre. Habéis vuelto la producción del revés. En lugar de comenzar por los artículos más necesarios para la nación, lo hicisteis por el extremo contrario. Afirmamos que la distribución de los bienes se ha tornado tan evidentemente absurda, que sólo dos personas, de entre los cuarenta y siete millones de ellas que habitan este país, aprobarían el sistema actual: el duque de Northumberland y lord Banbury.

Nos oponemos a vuestras teorías. El socialismo, cuya absoluta claridad no deja margen al error, afirma que el punto fundamental que ha de tomarse en consideración es el reparto. Hemos de empezar por ahí, y la propiedad privada, si resulta un obstáculo para una justa distribución, habrá de desaparecer.

La persona que rija la propiedad pública debe hacerlo bajo las mismas condiciones con que yo, por ejemplo, puedo portar este bastón. No se me permite hacer con él lo que quiera, no puedo aporrear con él la cabeza de nadie. Consideramos, pues, que si la distribución funciona mal, todo lo demás marchará mal: la religión, la moral, el Gobierno. Y afirmamos en consecuencia (éste es el significado auténtico de nuestro socialismo) que hemos de empezar por lograr una justa distribución, y dar para ello todos los pasos necesarios.

Pienso que debemos tener siempre presente que nuestra principal obligación consiste en garantizar un justo reparto de la riqueza en el mundo; y os repito de nuevo que no creo que haya entre los cuarenta y siete millones de británicos sino dos personas, quizá una sola, que aprueben la actual distribución de los bienes, Aún más, afirmo que no encontraríais un solo hombre en el mundo civilizado que esté de acuerdo con el presente sistema. Probad, por ejemplo, a preguntarle a cualquier persona inteligente de clase media si considera justo que él deba suplicar una pensión pública, mientras en los tribunales se libre una batalla en torno a un bebé, porque sólo se le han asignado seis millones de libras para su crianza.

El primer problema de una justa distribución es, de hecho, que ésta se haga realidad con los niños. Han de tener un buen sustento, mejor que el de nadie, si queremos que la próxima sea una generación de primera clase. Sin embargo, un niño no tiene aún principios morales, ni carácter, ni profesión, ni sentido de la decencia; y es a este ser indefenso a quien el Estado debe su primera atención. He aquí un ejemplo elocuente de la importancia primordial del problema de la distribución: ése ha de ser nuestro empeño, el empeño que nos llevará al triunfo.

Estoy convencido de que un día la diferencia entre nosotros y los capitalistas resultará evidente. Para ello debemos mantener ante el pueblo determinadas ideas fundamentales. Hemos de proclamar que no pretendemos revitalizar la antigua idea de la redistribución, sino la de la redistribución de la renta. Nuestra bandera ha de ser la cuestión de la renta.

He sido muy feliz esta noche. Entendí perfectamente la distinción realizada por vuestro presidente cuando manifestó que me teníais «estima social» y, a la vez, cierto grado de afecto personal. No soy un hombre sentimental, pero tampoco soy insensible a estas expresiones. Conozco su valor y me proporciona un enorme sentimiento de satisfacción, ahora que he llegado a los setenta (lo cual puedo afirmar por última vez, ya que no ocurrirá de nuevo), poder expresar lo que tanta buena gente no está en condiciones de decir.

Hoy sé que, cuando en mi juventud tomé el camino que me condujo al Partido Laborista, mi elección fue buena en todos los sentidos.

(Reproducido, con el amable permiso de Dover Publication, Nueva York, de The World's Greatest Speeches, *segunda edición revisada, editado por L. Copeland y L. Larner).*

65.   El rey Eduardo VIII: «Proclama de abdicación»

Proclama de abdicación del rey Eduardo VIII, dirigida a Gran Bretaña y al mundo entero el 11 de diciembre de 1936.

Tras larga espera, puedo al fin hacer una breve declaración auténticamente personal. No he pretendido ocultar nada, pero, por respeto a la Constitución, hasta ahora no me ha sido posible hablar.

Hace apenas unas horas cumplí mis últimos deberes como rey y emperador, y ahora que he sido sucedido por mi hermano, el duque de York, mis primeras palabras han de ser para proclamar mi fidelidad hacia él. Así lo hago con todo mi corazón.

Todos vosotros conocéis las razones que me han inducido a renunciar al trono. Quisiera haceros comprender que, al tomar esta resolución, no he olvidado en absoluto al país o al Imperio, a los cuales, primero como príncipe de Gales y más tarde como rey, he dedicado veinticinco años de servicio.

Pero podéis creerme si os digo que me ha resultado imposible soportar la pesada carga de la responsabilidad y desempeñar mis funciones de rey, en la forma en que desearía hacerlo, sin la ayuda y el apoyo de la mujer que amo.

Deseo, asimismo, que sepáis que la decisión ha sido mía y sólo mía. Era una cuestión sobre la que debía juzgar únicamente por mí mismo. La otra persona afectada de modo directo ha intentado, hasta el último momento, persuadirme en el sentido contrario.

He tomado esta decisión, la más grave de mi vida, con la sola preocupación de dilucidar qué sería, en último extremo, lo más apropiado para todos. Ha sido menos difícil adoptar una determinación gracias al pleno convencimiento por mi parte de que mi hermano, con su amplia experiencia en los asuntos públicos de este país, y sus magníficas cualidades, se halla en condiciones de ocupar mi puesto, de ahora en adelante, sin afectar ni paralizar en forma alguna la vida y el progreso del Imperio. Además, él posee una bendición que tantos de vosotros compartís, y que a mí no me ha sido concedida: un hogar feliz con su esposa y sus hijos.

Durante estos penosos días he sido confortado por el afecto de Su Majestad, mi madre, y de toda mi familia. Los ministros de la Corona, y en particular el primer ministro, el señor Baldwin, me han mostrado en todo momento la mayor consideración. Jamás ha existido entre ellos y yo, o entre el Parlamento y yo, la menor discrepancia en lo relativo a la Constitución. Educado por mi padre en la tradición constitucional, nunca hubiera permitido que tal cosa sucediera.

Desde que recibí el título de príncipe de Gales, y más tarde cuando ocupé el trono, he sido tratado con el mayor cariño por todos los estamentos del pueblo, en cualquier lugar del Imperio donde he vivido o por el que haya viajado. Y siento por ello un inmenso agradecimiento.

Ahora me retiro de los asuntos públicos, y dejo a un lado mi carga. Quizá pase algún tiempo antes de que regrese a mi tierra natal, pero siempre seguiré los destinos de la raza y el Imperio británicos con el mayor interés; y si en algún momento del futuro puedo ser útil a Su Majestad desde un puesto anónimo, no le decepcionaré.

Y ahora, todos tenemos un nuevo rey. Desde lo más profundo de mi corazón le deseo a él y a vosotros, su pueblo, la mayor felicidad y prosperidad. ¡Dios os bendiga! ¡Dios salve al rey!

66. Winston Churchill: «Sangre, fatigas, sudor y lágrimas»

Deseo proponer la siguiente moción.

Que esta Cámara apruebe la formación de un Gobierno que represente la unidad y la inflexible resolución del país de proseguir la guerra contra Alemania hasta alcanzar un final victorioso.

La noche del último viernes recibí de Su Majestad el encargo de formar un nuevo Gobierno. Eran deseo y voluntad evidentes del Parlamento y de la nación que fuera constituido sobre la base más amplia posible, y que incluyera a todos los partidos, tanto los que apoyaron al último Gobierno como los que permanecieron en la oposición. En la actualidad he completado ya la parte más importante de esta tarea. Se ha creado un Gabinete de Guerra de cinco miembros que representará, con el apoyo de los liberales de la oposición, la unidad nacional. Los líderes de los tres partidos han acordado colaborar, en dicho Gabinete o en otro puesto ejecutivo, y se han cubierto, asimismo, los ministerios de las tres armas. Dada la extrema urgencia y gravedad de los acontecimientos, era necesario llevar a cabo todo esto en un solo día. Otros puestos, de crucial responsabilidad, fueron cubiertos ayer, y esta misma noche enviaré al rey una relación más amplia. Espero completar la lista de los principales ministros a lo largo del día de mañana, y en cuanto a los restantes, si bien su nombramiento suele resultar más laborioso, confío en que para la próxima reunión del Parlamento esta parte de mi labor se habrá finalizado, y la administración estará completa en todos sus estamentos.

En función del interés público, consideré conveniente convocar a la Cámara para hoy. Su presidente estuvo de acuerdo, y, en virtud de los poderes que le confiere el Acta de la Cámara, tomó todas las medidas necesarias para ello. Una vez finalizada esta sesión, se solicitará el aplazamiento de las deliberaciones hasta el próximo martes, 21 de mayo, previendo, por supuesto, cualquier convocatoria anterior, si resultara necesario. El asunto que habrá de considerarse durante estos días se notificará a sus señorías tan pronto como sea posible. Ahora invito a la Cámara, de acuerdo con la moción que he presentado, a testimoniar su aprobación a los pasos dados hasta el momento, y a declarar su confianza en el nuevo Gobierno.

Conformar una administración de este tamaño y complejidad resulta de por sí una empresa ardua. Pero debe recordarse, además, que nos hallamos en el preámbulo de una de las mayores batallas de la historia, que estamos actuando en muchos otros puntos de Noruega y Holanda, que debemos estar preparados en el Mediterráneo, que la batalla del aire no ceja, y que, como ha indicado mi honorable amigo situado bajo el estrado, tenemos muchas cosas por hacer en casa. En estos momentos de crisis confío en ser perdonado si no me dirijo por extenso a la Cámara. Espero que todos mis amigos y colegas, o antiguos colegas, afectados por la reorganización política, disculpen con indulgencia cualquier posible defecto de ceremonia debido a la imperiosa necesidad de actuar. Quisiera decir al Parlamento, como ya manifesté a aquellos que han entrado a formar parte de este Gobierno: «No tengo nada que ofrecer, excepto sangre, fatigas, sudor y lágrimas».

Tenemos ante nosotros una prueba de la más dolorosa especie. Nos esperan muchos y largos meses de lucha y sufrimiento. ¿Cuál es, se preguntarán, nuestra política? Pues bien: es la guerra hasta el fin, por tierra, mar y aire, con todo nuestro poderío y con toda la fuerza que Dios pueda darnos. La guerra total contra un monstruoso tirano, jamás superado en el sombrío y lamentable catálogo de los crímenes humanos. Ésa es nuestra política. Y, me dirán, ¿cuál es nuestro objetivo? Puedo responder con una sola palabra: la victoria, la victoria a toda costa, la victoria a despecho del terror, la victoria por largo y trabajoso que sea el camino. Pues, sin la victoria, no hay supervivencia. Es necesario comprender esto: no hay supervivencia para el Imperio británico, ni para todo lo que el Imperio británico representa, ni para el indeclinable impulso de las eras, que conducen a la humanidad siempre adelante hacia su meta. Pero yo acepto mi tarea con ánimo y esperanza. Estoy seguro de que nuestra causa no caerá en el vacío entre los hombres. En estos momentos, me siento facultado para reclamar la ayuda de todos, y les digo: venid, pues, y marchemos juntos hacia adelante, con todas nuestras fuerzas unidas.

(Reproducido, con el amable permiso de HMSO, de Hansard, *Quinta serie, n.º 1.096, volumen 360, 13 de mayo de 1940, col. 1501 a col. 1502.)*

67. Jawaharlal Nehru: «Una gloria ha partido»

Nehru, primer ministro de la India independiente, dirigiéndose a la Asamblea Constituyente en Nueva Delhi el 2 de febrero de 1948, tres días después del asesinato de Mahatma Gandhi.

¿Qué podemos, pues, decir hoy de él, excepto mostrar nuestra humildad? No valemos lo bastante para ensalzarle, a él, a quien no pudimos seguir de la forma adecuada y necesaria. Resulta casi una injusticia referirnos a su persona con palabras, cuando lo que exigió de nosotros fue trabajo y sacrificio; él consiguió, en buena medida, llevar a este país a cotas de sacrificio que no habían sido igualadas en ningún otro lugar. En los últimos tiempos, sin embargo, habían sucedido cosas que sin duda le hicieron sufrir enormemente, aunque su rostro lleno de bondad nunca perdiera su sonrisa y de su boca no saliera una palabra agria para nadie. Pero tiene que haber sufrido a causa de los errores de esta generación que él había educado, porque nos habíamos alejado del camino que nos mostró. Y al final, la mano de uno de sus hijos —pues después de todo es tan hijo suyo como cualquier otro indio—, la mano de ese hijo ha acabado con su vida.

En un tiempo futuro la historia juzgará este período que hemos atravesado, los triunfos y los fracasos. Nosotros nos hallamos aún demasiado cerca para ser jueces justos y para comprender lo que ha sucedido. Todo lo que sabemos es que hubo una gloria y ya no la hay; todo lo que sabemos es que por ahora no existe sino oscuridad, si bien ésta es menos sombría porque, cuando miramos en el interior de nuestros corazones, hallamos aún la llama viviente que él encendió allí. Si esas llamas permanecen, no habrá oscuridad en esta tierra y seremos capaces, con nuestro esfuerzo, con su recuerdo y siguiendo sus pasos, de iluminarla nuevamente; pues, pese a nuestra pequeñez, tendremos aún el fuego que aventó en nosotros.

Él fue quizá el más grande símbolo de la India del pasado, y me atrevería a decir también que de la India del futuro. Hoy, cuando nos hallamos en este peligroso filo del presente, entre el pasado y un incierto provenir, hemos de afrontar todo tipo de peligros, el mayor de los cuales es la falta de fe que nos acecha, el sentimiento de frustración que nos envuelve, el desfallecimiento de nuestro corazón y nuestro espíritu al ver esfumarse los ideales que nos pertenecieron y comprobar cómo todas aquellas grandes cosas de que hablábamos se tornan palabras vacías y la vida toma un rumbo diferente. Pero, pese a todo, tengo la esperanza de que este tiempo pase pronto.

Él se ha ido, y sobre toda la India se cierne hoy el sentimiento de haber quedado desamparada, desvalida. Todos lo experimentamos, y dudamos de nuestra capacidad para desembarazarnos de esa sensación; sin embargo, unido a ese sentimiento hay también otro de profundo agradecimiento por haberle sido permitido a nuestra generación compartir la vida de este ser extraordinario. En los tiempos venideros, siglos y quizá milenios después de que nosotros hayamos pasado, la gente recordará aún el tiempo en el que este hombre de Dios caminó sobre la tierra, y nos recordará a nosotros que, aunque pequeños, pudimos seguir sus pasos y pisar el sagrado suelo sobre el que sus pies se posaron. Hagámonos dignos de él.

Una gloria ha partido, y el sol que nos calentaba e iluminaba se ha ido con ella, mientras temblamos en el frío y la oscuridad. Sin embargo, él no hubiera querido que nos sintiéramos así. Al fin y al cabo, aquella gloria que contemplamos durante tantos años, aquel hombre que portaba el fuego divino, nos cambió también a nosotros; al fin y al cabo, los seres que hoy somos han sido moldeados por él durante esos años, y muchos de nosotros tomamos de aquel fuego divino una antorcha que nos fortaleció y nos impulsó a trabajar de una u otra forma en la dirección que nos indicaba. Por ello, cuando le alabamos, nuestras palabras parecen más insignificantes y no dejamos de alabarnos a nosotros mismos. Los hombres grandes, los hombres eminentes, tienen monumentos de mármol y bronce edificados en su honor; pero este portador del fuego divino consiguió en el transcurso de su vida ser cobijado en millones y millones de corazones, y así todos nosotros participamos, de alguna forma, de la materia de que él estaba hecho, aunque en un grado infinitamente menor. Por este camino llegó a toda la India, no sólo a los palacios, los centros intelectuales o las asambleas, sino a la más miserable aldea, a las cabañas en donde habitan los que sufren. Vive en los corazones de millones de seres, y vivirá por el resto de los tiempos.

68. Harold Macmillan: «Los vientos del cambio»

En una alocución al Parlamento de Sudáfrica en 1960, que versaba sobre el creciente nacionalismo del Tercer Mundo, Macmillan inició así su discurso.

Señor presidente, en mi viaje a través de la Unión he encontrado, en todo lugar y como esperaba, una profunda preocupación acerca de lo que está ocurriendo en el resto del continente africano. Comprendo, y simpatizo con ellos, vuestros sentimientos acerca de tales hechos, y la ansiedad que éstos os producen. Desde la desintegración del Imperio romano, una de las constantes de la historia política de Europa ha sido la aparición de nuevas naciones independientes. A lo largo de los siglos, han llegado a existir como tales de formas muy diferentes y con diversos tipos de gobierno, pero inspiradas siempre por un profundo, insoslayable sentimiento de nacionalismo, que ha crecido al tiempo que ellas lo hacían.

En el siglo XX, y sobre todo tras el fin de la guerra, el proceso que dio lugar al nacimiento de los estados nacionales en Europa se ha repetido por doquier. Hemos podido ver el despertar de la conciencia nacional en pueblos que durante siglos habían vivido bajo la dependencia de un poder exterior. Hace quince años este movimiento se expandió por toda Asia, donde pueblos de diferentes razas y civilizaciones exigieron su derecho a una existencia independiente. Hoy eso mismo está ocurriendo en África, y la más vívida impresión que he experimentado desde que abandoné Londres hace un mes es la pujanza de esta conciencia nacional africana. Adopta, sí, formas diferentes en cada lugar, pero brota por todas partes. El viento del cambio está soplando a través de este continente y, nos guste o no, el crecimiento de la conciencia nacional es un hecho político. Todos nosotros debemos aceptarlo como tal, y nuestras políticas gubernamentales han de tomar buena nota de él...

(Reproducido, con el amable permiso de Macmillan London Ltd., de Pointing the way 1959-61, *volumen 5 de la biografía de Macmillan.)*

69.   Martin Luther King: «Tengo un sueño»

Una pieza maestra de esperanza en el destino de su pueblo (1963).

Tengo el sueño de que un día mis cuatro hijos vivirán en una nación donde no serán juzgados por el color de su piel, sino por su valor como personas.

Tengo un sueño, hoy.

Sueño que un día el estado de Alabama, cuyo gobernador se llena ahora la boca con palabras como intervención y anulación de los derechos, se transformará en un lugar donde los niños y las niñas negros podrán estrechar sus manos con los niños y las niñas blancos, y caminarán juntos como hermanos y hermanas.

Tengo un sueño, hoy. He soñado que un día, los valles ascenderán, las montañas y las colinas se allanarán, lo agreste se tornará suave, lo torcido se enderezará y la gloria del Señor será revelada para que todos los hombres la contemplen unidos.

Ésta es nuestra esperanza. Ésta es la fe con la que retorno al Sur, la fe con la que seremos capaces de extraer de la montaña de la desesperación una roca de esperanza. Con ella sabremos transformar las desavenencias y discordias de nuestro país en una armoniosa sinfonía de hermandad. Es la fe que nos permitirá trabajar juntos, orar juntos, luchar juntos, ir a la cárcel juntos y luchar juntos por la libertad, con la certidumbre de que un día seremos libres.

Ése será el día en que todos los hijos de Dios podrán cantar con nuevo significado: «Es a ti, mi país, dulce tierra de libertad, a quien canto. Tierra donde mis padres murieron, orgullo del peregrino, desde cada extremo de tus montañas deja que resuene la libertad».

Y si América ha de ser una gran nación, así tendrá que suceder. ¡Deja que la libertad resuene desde las portentosas colinas de New Hampshire! ¡Deja que la libertad resuene desde las firmes montañas de Nueva York!

¡Deja que la libertad resuene sobre los intrincados picachos de California!

Pero no sólo eso: ¡deja que la libertad resuene desde las Stone Mountain de Georgia!

Deja que la libertad resuene desde cada ladera y cada madriguera del Mississippi. Desde cada extremo de tus montañas, deja que la libertad resuene.

Cuando permitamos que la libertad resuene, cuando la proclamemos desde cada pueblo y cada aldea, desde cada ciudad y cada estado, entonces podremos marchar decididos hacia ese día en que todos los hijos de Dios, blancos y negros, judíos y gentiles, protestantes y católicos, seremos capaces de unir nuestras manos y cantar las palabras de aquel antiguo espiritual negro: «¡Libres al fin! ¡Libres al fin! ¡Gracias a Dios Todopoderoso, somos libres al fin!»

(Reproducido, con el amable permiso de George Allen & Unwin Ltd., de What Manner of Man; a Biography of Martin Luther King, *por L. Bennet).*

70.   Enoch Powell: «Ríos de sangre»

Un extracto del discurso que Enoch Powell, miembro del Parlamento, pronunció en el Centro Político Conservador de West Midlands, en 1968, sobre la Race Relations Bill (Ley de Relaciones Raciales).

El otro error peligroso cometido por aquellos que se obstinan en no ver la realidad puede resumirse en la palabra «integración». Estar integrado en una población significa no poder ser distinguido en forma alguna de sus restantes miembros. Ahora bien, en cualquier época, allí donde existen marcadas diferencias físicas, en particular si son de color, la integración resulta difícil, si bien no imposible, después de un cierto tiempo. Entre los inmigrantes de la Commonwealth que han venido aquí durante los últimos quince años, hay miles cuyo deseo y propósito es alcanzar la integración, y a ello dirigen su pensamiento y su conducta. Pero considerar que tal idea está presente en las mentes de todos los inmigrantes, y en las de sus descendientes, supone una clara equivocación que entraña al mismo tiempo un gran peligro.

Nos hallamos en el umbral de un cambio. Hasta ahora, ha sido la fuerza de las circunstancias y del entorno la que ha hecho que la idea de la integración fuera inaccesible para la mayor parte de la población inmigrante, haciendo que ni siquiera llegaran a concebirla, y ocasionando que los factores numéricos y demográficos que deberían impulsarles a dicha integración permanecieran inoperantes. En estos días, sin embargo, asistimos al crecimiento de fuerzas activas que se oponen a la integración, de intereses que se proponen preservar y agudizar las diferencias raciales y religiosas, con el propósito de llegar a alcanzar una auténtica dominación, primero sobre sus compañeros inmigrantes, y más adelante sobre el resto de la población. Una nube, aún no mayor que la mano de un hombre, pero que puede cubrir pronto todo el horizonte, ha aparecido hace poco en Wolwerhampton mostrando signos de extenderse rápidamente. Las palabras que ahora voy a emplear, tal como aparecieron en la prensa local el 17 de febrero, no son mías, sino de un miembro laborista del Parlamento y ministro en el actual Gobierno: «La campaña de la comunidad sij para mantener costumbres inapropiadas en Gran Bretaña resulta muy lamentable. Como trabajadores en este país, sobre todo en los servicios públicos, deberían estar preparados para aceptar las condiciones y los términos de su empleo. Reclamar derechos comunales especiales (¿o deberíamos decir ritos?) conduce a una peligrosa división dentro de la sociedad. Este comunalismo es un cáncer, y, sea practicado por individuos de un color o de otro, debe ser radicalmente condenado». Todo nuestro reconocimiento a John Stonehouse* por haber sabido percibir este hecho y tener el valor de declararlo.

Para esos elementos nocivos que propugnan la división, la legislación propuesta en la Race Relations Bill supone el caldo de cultivo que necesitan para expanderse. Ahí tienen el medio de mostrar que las comunidades de inmigrantes pueden asociarse para unir a sus miembros, promover campañas de agitación contra los demás ciudadanos, e imponerse al resto de la población con las armas legales que los ignorantes y los mal informados les han proporcionado. Cuando miro al futuro, los temores invaden mi ánimo. Como el clásico romano, me parece ver «el río Tíber rebosante de sangre». El trágico fenómeno que contemplamos al otro lado del Atlántico, y que ha acabado imbricándose en la historia y la existencia de los Estados Unidos, está llegando a nosotros por nuestra propia negligencia. Aunque la situación aún no es la misma, en términos numéricos el fenómeno alcanzará proporciones similares a las norteamericanas mucho antes del final del siglo. Sólo una acción urgente y decidida podrá evitarlo toda-

---

* *El señor Stonehouse fue más tarde encarcelado por fraude.*

vía. Ignoro si habrá una pública demanda de tal acción; lo único que sé es que ver, y sin embargo callar, sería la mayor de las traiciones.

Comentando este polémico discurso, Bernard Levin (en The Times) *lo comparó a la actuación de un hombre que ve la luz de una linterna en el cine y sale a la calle gritando «¡Fuego!». Pero una muestra de piezas oratorias de nuestro siglo quedaría incompleta sin este influyente e incendiario ejemplo. Casi todos los parlamentarios coinciden en que, cuando estaban en forma, los parlamentarios más elocuentes de los últimos años (y que hacían rebosar a la Cámara cada vez que anunciaban su intervención, al contrario que otros que la convierten en un desierto) fueron, o son, Winston Churchill, Aneurin Bevan, Michael Foot y Enoch Powell, tres de los cuales están representados en esta antología.*

71.   Axel Springer: «Cortadlo de raíz»

El magnate alemán de la prensa, Axel Springer, sobre el resurgimiento del terrorismo de extrema derecha. Octubre de 1980.

No hay duda posible: los signos del terrorismo de extrema derecha se hacen cada vez más sangrientos en Europa. La simiente de la violencia está dando sus frutos. Desde mediados de la década de los sesenta el terrorismo de extrema izquierda se ha insuflado de forma irresistible en la conciencia subdesarrollada de algunos de los grupos ultraderechistas de nuestra sociedad. Un fatal efecto recíproco, con consignas intercambiables pero con la misma dañina y ciega brutalidad, está tomando forma. Las huellas de este sendero de locura nos conducen desde el baño de sangre de la estación ferroviaria de Bolonia a la masacre de la Fiesta de la Cerveza de Munich y al ataque contra la sinagoga de París. ¿Dónde acabará este camino?

Sería prematuro atribuir al extremismo de derechas un carácter de amenaza mortal contra la moralidad política en Europa. Pero es imperativo cortar de raíz su principio, con toda nuestra vigilancia y nuestro rigor. Hay sin duda elementos suficientes para reflexionar cuando, en un país que fue responsable del holocausto, elementos de extrema derecha impulsan una ola de hostilidad hacia los extranjeros, y el vil asesinato de dos vietnamitas en una residencia para trabajadores extranjeros no levanta una tormenta de protestas públicas.

Estos sentimientos alientan en más de un hogar alemán. Por ello, Heinz Galinski, el infatigable líder de la mayor comunidad judía de Alemania, un superviviente de Auschwitz, ha tomado la iniciativa adecuada, en el momento preciso. Ha dirigido una emocionada apelación a la presidenta del Parlamento europeo, Simone Veil, para que haga uso de toda la fuerza de su cargo a fin de introducir la lucha coordinada contra el terrorismo de extrema derecha en la agenda de dicho Parlamento. Galinski está en lo cierto cuando hace notar que el terrorismo derechista no es un problema que concierna a este o a aquel país; se trata de un fenómeno europeo.

Por otra parte, no hay razón todavía para dramatizar y atribuir a los extremistas de derechas una fuerza que, a Dios gracias, no poseen. Los cimientos de nuestra sociedad aún se sostienen. El panorama de nuestros partidos políticos no se ha visto todavía ensombrecido por la aparición de los incorregibles como fuerza política, y los votantes alemanes, incluyendo las últimas elecciones al Bundestag, continúan mostrando su democrática madurez.

Pero la joven democracia alemana no ha tenido aún que enfrentarse a la prueba decisiva. Si nos halláramos en la miseria, bajos los efectos de una grave crisis económica, con millones de parados, con nuestra seguridad interna tambaleante y nuestra política externa en un clima de tensión, ¿permaneceríamos inasequibles a las consignas del ayer?

Somos testigos de la determinación con que el extremismo de derechas intenta introducirse en el campo político alentando la hostilidad contra los extranjeros. Nuestra sensibilidad, agudizada por las tragedias y la culpa de nuestra historia, nos revela de qué manera el extremismo derechista alimenta de nuevo la semilla del antisemitismo.

Aquí topamos de inmediato con la impía relación entre antisemitismo y antisionismo. No es una observación polémica, sino un hecho demostrable, que allí donde predomina la indiferencia hacia el destino de Israel, o donde se cuestiona incluso el derecho a la existencia del Estado israelí, el antisemitismo asoma su odiosa cabeza. Un ejemplo reciente: se ha probado que a principios de este año el «*Führer*» de un grupo extremista de derechas y veinte de sus acólitos fueron entrenados durante dos semanas en un campamento libanés de la organización terrorista Al-Fatah.

Aunque en nuestra propia casa tenemos basura suficiente que barrer, cabe suponer que no es un hecho casual el que sea Francia el país donde el antisemitismo está desarrollando en mayor medida sus tentáculos: en una nación que ha asumido en los últimos años dentro de la Comunidad Europea el papel de defensora de las posturas árabes en contra de Israel.

Al igual que el terrorismo de extrema izquierda precisó un campo ideológico lleno de trivialidad y vaga simpatía que permitiera a los terroristas moverse en él como peces en el agua, debemos ver conscientes de que es preciso privar al extremismo de derechas de su caldo de cultivo desde el primer momento. Claro es que no debe pensarse que cualquiera que manifieste reservas ante la política israelí, o que dé el mismo valor a los intereses de Israel que a los del campo árabe (si es que tal cosa existe) esté abrazando deliberadamente la causa del extremismo de derechas. Pero todo político alemán responsable debe plantearse la pregunta de si, al adoptar una actitud crítica hacia Israel, no está favoreciendo de manera inconsciente a aquéllos para quienes Israel significa antisemitismo.

Hay, sin duda, algo que no marcha bien en un panorama político en el que la afirmación del canciller federal tachando al primer ministro Begin de «peligro para la paz mundial» circula inicialmente sin ningún desmentido (éste sólo se produciría tras la protesta del Gobierno israelí).

Los círculos gubernamentales de Bonn se sintieron ultrajados cuando la prensa israelí expresó su preocupación tras los resultados de las elecciones al Bundestag, que fueron de nuevo favorables a la coalición entre socialdemócratas y liberales. ¿Cabe sorprenderse de tal reacción? Al fin y al cabo, el Gobierno de Alemania Occidental participa de la resolución de Venecia de la Comunidad Económica Europea, que favorece sin pudor alguno a los enemigos de Israel. Al fin y al cabo, Bonn es uno de los principales proveedores de Arafat y de su OLP, que se declara orgullosa de ser una organización asesina. Al fin y al cabo, el Gobierno de Alemania Occidental propugna el establecimiento de un Estado palestino independiente, que sería regido por esos mismos árabes que proclaman en sus banderas la intención de aniquilar al Estado de Israel.

Cuando el ministro alemán de Asuntos Exteriores, el señor Genscher, haciendo caso omiso de las «especiales relaciones» entre Israel y Alemania Federal, declara por escrito su simpatía hacia la causa árabe y muestra hacia el Israel sitiado tan sólo una diplomática frialdad, ¿acaso no se sienten fortalecidos en su demencia los que anhelan el regreso de Hitler?

¿Cómo puede un cerebro poco adiestrado en los manejos políticos digerir la declaración de neutralidad realizada por el canciller federal pocos días antes de las elecciones al Bundestag, afirmando que «somos amigos de Israel, pero también lo somos de Arabia Saudí, Jordania y Egipto»? ¿Cómo debe interpretarse el triste hecho de que a lo largo de toda la campaña electoral ni un solo político alemán responsable proclamara públicamente la obligación especial que Alemania tiene hacia Israel, máxime en la peligrosa situación que hoy atraviesa el Oriente Medio?

La indiferencia es el resultado de un falso enfoque político y moral. Las voces alemanas repiten con profusión que un acuerdo de paz en Oriente Medio sólo puede obtenerse logrando un equilibrio en el marco de la causa árabe. Pero la unidad árabe, bien lo sabemos, únicamente ha existido —si es que lo ha hecho —en la lucha común contra el Estado judío.

En el estado actual de cosas, todo aquél que apoye la unificación de los pueblos árabes está impulsando la campaña contra el Estado judío y contra el acuerdo de paz entre Egipto e Israel. Debemos permanecer vigilantes. No debemos asumir el disfraz de la política de Estado con que pretenden ocultar —en un culpable conticinio— la naciente imagen de un nuevo Auschwitz.

(Reproducido, con el amable permiso de Axel Springer Publishing Group, de Die Welt, *octubre de 1980).*

72. Hugh Gaitskell: «Luchar, luchar y continuar luchando»

Discurso dirigido al 57.º Congreso anual del Partido Laborista, Scarborough, 1960.

...Hay otra posibilidad a la que debo referirme, dado lo mucho que se ha escrito sobre ella: que el punto realmente en cuestión aquí no es la política de defensa sino el liderazgo del partido. Déjenme repetir a este respecto las palabras de Manny Shinwell. No es en este lugar en donde debe decidirse tal liderazgo, sino en la comisión parlamentaria. No desearía ni por un momento continuar siendo un líder que hubiera perdido la confianza de sus camaradas del Parlamento. Es perfectamente razonable intentar desembarazarse de alguien, de un hombre con el que no se está de acuerdo, y de quien tal vez piensas que no es un buen líder. Pero hay formas de hacerlo. Lo que sería una equivocación, según mi criterio, y no debería perdonarse, es sostener una política en la que no se cree de corazón, una política cuyos fines se nos presentan dudosos, sólo para deshacerse de ese hombre.

Antes de que procedan a votar, permítanme unas últimas palabras. Frank Cousins ha dicho que el problema no acaba aquí, y yo estoy de acuerdo con él. La cuestión no acaba aquí porque los miembros laboristas del Parlamento tendrán que reflexionar sobre su postura en la Cámara. ¿Qué esperan ustedes de ellos? Saben perfectamente que en junio votaron abrumadoramente por una declaración de intenciones, y es un hecho bien conocido que la gran mayoría de los diputados laboristas se oponen por completo al unilateralismo y el neutralismo. Así pues, ¿qué esperan de ellos? ¿Que cambien de opinión en una noche? ¿Que retiren las promesas realizadas a los electores que les votaron? Y aun suponiendo que lo hicieran así, y que todos nosotros, como ovejas bien amaestradas, siguiéramos la política de unilateralismo y neutralismo, ¿qué impresión produciría eso en el pueblo británico? Ustedes no parecen tener una respuesta clara. Yo se la daré. No creo que los miembros laboristas del Parlamento estén dispuestos a ser unos viles «pasteleros», y no lo creo porque son hombres de conciencia y honor. La gente de la llamada derecha y el llamado centro cuenta con tanta justificación para tener conciencia como la de la llamada izquierda. Pienso que actuarán como he dicho antes porque son hombres honestos, leales, resueltos, experimentados, con toda una vida de servicio al movimiento laborista.

Hay otras muchas personas en el partido, fuera del Parlamento, que comparten nuestras convicciones. ¿Qué clase de personas creen ustedes que son? ¿Qué clase de personas creen que somos? ¿Piensan que podemos limitarnos a aceptar tranquilamente una decisión como ésta, y convertirnos de la noche a la mañana en los pacifistas, unilateralistas y «compañeros de viaje» que otros son? Les diré hasta qué punto se equivocan. Tanto como lo hacen respecto a la actitud del pueblo británico.

Dentro de pocos minutos el Congreso tomará su decisión. No ignoro que la mayoría de los votos están predeterminados: sabemos cómo funcionan estas cosas. Si he de ser franco, en ocasiones pienso que nuestro sistema, en el que los grandes sindicatos deciden su postura antes aún de que los congresos puedan considerar las recomendaciones de la ejecutiva, no es muy apropiado, ni siquiera aceptable. Tal vez debamos discutir esta cuestión en momentos de mayor tranquilidad.

Les diré esto: podemos perder hoy la votación, y ello probablemente conduzca a este partido a una situación gravísima. Quizá no sea posible evitarlo, pero puedo afirmar que muchos de nosotros no creemos que ese golpe haya de ser mortal, ni tan siquiera inevitable. Algunos de nosotros, señor presidente, luchamos y continuaremos luchando para recobrar el buen camino, la honestidad y la dignidad, a fin de que nuestro partido sepa hacer honor a su brillante pasado y pueda mantener su grandeza y su gloria.

Este espíritu es el que me induce a pedir, a aquellos delegados que aún estén en condiciones de decidir su voto, su apoyo a la que considero una política realista de defensa que debería haber unido sin problemas a nuestro gran partido, y su rechazo al camino suicida del desarme unilateral, que dejaría a nuestro país solo e indefenso.

(Reproducido, con su amable autorización, de las actas del 57.º Congreso anual del Partido Laborista.)

73. Aneurin Bevan: «Socialismo imbatido»

Extracto del discurso de Bevan al primer Congreso del Partido Laborista celebrado tras la victoria de Macmillan en las elecciones generales de 1959.

¿Qué vamos a decir, camaradas? ¿Vamos a aceptar la derrota? ¿Le diremos a la India, que ha adoptado el socialismo como doctrina oficial pese a los graves problemas latentes en su país, que el Partido Laborista británico ha decidido abandonar el socialismo? ¿Es esto lo que comunicaremos al resto del mundo? Este gran Partido Laborista, que es el padre de la moderna democracia y el moderno socialismo, ¿enviará un mensaje afirmando que en Blackpool, en 1959, hemos desechado nuestros principios a causa de una impopularidad pasajera dentro de una sociedad temporalmente opulenta?

Dejadme haceros una íntima confesión de fe. He comprobado a lo largo de mi vida que las cargas de la vida pública son demasiado grandes para soportarlas por objetivos triviales. El sacrificio resulta excesivo si no tenemos algún fin verdaderamente importante; por ello, confío en que este Congreso enviará un mensaje de esperanza y coraje a la juventud y a las naciones que están escuchando con atención nuestras palabras.

He quedado sumamente deprimido por las palabras de Denis Healey, a quien tanto respeto. Pero tú sabes, Denis, que no podrás ayudar a los africanos si los resortes del poder en Gran Bretaña quedan en manos de sus enemigos. Ni conseguirás tampoco insuflar los principios del socialismo ético en una sociedad basada en el beneficio privado. ¡No puedes hacerlo! Es imposible conjugar ambas cosas, y por ello yo os ruego que este Congreso lance a los cuatro vientos un mensaje de esperanza, y que digamos a la India, a África, a Indonesia, y no sólo a ellos, sino también a China y a Rusia, que los principios del socialismo democrático no se han extinguido tan sólo por nuestra pasajera derrota ante los conservadores hace unas semanas.

Sabéis bien, camaradas, que las instituciones parlamentarias no han sido derrotadas porque el ala izquierda fuera demasiado vigorosa, sino porque ese ala izquierda fue excesivamente indolente. No podríais citarme ni un solo lugar en todo el mundo occidental donde el fascismo haya triunfado porque el socialismo fuera demasiado violento; ni podríais mencionarme un solo país en el que el gobierno haya caído debido a que los representantes del pueblo hubieran pedido demasiado.

Sin embargo, yo sí puedo demostraros que hoy nos hallamos ante una situación en la que el Gobierno representativo ha caído porque los elegidos por el pueblo no pidieron lo suficiente. No hemos adolecido de un exceso de vitalidad, sino, por el contrario, de demasiada laxitud. Por eso digo que hemos de salir de este Congreso como un partido unido. Vamos a volver al Parlamento y presentaremos batalla a los conservadores. Pero no sólo lo haremos allí: lucharemos contra ellos en los distritos electorales y en los sindicatos. ¡Y, sobre todo, atraeremos a los jóvenes! Por amor de Dios, no les hagáis esperar a que lleguen a la ejecutiva; comenzad a introducirlos en vuestras asociaciones, ¡y empezad a hacerlo ya! Volved a vuestras casas, pues, empezad a trabajar con ellos, y nosotros os haremos llegar toda la ayuda y el ánimo que podamos.

SECCIÓN III

ANÉCDOTAS PARA CONTAR

Introducción

Una anécdota vívida e ingeniosa es en un buen discurso como las especias en un exquisito manjar. Un toque de ingenio... un destello de humor... una observación mordaz para provocar la carcajada... todo es apreciado por la audiencia. Una buena anécdota le gusta a cualquiera, sea cual sea su sexo o edad. Y los mejores relatos son como el vino; maduran con el paso de los años.

En el transcurso de los innumerables actos y almuerzos a los que he asistido, muchos de ellos sumamente tediosos, he ido anotando en la carta del menú, en pequeñas libretas o en cualquier trozo de papel lo mejor de la cosecha de muchos narradores de anécdotas. A la hora de elaborar esta sección del libro, he tenido que aventurarme entre pilas de legajos, descifrar mis apresurados garabatos y, en fin, seleccionar y disponer todo lo que sigue.

Cada una de estas anécdotas, ya sea un chiste, un aforismo, una observación aguda o una metedura de pata, ha sido oportunamente empleada y muy festejada. He dividido el conjunto en diversas secciones indicativas, aunque muchos de los relatos podrían encuadrarse en varias de ellas. De cualquier forma, si usted está buscando alguna historieta para un propósito determinado, el índice le servirá de ayuda. Aunque quizá prefiera disfrutar simplemente leyendo a su aire todos estos relatos que, contados o tan sólo recordados, me han proporcionado muchos momentos de placer. Empléelos con buena salud, entonación adecuada y esa buena estrella que constituye el requisito previo indispensable para conseguir una gran ovación.

La calidad de una historieta depende del talento de su narrador. Los malos obreros acusan a sus herramientas, los malos cómicos a sus guionistas. Es más: las herramientas y los guiones han de escogerse con cuidado, con objeto de que se adecuen a quien los emplea y al momento concreto.

Algunas de estas anécdotas para contar le convendrán, otras no. La mayor parte pueden adaptarse. En algunos casos he sugerido posibles cambios, indicados bien entre paréntesis o en notas a pie de página. Pero no dude en alterar el material a fin de adecuarlo a sus necesidades o a su audiencia.

Por supuesto, no sirve de nada atribuir citas a quien no las ha proferido. Todos estamos dispuestos a aceptar la paternidad de frases brillantes que nos ha adjudicado algún amable admirador, pero las citas falsas constituyen la inspiración principal de muchos juicios por libelo, que pueden traer problemas.

Así pues, utilice estas historietas con cuidado y habilidad, y le proporcionarán magníficos resultados.

74. Presentaciones, discursos e historias reales

Gambitos de apertura

Como Enrique VIII dijo a cada una de sus sucesivas esposas: «No te retendré mucho...». *(Lord Janner)*

En cierta ocasión el maestresala dijo: «Señoras y caballeros... roguemos por el silencio del señor Greville Janner...».

La última vez que el presidente debía presentarme y se le rogó que fuera breve, comenzó: «Señoras y señores, cuanto menos se diga acerca del señor Janner, mejor...».

Su presidente acaba de decirme: «¿Quiere usted hablar ahora, o les dejamos que sigan disfrutando un poco más?».

Una señora comentó al orador después de que éste terminara su charla: «¿Hoy no estaba en muy buena forma, eh, señor Brown?».

Otra mujer que había escuchado sus palabras se dirigió al conferenciante: «Lamento lo ocurrido, pero, por favor, no haga caso a la señora Green. Es una cabeza hueca sin personalidad... se limita a repetir lo que escucha a su alrededor».

¿Por qué yo primero?

Se me ha permitido hablar antes que el señor... debido a que tengo varias citas el... *(mencionar aquí una fecha dos meses después)* las cuales me gustaría cumplir. *(Bob Monkhouse)*.

¿Rejas?

Me veo obligado a pronunciar un gran número de discursos, y temo que en ocasiones he de recurrir al mismo material. Las palabras que voy a dirigirles a continuación son fundamentalmente una repetición de la charla que di la semana pasada en Sing Sing/Dartmoor/Wormwood Scrubs (*o la cárcel más cercana*). Pido disculpas a cualquiera de ustedes que ya la haya oído. (*Cuidado: ¿hay algún ex presidiario en su audiencia?*)

Presentaciones reales

Cuando, en una recepción, presentaba a la reina a varias personalidades, hice notar que debía ser agotador dirigirse a tantos desconocidos al mismo tiempo.

«No es tan difícil como pueda creerse», contestó inmutable Su Majestad. «De hecho, apenas si tengo que presentarme. ¡Todos parecen saber quién soy!».

Elogios

Mark Twain dijo en cierta ocasión: «Puedo vivir de un elogio durante dos meses». Pues bien, usted me ha proporcionado elogios para varios años... (*Respuesta a una presentación halagadora. GJ*).

Congreso anual

Presidente: «Henos aquí de nuevo en otro congreso anual, después de transcurrido un año...».

El espíritu de los congresos

Sir Zelman Cowan, antiguo gobernador general de Australia, en la actualidad director del Oriol College de Oxford y presidente de la Council Press, comentó en un almuerzo: «Cuando era gobernador general tuve que asistir a numerosos congresos. A veces me encontraba tan aturdido que no sabía si los delegados estaban discutiendo sobre educación o sobre cuestiones legales; era difícil deducirlo por el sonido de las palabras. Pero cuando finalmente conseguía enterarme, solía descubrir que daba igual.

¡Lo que cuenta en un congreso no es el tema en discusión sino el espíritu con que se aborda!».

Sueño

Un pastor recién ordenado llegó como auxiliar a una parroquia rural, y observó con desánimo que su superior se quedaba dormido cada vez que él pronunciaba su sermón semanal. Sin embargo, no hizo ningún comentario hasta el día en que aquél comenzó a roncar. Finalizado el servicio, se dirigió al pastor veterano y le preguntó con suma amabilidad. «Lamento mencionarlo, pero ¿no le parece un mal ejemplo que mi superior se quede dormido durante el sermón?».

«En absoluto», replicó el otro, «¡precisamente es una muestra de que confío en usted!».

Off the record

«¿Qué tal fue su conferencia?».

«Extraordinaria. Incluso los periodistas guardaron sus bolígrafos y escucharon...».

Una carretada de heno

Había una sola persona en los actos litúrgicos de la iglesia local, y el vicario le preguntó: «¿Quiere que siga adelante?».

Feligrés: «Bueno, yo sólo soy un viejo pastor, pero si hay una única vaca en el campo, la alimento».

Así que el vicario celebró todo el servicio. Más tarde, cuando salía, le dijo al hombre: «¿Qué le ha parecido?».

A lo que aquél respondió: «Pues, en fin, yo sólo soy un viejo pastor, y aunque haya una única vaca en el campo la alimento. ¡Pero no le doy toda una carretada de heno!».

Cita

«La guerra tiene resultados devastadores», como dijo Lenin. Y sería verdad aunque *él* no lo hubiera dicho... *(Aplicable a cualquier otro personaje. GJ).*

Chistes numerados

En un congreso de humoristas, todos conocían tan bien los chistes de los otros que se limitaban a usar números. Un hombre subió al escenario y dijo: «75». Todos los asistentes permanecieron en silencio, excepto dos que se desternillaban de risa en sus butacas. Al preguntarles por qué se reían, el primero replicó: «Es que me ha hecho gracia cómo lo ha contado». Y el segundo: «Nunca lo había oído».

El silencio es oro

Lo primero que debe aprender un hombre de negocios es cuándo pronunciar discursos. Entonces se vuelve más sabio y aprende cuándo no hay que pronunciarlos.

Posición preferente

Mientras se dirigía a un numeroso grupo de personas, un político mostró su preocupación por el funcionamiento del micrófono.
«¿Me oyen bien ahí atrás?», preguntó.
«Yo no le oigo», gritó una voz desde el fondo.
«Yo *sí* le oigo», afirmó uno de los situados delante. «¿Querría el señor del fondo cambiar su sitio conmigo?»

Para oyentes poco atentos

«¿Me escuchan bien...? Me alegro, yo también puedo oírles». *(David Berglas)*

Si...

No hay límites para el uso en la oratoria del condicional «si», ni para las historias a las que puede dar un toque de elegancia. Si (he aquí un caso), por ejemplo, decide emplear el célebre poema de Kipling llamado «Si...», haga uso de su entonación más dramática: «Como tiempo ha escribió Kipling: "Si puedes mantener tu ánimo sereno mientras todo a tu alrededor..."». Las mejores historias con el término «si» están formadas por tópicos invertidos:
«¿Qué tal estuvo la cena?»
«Si el pollo hubiera sido tan fresco como la camarera... si la camarera

hubiera sido tan joven como el vino... si el vino hubiera sido tan viejo como los chistes... ¡hubiera sido una noche magnífica!».

Otro empleo clásico del condicional es el que se le da en frases como: «Si mi tía tuviera ruedas, sería una bicicleta». *(Si el lector se toma la molestia de enviarme una historia con «si» que pueda incluir en la próxima edición de este libro, tendré mucho gusto en recompensarle. Mientras tanto, por favor, no piense que porque un chiste o una historia sean conocidos por su audiencia ésta los rechazará necesariamente. Cierto cómico sugirió que sólo hay dos temas básicos para el humor: la piel de plátano y la suegra. Lo demás son variaciones. GJ)*

Fin del discurso

Un invitado a una cena, incapaz de soportar la inacabable verborrea del orador, pasó una nota al presidente diciendo: «¿Por qué no acaba con esto, golpeándole en la cabeza con su mazo?».

El presidente tomó el mazo, pero se le escapó de la mano y golpeó al invitado de honor, situado al otro lado. Entonces, mientras el pobre hombre desaparecía lentamente bajo la mesa, se le oyó gemir: «¡Pégueme otra vez, todavía puedo oírle!»

La concisión de Churchill

Churchill repetía a menudo que sólo tardaba diez minutos en preparar un discurso de dos horas, pero dos horas en preparar uno de diez minutos.

75. Epigramas y definiciones, proverbios y leyes

Cólera

Un sabio colérico deja de ser un sabio. *(Talmud-Pesahim)*

Argumentación

Mi padre me dijo que jamás discutiera con un hombre airado... *(Nahum Goldmann)*

El hombre medio

Un abogado que ejercía de defensor en un caso de negligencia adujo que «cualquier persona con una inteligencia media» no hubiera sufrido ningún daño. Con acerada precisión, el juez replicó: «Quizá debiera usted tener en cuenta que aproximadamente la mitad de los habitantes de este país se hallan por debajo de la inteligencia media».

Equilibrio

Churchill comentó en cierta ocasión que no hay nada más difícil que detener un muro que se te echa encima, excepto besar a una chica que se echa atrás.

Los trabajadores de nuestro ramo mantenemos un perfecto equilibrio. La carga que nos pone Hacienda en un hombro se ve compensada con la que nos aplica en el otro *(el Gobierno, la aduana, o lo que usted desee)*.

Pesado

Es uno de esos documentos tan pesados que cuando los depositas en algún sitio resulta difícil volver a levantarlos. *(Malcolm Rifkind)*

Cambio

El Gobierno del Reino Unido estaba considerando la posibilidad de obligar a los vehículos del país a circular por el carril derecho de las carreteras. En su afán de conseguir un período de transición, el Ministerio de Transportes sugirió efectuar el cambio «por etapas... comenzando por los vehículos de transporte pesado».

Compañías

Se conoce a un hombre por las compañías que frecuenta cuando cree que nadie le ve.

Confirmación

Nunca mienta solo. *(Janner's Law)*

Chiflado

Chiflado: así se llama a un hombre con nuevas ideas, hasta el momento en que tiene éxito. *(Mark Twain)*

El peligro de los locos

Cualquier loco es capaz de arrojar una piedra a un lago; pero cien hombres sabios no pueden recuperarla. *(Proverbio griego)*

Democracia

La democracia, tanto nacional como social, precisa el transparente equilibrio de los propios intereses satisfechos. *(Janner's Law)*

Disuasión

La disuasión implica la existencia de poderes, la voluntad de emplearlos, y el conocimiento por parte del adversario de que, si fuera necesario, se haría uso de ellos. *(Abba Ebban)*

Discreción

Si sé algo que tú ignoras, sabes que no puedo decírtelo; ¡y si no sé algo que tampoco sabes, de todas formas no querrás escucharme!

Educación y entrenamiento

¿La diferencia entre educación y entrenamiento? Si su hija llega a casa y le dice que ha estado recibiendo educación sexual en el colegio, sin duda se sentirá complacido. Pero si comenta que ha recibido entrenamiento sexual, tendría motivo justificado para alarmarse.

Enemigos

Elija cuidadosamente a sus enemigos. Asegúrese de que son importantes, porque su propia importancia depende de ellos. *(Nahum Goldmann, fundador del Congreso Mundial Judío, quien aseguraba haber sido un perfecto desconocido hasta que fue públicamente atacado por el tonante rabino Abba Hillel Silver).*

¿Paranoico?

Recuerde que el simple hecho de que yo sea un paranoico no significa que no tenga enemigos. *(Henry Kissinger)*

Jactancia paterna

Nunca he levantado la mano a mi hijo, excepto en legítima defensa. *(Lord Janner)*

Amigos

La primera ministra ha partido esta noche para una gira por todos los países europeos amigos. Estará de regreso en un par de horas.

Amistad

Los griegos dicen de un verdadero amigo: «He compartido el pan y la sal con él».

Rasgo de genio

Un rabino que visitaba un kibbutz en los confines del desierto, comentó: «Vosotros, los colonos del kibbutz, sois tan inteligentes... ¡Sabéis cómo estableceros justo donde están los árboles!».

Habladurías

Pregunta: ¿cuál es el plural de «charlatanería»? Respuesta: instituto femenino. *(O, si se prefiere, «movimiento feminista», o lo que requiera el caso. Esta definición, ofensiva y machista, tiene variaciones internacionales. En yiddish, por ejemplo, se dice ¿cuál es el plural de «Yenta»?: «Hadassah». Para comprenderlo, pruebe a leer* El violinista en el tejado, *y por «Hadassah» entienda cualquier organización de mujeres. GJ)*

Ayuda

Un conductor paró en el cruce de caminos de un pueblo. «Perdone», preguntó a un viandante, «¿da lo mismo que coja una u otra carretera para llegar a la próxima ciudad?».
«A mí, sí», replicó el lugareño.

Ideas

Un amigo dijo cierta vez a Einstein: «Cuando tengo una buena idea, no quiero olvidarla, así que siempre tengo una libreta junto a mi cama. ¿Tú que haces?»
«No entiendo tu pregunta», contestó Einstein. «Yo sólo he tenido dos o tres buenas ideas en mi vida».

¿Mejora?

Una edición yiddish de las obras completas de Shakespeare fue publicada en Nueva York. La hoja de promoción, en lugar bien destacado, portaba esta frase: «Shakespeare, *ubergezetz und farbessert»;* literalmente, «Shakespeare, ¡traducido y mejorado!».
(Éste es un ejemplo o una respuesta sumamente útil cuando se discute con gente que quiere enmendar, actualizar o mejorar de cualquier otra forma un documento, sistema, etc., excelente ya de por sí. GJ)

Aislacionismo

Un hombre sentado en una barca se puso a taladrar un agujero bajo su asiento. «No os preocupéis, camaradas», dijo a sus compañeros. «Es sólo bajo mi asiento, no en los vuestros...». *(Talmud)*

Conocimiento

Todo lo que sé sobre este tema cabría en una cáscara de nuez, y aún quedaría sitio sobrado para la nuez. *(Lord Mancroft)*

Litigantes

Un litigante puede perder un caso; su abogado siempre gana.

Legislación

El efecto de una ley es inversamente proporcional a la cantidad de ruido producido mientras se sometía a discusión. *(Janner's Law)*

¿Vida?

Dice Confucio: «¿Me preguntáis por qué compro arroz y flores? Pues bien: compro arroz para vivir, y flores para tener algo por lo que vivir».

Hombres

El hombre que se esfuerza demasiado por ser un macho no llega a mucho. *(Zsa Zsa Gabor, citada por Michael Foot, haciendo referencia al Dr. Owen, octubre de 1983).*

Noticias y anuncios

Noticia es todo aquello que alguien en algún lugar intenta reprimir; todo lo demás son anuncios. *(Lord Northcliffe)*

Opiniones

A un judío ruso se le preguntó si no tenía concepciones personales sobre política, a lo que replicó: «Sí, desde luego, tengo mis propias opiniones. Pero no estoy de acuerdo con ellas».

Optimismo

Un optimista dice que la botella está medio llena; un pesimista, que está medio vacía.

Órdenes

Se dice que un piloto de Lufthansa dirigió estas palabras a sus pasajeros: «Ustedes *disfrutarán* durante este vuelo de Lufthansa... ¡Esto es una orden!».

Fotografías

El camino al olvido político está pavimentado de buenas fotografías. *(Janner's Law)*

Plagio

Copie de un libro, y le acusarán de plagio. Copie de dos o más libros, y se considerará «investigación».

Poder

El poder es maravilloso; el poder absoluto es absolutamente maravilloso.

Opinión pública

Un médico ruso entró agitadamente en la sala del hospital y dijo: «Tengo muchísima prisa. Por favor, déme la temperatura media de todos los pacientes...». *(Simon Peres. Este ejemplo es muy útil ante preguntas como «¿Cuál es el sentimiento general en el Reino Unido acerca de...?» GJ)*

Quietud

Proverbio chino: concédasenos vivir en tiempos poco interesantes.

Citas

La resolución 242 es como la mayoría de los textos sagrados: más citada que leída. *(Aplicable a casi todas las de su especie. GJ)*

Recesión, depresión y recuperación

Se habla de recesión cuando su vecino está sin trabajo; de depresión, cuando usted está sin trabajo; de recuperación, cuando el Gobierno está sin trabajo...

Resignación

Nunca claudique ni presente su dimisión; a menos, por supuesto, que un trabajo mejor esté esperándole. *(Janner's Law)*

Resoluciones

El camino a la ruina política está empedrado con excelentes resoluciones. *(Janner's Law)*

Éxito

Mark Twain se lamentaba de no haber visto nunca las cataratas del Niágara, en vista de lo cual se organizó una excursión especial para llevarle allí. Más tarde, sus anfitriones le preguntaron: «¿Qué le ha parecido?».
Tras hacer una pausa, Twain respondió: «Desde luego, es todo un éxito».

Sé amable con la gente que encuentres en tu camino hacia arriba; volverás a hallarlos cuando vayas hacia abajo. *(Jimmy Durante, cómico norteamericano)*

Supervivencia

El puercoespín tal vez sea menos atractivo que un conejito, pero tiene mayores posibilidades de sobrevivir y muchas menos de ser ingerido.

Sistemas

La bondad de un sistema se estima por la malicia de los que intentan burlarlo. *(Janner's Law)*

Tentación

No culpes al ratón, sino al agujero en la pared. *(Talmud)*

Tolerancia

La tolerancia es la habilidad para transigir con opiniones que no nos molesten demasiado.

Intolerancia

Deberíamos no admitir la intolerancia; pero *tenemos* que no admitir la tolerancia. *(Chaim Weizmann, primer presidente de Israel)*

Secretos

La vanidad de que los demás sepan que se nos ha confiado un secreto suele ser una de las razones principales para desvelarlo. *(Samuel Johnson)*

Cuando se revela un secreto, la falta es de aquél que lo confió. *(La Bruyère)*

Si quieres resguardar tu secreto, dále una apariencia de franqueza.

Tú no podrás revelar aquello que no sabes, y sólo hasta ese límite confiaré en ti, dulce Kate. *(Shakespeare; Enrique IV)*

Si quieres que otro guarde tu secreto, guárdalo tú mismo. *(Séneca)*

Tradición

Es una tradición largo tiempo mantenida... como diría lord Denning al ocurrírsele alguna nueva idea...

Victoria y derrota

La victoria en una guerra es la mayor de las tragedias, si exceptuamos la derrota. *(Duque de Wellington)*

Sabiduría

Tal como la abeja acumula miel de todas las flores, así el hombre sabio adquiere conocimiento de todos los hombres. *(Proverbio indio)*

76. Insultos

Churchill en acción

Nunca ha habido desprecio mejor expresado que el de Winston Churchill por Neville Chamberlain, con palabras como éstas: «En las profundidades de esa alma polvorienta no hay sino la más abyecta rendición»... «Contempla los Asuntos Exteriores desde el interior de una cloaca municipal...».

Churchill definió al primer ministro Attlee como «un cordero con piel de cordero».

Lady Astor fue la primera mujer miembro del Parlamento. Cierta vez le dijo a Churchill: «Si fuera usted mi marido, endulzaría su café con veneno». A lo que él replicó: «Nancy, si yo fuera su marido, ¡me lo bebería!».

En otra ocasión, Winston le espetó: «Nancy, es usted una criatura horrible».

«Y usted está borracho, Winston», respondió ella.

«Bueno», fue la demoledora réplica, «al menos *mi* estado habrá cambiado por la mañana».

Insultos en la cumbre

Bernard Shaw envió a Winston Churchill dos entradas para la noche de estreno de *Santa Juana,* «una para usted, y otra para un amigo, si es que lo tiene».

Churchill le contestó de inmediato, devolviendo las dos entradas, con una nota en la que lamentaba no poder asistir la primera noche: «Pero me gustaría tener entradas para la segunda» continuaba, «si es que la hay...»

Deseos de muerte

El presidente Johnson asistió en Australia a un funeral por el primer ministro de este país, que había muerto ahogado pocas fechas antes. La prensa le preguntó qué haría él para lograr la paz. «Cualquier cosa», replicó.

«Señor presidente», se escuchó una voz desde el fondo, «¿le apetecería nadar un poco?».

Economistas y políticos

Aneurin Bevan acuñó una magnífica frase para definir a un ser humano sin corazón. Esto sucedió con ocasión de la derrota que le infligió Hugh Gaitskell en la lucha por la Tesorería del Partido Laborista. Lleno de ira, y sin nombrar al objeto de su ataque, Bevan afirmó: «el tipo apropiado de líder para el Partido Laborista es una *máquina calculadora disecada,* que bajo ningún concepto se deje llevar por la indignación... ni siquiera ante el sufrimiento, la pobreza y la injusticia... pues ello sería una muestra evidente de falta de educación y carencia de dominio de sí mismo».

La frase «usted, señor —como en cierta ocasión dijo Bevan—, es una máquina de calcular disecada», supone un magnífico insulto, sobre todo cuando va dirigida a un político o un economista.

Enemigos

Abba Ebban dijo de un ministro del Gobierno: «No es que tenga enemigos... ¡Simplemente, sus amigos no le soportan!».

Su peor enemigo

Herbert Morrison afirmó en cierta ocasión que él mismo era su peor enemigo. Enterado de ello Ernest Bevin, replicó: «No; no mientras yo esté vivo».

¿Cumplido o elogio?

El canciller del Exchequer, David Lloyd George, estaba pronunciando un importante discurso en una sesión del Parlamento y constantemente era interrumpido por un diputado conservador de la oposición. Cansado, Lloyd George exclamó: «Creo que el asunto está lo bastante claro incluso para el colosal intelecto del honorable diputado».

El conservador se levantó de inmediato. «¿Es reglamentario, señor presidente», preguntó, «que el honorable orador haga alusión a mi colosal intelecto?»

«Bien», contestó con suavidad el presidente, «no sólo es reglamentario, sino un amable cumplido más que otra cosa».

Desastre versus catástrofe

Si Gladstone se cayera al Támesis, sería una desgracia; ¡si alguien lo sacara, sería una catástrofe! *(Frase de Disraeli sobre Gladstone, susceptible de numerosas variaciones hacia el objeto actual de su odio. Por ejemplo: «si el primer ministro/líder de la oposición/director ejecutivo de los principales competidores, se cayera de un avión, sería una desgracia; si su paracaídas se abriera, sería una calamidad. GJ)*

Padres jóvenes

Cuando haya de enfrentarse a un oponente joven e inexperto, puede utilizar el insulto que, a modo de símil boxístico, dirigió el secretario de Estado norteamericano Harold Ickes al por entonces joven Thomas Dewey, candidato republicano a la presidencia: «Dewey ha arrojado su pañal a la lona».

Mentiras

Yo no acuso a la señora Thatcher de mentirosa. Tan sólo padece lo que los psicólogos denominan «amnesia selectiva». *(Denis Healey sobre la señora Thatcher)*

Diplomacia

¿Lo contrario de la «diplomacia secreta»?: la «diplomacia del megáfono». *(Denis Healey, describiendo las invectivas cruzadas entre Reagan y la señora Thatcher, por un lado, y Andropov por el otro)*

Crítica literaria

Un escritor envió esta nota al crítico que le había despellejado: «Me encuentro en la más pequeña e íntima habitación de la casa. Tengo su crítica delante de mí. Pronto la tendré detrás».

Plagas

En una reciente cena benéfica a la que asistí, tenía a mi esposa a la derecha y a un quejoso empresario a mi izquierda. Durante los tres primeros platos, el hombre me regaló con todo tipo de tremebundas historias sobre cómo los políticos de todas las tendencias habían arruinado su negocio, y hasta qué punto resulta imposible que un país sobreviva a las cargas con que le abruman sus dirigentes. Por último, mi esposa no pudo menos que preguntarle: «Pero, ¿supongo que hará *alguna* distinción entre la política de los dos partidos, no?».

«No hay ninguna diferencia entre ustedes», replicó. «Yo os digo: que una plaga caiga sobre todas vuestras casas».

Mi mujer le sonrió amablemente. «Cuando la plaga venga a nuestra casa», dijo, «tiene usted que venir a visitarnos».

Recuerdos

Siempre sonrío con los chistes del señor Smith. Primero por su ingenio, después con la nostalgia del recuerdo.

¿Apático?

El señor Smith no dijo una palabra hasta que cumplió los diez años. Su madre no sabía si era mudo o estaba demasiado ocupado hablando consigo mismo.

Repetición

...estamos encantados de oír una vez más su discurso.

Charlatanería

Los señores... han demostrado la teoría de que el cerebro es un órgano portentoso que no deja de funcionar desde nuestro nacimiento hasta la primera ocasión en que hablamos en público.

Somnífero oral

Los discursos del señor... siempre resultan beneficiosos para sus oyentes: o se marchan llenos de energía o despiertan frescos y lozanos.

Falta de contribución

Hace la misma contribución al comercio *(a la materia debatida)* que un elefante al vuelo en ala delta... *(o cualquier individuo de conocida obesidad)*.

Bibliotecas

La biblioteca del señor Smith sufrió un incendio. Los dos libros quedaron abrasados. Y ni siquiera había terminado de colorear uno de ellos. *(Esta frase puede aplicarla a su ignorante favorito. GJ)*

Genio

El presidente *(ministro de Asuntos Exteriores, director o lo que usted quiera)* era un hombre de pocas palabras, que resultaban suficientes para expresar todas sus ideas.

Observación poco objetiva

Nadie tiene mejor opinión que yo del señor Smith, ¡y yo creo que es un cerdo!

Una nación

Algunos centroamericanos opinan que los yanquis del norte son como las almorranas. Si bajan y vuelven a subirse enseguida, la cosa no es demasiado molesta. Pero si bajan y se quedan, no hay quien te libre del dolor en el trasero...

Manchester

Él eligió vivir en Manchester, decisión ciertamente incomprensible por parte de un ser humano. *(Juez Melford Stevenson. Esta observación puede trasladarse a cualquier otra ciudad a la que profese particular odio. GJ)*

Manchester (o cualquier otra urbe industrial)

Manchester (o lo que prefiera) es ese lugar donde los pájaros vuelan marcha atrás para que no les entre hollín en los ojos.

Castigo

Un individuo acusado de violación fue absuelto por el jurado. El juez, Melford Stevenson, comentó: «Veo que viene usted de Slough. Es un lugar horrible. ¡Puede regresar allí!».

Premios

El primer premio de la rifa era una semana en Yarmouth on Sea. El segundo premio eran dos semanas en Yarmouth on Sea. El tercer premio, un mes en Yarmouth on Sea.

Gracias

Accediendo a los deseos de su marido, una mujer le regaló por su cumpleaños un trozo de tierra en el cementerio. Al año siguiente se negó a hacerle ningún regalo.
«¿Por qué razón, querida?», preguntó el marido.
«Porque no has utilizado el del año pasado».

77.   Trabajo, relaciones comerciales y directivos

Sucursal

Un amigo mío le preguntó a una prostituta del barrio londinense de Mayfair cómo iba el negocio.
«Magnífico», contestó ella. «¡Si tuviera otro par de piernas, abriría una sucursal en Birmingham!».

Prostitutas

Las prostitutas se rigen por el convenio de la construcción, en la medida en que su trabajo consiste en la demolición de erecciones temporales.

Horario de trabajo

Alistair Cooke fue a una estación ferroviaria rural y encontró al jefe de estación cuidando sus rosas. «¿Cuántas horas tiene su jornada laboral?», le preguntó.

«Ocho horas, señor. Cinco días a la semana.»
«¿Siempre ocho horas? ¿Los cinco días?.»
«Sí, siempre lo mismo».
«¿Y por qué motivo?»
«Porque si trabajara menos de ocho horas, no tendría dinero para comprar rosas. Y si trabajara más, no tendría tiempo para cuidarlas...».

¿Jornada reducida?

Patrón: «¿Trabajó usted a jornada completa la semana pasada?».
Empleado: «En efecto, pero no quiero publicidad...».

Guiños

Un hombre solicitó un empleo como locutor de televisión. Por desgracia, tenía un tic que le hacía guiñar constantemente el ojo derecho. El encargado de las pruebas le preguntó: «¿No sería mejor que intentara trabajar en la radio?».

«No se preocupe», respondió el otro, «me tomo una de mis pastillas especiales y estoy perfectamente durante un par de horas».

«Bien, si es así», afirmó el entrevistador, «lo mejor es que tome una y me deje ver cómo trabaja».

El aspirante rebuscó en sus bolsillos y sacó un paquete de preservativos, despues otro, una pila de ellos, hasta que al fin apareció una cajita de aspirinas.

«Comprendo lo de la aspirina», comentó el entrevistador, «pero ¿para qué son todos esos preservativos?».

El hombre le miró con aire escéptico: «¿Ha intentado alguna vez entrar en una farmacia diciendo: "¿Por favor, déme *(guiño)* un paquete *(guiño)* de aspirinas?"».

Secretarias

Letrero en el tablón de anuncios de una importante compañía de seguros: «Se ruega a los directivos que se aprovechen de los servicios de sus secretarias a primeras horas de la mañana».

Descripción de un empleo

Fred contestó a un anuncio que solicitaba un hombre dispuesto a dormir con un gorila a cambio de 1.500 libras. Preguntó si le importaría al gorila que le pagara a plazos.

Desempleo

Un minero fue a un pozo para solicitar empleo. El encargado le dijo que volviera en primavera.

«¿Qué se cree que soy», dijo el hombre, «una maldita golondrina?». *(George Thomas, antiguo presidente del Parlamento)*

Peligro

El director gerente de una gran empresa de maquinaria invitó a un grupo de escolares a que visitaran su fábrica principal. Al final de la mañana, se escuchó a uno de los profesores comentar a sus alumnos: «Ahí lo tenéis, muchachos. Habéis visto dónde podríais acabar, si no conseguís graduaros».

Quitarse el muerto de encima

Un marinero de segunda se estaba examinando para ascender de grado. Se le pidió que corrigiera la siguiente frase: «Fui mí quien lo hizo». Escribió: «*No* fui mí quien lo hizo». *(La leyenda dice que inmediatamente lo ascendieron a almirante. GJ)*

Tranquilidad laboral

¿La paz laboral? Un período de trapacería entre dos huelgas. *(Aplicable al sector de la industria o a la compañía que se encuentren es estado de tensión).*

Sindicatos

Un sindicato es una isla de anarquía en medio del caos. *(Aneurin Bevan)*

«Diferenciaciones» y «anomalías»

Si yo gano más que tú, eso es una «diferenciación». Si tú ganas más que yo, es una «anomalía».

Disputas entre directivos

Las últimas disputas surgidas en una empresa, conocida por sus problemas de gestión, irritaron tanto a los directivos que, en lugar de apuñalarse por la espalda, comenzaron a hacerlo de frente.

¿Día de paga?

Un niño le pidió a su padre que le diera un adelanto hasta el día de la paga. «¿Cuándo es el día de la paga?», preguntó el padre. «No lo sé, dímelo tú. Para eso eres el que trabaja».

Ejecutivos y gaviotas

Los directores europeos de una conocida multinacional me describieron a los ejecutivos de su sede central como «gaviotas»: «Se acercan a ti volando... profiriendo sonoros chillidos cuando se posan... y después echan a volar de nuevo, fertilizando tu cabeza al pasar...».

Liderazgo

Hay dos clases de liderazgo. Una consiste en ir verdaderamente al frente y dirigir desde allí; la otra, en esperar a ver dónde va la gente, dar un rápido rodeo y ponerse a la cabeza. *(Julius Berman, antiguo presidente del Congreso de Organizaciones Judías Americanas).*

Explicaciones

Cierto jefe de personal experimentaba grandes dificultades para convencer a un empleado de que firmase un nuevo sistema de pensión de jubilación que, de hecho, era mucho más beneficioso para él que el anterior. Sin embargo, el empleado en cuestión se negaba a firmar.

En vista de la situación, el jefe de personal le envió a ver al director gerente. «Alex», dijo el director, «no ignoro que ha estado con nosotros durante treinta años sin causar ningún problema, pero no veo razón para que no firme...».

Alex: «Me niego».

Director gerente: «Alex, tiene que firmar, ¡o le pondré en la calle!».

Alex firmó.

La siguiente vez que el jefe de personal se cruzó con él le preguntó:

«¿Por qué firmaste en cuanto te lo pidió el director, y conmigo te ne-
gabas?».

«Bueno», dijo Alex, «es que nadie me lo había explicado bien...».

Autoservicio

Dos capataces discutían acerca de si el sexo era un placer o una tarea.
Uno de ellos, casado y con ocho hijos, opinaba que era una tarea; el otro,
soltero, pensaba que era lo más delicioso de la vida. Para contrastar sus
argumentos, llamaron al joven Fred, el aprendiz. «Dinos, Fred, ¿el sexo
es un placer o una tarea?».

«Tiene que ser un placer», dijo el chico.

«¿Por qué?».

«Porque si fuera una tarea, ¡me mandarían que se la hiciera!»

Saludo de despedida

Al quitar la cubierta de una máquina, un trabajador perdió dos dedos
de una mano. ¡Sólo lo advirtió cuando le dio las buenas noches al encargado!

Cualquiera puede cometer un error

Un hombre iba a ser despedido por intentar asesinar al encargado. Su
enlace sindical suplicó al patrón que le dieran una segunda oportunidad.

Nunca se resigne

Federico el Grande quería destituir a uno de sus generales. El general
le envió esta misiva: «Cuando finalice la batalla, mi cabeza es vuestra.
Mientras tanto, intentaré usarla para algo mejor en vuestro nombre».

Destitución

El presidente de una gran empresa convocó a todos sus directivos, uno
por uno. El más joven y novato fue el último en ser admitido al despacho
del presidente. Cuando entró, encontró a todos sus compañeros sentados
alrededor de una mesa.

Presidente: «Bill, ¿ha tenido usted un asunto con mi secretaria, la señorita Jones?».
Bill: «Desde luego que no».
«¿Está seguro?».
«Completamente. Nunca le he puesto una mano encima».
«¿Absolutamente seguro?».
«Por supuesto que lo estoy».
«Muy bien, Bill, entonces será usted quien la despida».

Referencias

«Me complace recomendarle para cualquier otro trabajo», o «Me complace proporcionarle una referencia para cualquier otro trabajo», o «Le despedimos con todo entusiasmo...».

Disciplina

Un encargado fue acusado de haber atacado a uno de sus subordinados, golpeándole la cabeza contra un banco de trabajo. Alegó que el individuo le había provocado, y éste fue despedido.

El sindicato de trabajadores respondió convocando una huelga general, y de inmediato el consejo directivo readmitió al empleado y despidió al encargado. Ante ello, el sindicato de encargados convocó a su vez una huelga general. El consejo repuso en su cargo al encargado y partió el banco de trabajo por la mitad.

¿Quién lo hizo?

Una empleada se quejó al jefe de personal de que había sido atacada sexualmente. «¿Quién lo hizo?», le preguntó aquél. «No lo sé», respondió la chica, «nunca lo había visto antes. Pero tiene que haber sido el encargado».

«¿Por qué dice eso?».

«Porque llevaba bata blanca y zapatos marrones, ¡y tuve que hacer yo todo el trabajo!».

Liderazgo errático

Este ejemplo constituye un magnífico símil cuando se quiere explicar la razón de que el primer ministro, el presidente, el director gerente o cualquier otro adversario tiendan a cometer actos imprevisibles y peligrosos:

El señor Brown es como ese lanzador de jabalina bizco que no bate ningún récord, ¡pero que, desde luego, mantiene al público en vilo!

78. Negocios, sociedades y profesionales

Auditores

Un auditor es un contable que llega al campo de batalla una vez que ésta ha terminado, y remata a los heridos con su bayoneta. *(Don Harson, de Arthur Andersen)*

Auditores y actuarios

Un auditor es como un actuario al que se le ha privado de su personalidad.

Contabilidad

Si alguien me pregunta: «¿cuántas son dos y dos?», le respondo: «¿compra o vende?». *(Lord Grade)*

Contables

Tres hombres aspiran a un puesto de contable. Se les hace esta pregunta: «¿Cuánto son dos veces dos?». Los dos primeros contestan correctamente. El tercero responde: «¿Qué cifra tiene usted en mente, señor?». Éste obtuvo el empleo.

Riesgos

Un «riesgo calculado» fue definido por un piloto de líneas aéreas como «uno en el que los ingenieros hacen los cálculos y el piloto corre el riesgo». *(Adaptable a cualquier situación en la que otros calculan los riesgos que habrá de afrontar usted. GJ)*

Apuntes de la «caja chica» en una firma estadounidense

24 de septiembre: Anuncio solicitando mecanógrafa	10 dólares
Violetas para la mesa de la mecanógrafa.......................	5,50 dólares
Sueldo semanal de la mecanógrafa.............................	120 dólares
Rosas para la mecanógrafa.......................................	10 dólares
Caramelos para mi esposa..	75 centavos
Almuerzo (mecanógrafa y yo)...................................	22,80 dólares
Sueldo de la mecanógrafa	190 dólares
Entradas cine (mi mujer y yo)	10 dólares
Entradas teatro (mecanógrafa y yo)	40 dólares
Caramelos para mi mujer...	75 centavos
Sueldo de Lillian..	200 dólares
Entradas para el teatro y cena (Lillian y yo).................	83 dólares
Minuta del médico (Lillian)......................................	780 dólares
Visón para mi mujer...	7.800 dólares
Anuncio solicitando mecanógrafo...............................	10 dólares

Flotación

Un contable y su cliente estaban nadando en el mar, cuando una ola arrastró repentinamente al cliente. El contable nadó tras él, le llevó hacia la playa, y cuando estaban cerca de la orilla le preguntó: «¿Se encuentra bien ahora? ¿Puede mantenerse a flote por sí mismo?».

El otro respondió: «¡Aunque esté muriéndome, tiene que hablarme de negocios!».

El destripador

La madre de Jack el Destripador le comentó a su hermana: «Es gracioso lo de mi hijo. Nunca trae dos veces a casa a la misma amiga».

«¿Cuántas ha matado?», preguntó la hermana.

«¿Cómo voy a saberlo?», dijo la madre. «Mi hijo es un asesino, no un contable». *(Henry Knobil)*

Buenas compañías

Dicho por un abogado a un juez, célebre por su puritanismo y su carácter de pilar de la Iglesia: «Apelo en nombre de los demandantes, una sociedad anónima, pero muy temerosa de Dios».

Sociedades anónimas

Lord Thurloe dijo en cierta ocasión: «Una sociedad anónima no tiene cuerpo que abrasar ni alma que condenar...».

Unanimidad

Dos consejeros estaban haciendo un crucigrama. Uno de ellos preguntó: «¿Cómo se deletrea "unánimemente"?»
A lo que el otro respondió: «No me extraña que no lo sepas. Es casi un milagro que puedas pronunciar esa palabra...».

¿Socios?

El propietario de un hotel contemplaba estoicamente cómo su barman se guardaba media libra por cada una que cobraba. Sólo cuando le vio meterse una entera en el bolsillo, se decidió a intervenir: «¿Qué está haciendo usted», preguntó. «¡Creí que éramos socios!».

Funcionario público

Un funcionario público es alguien que tiene una objeción válida para cualquier posible solución.

Éxito y fracaso

En una cena privada, el director de la Administración Pública, Sir Douglas Wass, comentó a los abogados y hombres de negocios allí reunidos que *ellos* podían valorar *su* trabajo por el número de casos ganados o perdidos y por los balances, respectivamente. «Nosotros no tenemos una base similar en nuestro trabajo», dijo. «¡El éxito de un funcionario público sólo puede medirse por la ausencia de fracasos evidentes!».

Policía

El profesor de una escuela local pidió a sus alumnos que escribieran una redacción sobre la policía. «Los policías son unos bastardos», escribió Martin.
El profesor comunicó este comentario a la dotación de policía del pue-

blo, y los agentes invitaron a Martin a que visitara la comisaría, haciéndole pasar el día más maravilloso de su vida. A la mañana siguiente, el profesor hizo que los alumnos repitieran la redacción. Martin escribió: «Los policías son unos bastardos muy simpáticos».

Espías

Un espía ruso fue a Gales, y se le comunicó que debía verse con su contacto de Abergavenny, que vivía en el número 25 de la calle Cwnbran. La contraseña era «la cápsula espacial está en órbita».

Por error, llamó al número 5. Una mujer abrió la puerta y le preguntó: «¿Quería algo?».

«La cápsula espacial está en órbita», dijo el ruso.

«Oh», dijo la mujer, «se ha equivocado de número. Usted debe buscar el número 25. Allí es donde vive Dai, el espía».

Marineros

Un marinero nunca quiere estar donde está, pero siempre anhela estar donde no está. Cuando un marinero deja de quejarse, es el momento de empezar a preocuparse... *(Príncipe Carlos)*

Limpiaventanas

Raquel Welch realizaba una gira por provincias. Una mañana se encontraba en la cama cuando vio a un limpiaventanas a la altura de su habitación. Apartó un poco las sábanas y le mostró un hombro. El individuo siguió trabajando. Se soltó la parte de arriba del camisón y le enseñó sus partes más sobresalientes. Él siguió absorto en su tarea. Así que saltó de la cama como Dios la trajo al mundo. El hombre abrió la ventana, miró a la dama y dijo: «Señora, ¿no ha visto nunca un limpiaventanas?».

Relaciones públicas

Hecho: en algunos tramos, el renombrado río Jordán es poco más que un arroyuelo.

Comentario: «Esto es lo que las relaciones públicas hacen por un río» *(Henry Kissinger)*

Militares genuinos

Cuatro hombres charlaban en un tren. El primero dijo: «Soy brigadier, estoy casado, tengo tres hijos y todos son abogados».

El siguiente explicó: «Soy brigadier, estoy casado, tengo tres hijos y todos son soldados».

El tercero: «Soy brigadier, estoy casado, tengo tres hijos, y todos son censores jurados de cuentas».

El cuarto permaneció en silencio. «Bueno, ¿no va a decirnos algo acerca de usted?», preguntó el primer brigadier.

«De acuerdo», repuso el otro. «Soy sargento mayor, *no* estoy casado, tengo tres hijos y todos son brigadieres».

Cerebros

Dos capitanes del ejército que comentaban la torpeza de sus respectivos asistentes decidieron hacer una apuesta sobre cuál era más tonto. El capitán X hizo comparecer a su asistente y le dijo: «Tome estas cinco libras y baje al pueblo a comprarme un televisor en color». «Sí, señor; desde luego, señor». Saludó y salió de la habitación.

El capitán Y llamó a su subordinado y le ordenó: «Vaya inmediatamente al cuerpo de guardia y vea si estoy allí». «Sí, señor. Ahora mismo, señor».

Los dos asistentes se encontraron en el pasillo y comentaron sus órdenes. «Imagínate», dijo el primero, «me manda a comprar un televisor hoy que los establecimientos están cerrados». «Pues ya ves el mío», responde el otro, «que me hace andar casi media milla, ¡pudiendo llamar él mismo al cuarto de guardia para ver si está allí!».

Distinción de clases

Cuando servía en el Ejército Británico del Rin, encontré en el tablón de anuncios, poco antes de Navidad, este aviso: «Las fiestas navideñas se celebrarán como sigue: oficiales y sus esposas, el 24 de diciembre; suboficiales y sus mujeres, el 25 de diciembre; otras graduaciones y su mujerío, el 26 de diciembre».

Chicos de la prensa

Los periódicos proclaman su radical independencia respecto a sus anunciantes. ¿Es siempre esto cierto?

Hace algunos años, encabezaba yo una campaña legislativa para penalizar las «garantías» fraudulentas que, sobre todo en el caso de los automóviles, quitan al consumir más derechos de los que le dan. Se me encargó que escribiera un extenso artículo sobre el tema para publicarlo en un dominical londinense que se denominaba a sí mismo «El periódico intrépido».

Mi trabajo era sardónico, preciso, documentado y devastador. No fue publicado. Simplemente, recibí mis honorarios. Ante esta situación, llamé al director de la publicación, quien me dijo: «Lo lamento, pero publicar su artículo nos costaría una fortuna. Atacaba a todos los fabricantes de coches del mercado».

«Luego ése es el motivo», contesté. «Creí que eran ustedes "el periódico intrépido"».

«Todo eso está muy bien», me replicó a su vez, «¡pero usted necesita tener un periódico para ser intrépido cuando está en el poder!»

Aseguradores

Las compañías de seguros te presentan propuestas para mantenerte pobre en vida, de forma que puedas morir rico.

Pólizas de seguros

En un banquete nupcial, uno de los familiares anunció que su regalo a la pareja sería un seguro de vida para el novio. La recién casada comenzó a llorar desconsoladamente. Cuando por fin consiguieron calmarla, balbuceó entre sollozos entrecortados: «No quiero eso... no quiero eso... ¡no quiero que papá prenda fuego a Harry, igual que hizo con el almacén!».

¿Quién se preocupa?

Un hombre que debía 100.000 libras no podía dormir la noche antes de que se cumpliera el vencimiento de la deuda. Cansado ya de agitarse y revolverse en la cama, se levantó, fue hasta la casa de su deudor y llamó a la ventana. «¿Qué ocurre?», inquirió el otro.

«Lo siento mucho», contestó el hombre, «pero no podré pagarle mañana lo que le debo. Estaba tan preocupado que no podía conciliar el sueño. Así que pensé que si se lo decía, usted quedaría despierto por la preocupación ¡y yo me echaría una cabezadita!».

No es mi negocio

Morgan y Dai fueron a un safari. De repente, una criatura peluda saltó desde un árbol sobre la espalda de Morgan. «¿Qué es eso? ¿Qué es eso?», gritó éste asustado.

«¿Cómo voy a saberlo?», dijo Dai, «¿acaso soy peletero?».

Empresa

El señor Cohen, propietario de una pequeña sastrería, llevaba una vida modesta, que pareció tambalearse cuando dos importantes firmas de confección, con un gran número de sastres, inauguraron sus respectivos establecimientos a ambos lados del suyo. «¿Que vas a hacer ahora?», le preguntó un amigo.

«No te preocupes», dijo Cohen, «todo irá bien. Me limitaré a cambiar el letrero de mi tienda».

«¿Y qué beneficios te traerá eso?».

«Todos».

«¿Y qué nombre piensas darle?».

«La llamaré... *¡Entrada Principal!*».

Precio y valor

El famoso pintor Rex Whistler reclamó 500 libras por un retrato que había realizado, en una época en que esa cifra suponía mucho dinero. Su cliente se negó a pagar, alegando que era un precio desorbitado por dos días de trabajo. Whistler le demandó.

En el juicio, el abogado del cliente interrogó al artista: «¿Es cierto que sólo tardó dos días en completar el cuadro?».

«Así es», contestó Whistler.

«Luego, si no me equivoco, eso significa que usted pretende cobrar 500 libras por dos días de trabajo...»

«En absoluto», replicó el pintor. «Pido 500 libras por toda una vida de trabajo que me ha capacitado para pintar ese retrato en dos días». Whistler ganó el pleito. *(Historia muy útil cuando se discute la evaluación de tiempo y servicio, bajo cualquier circunstancia).*

Antigüedades

Un norteamericano y su esposa visitaban el mercado londinense de Portobello Road. «No está mal, Bessie», comentó el hombre, «pero ya no hacen las antigüedades como antes, ¿verdad?».

Regalo de bodas

Un suegro le regaló a su yerno cinco mil acciones de su negocio. «Son tuyas, muchacho. ¿Puedo hacer algo más por ti?».

El yerno contestó: «Sí, papá. ¿Te importaría comprármelas?».

Política de pasillos

En cierta ocasión, cuando me conducían en una camilla hacia el quirófano del London's Royal Free Hospital, el anestesista se dirigió hacia mí enfundado en su bata y mascarilla verdes y jeringa en mano: «Señor Janner», dijo inclinándose sobre la camilla, «según creo, es usted miembro del Parlamento».

«En efecto», contesté.

Hizo una pausa y, balanceando en la mano su jeringuilla, continuó en tono sombrío: «Nosotros, los anestesistas, estamos muy mal pagados».

«Por favor», le dije presuroso, «le ruego que venga a verme para discutir el tema cuando haya recuperado el conocimiento».

Charla de negocios

El magnate del cine Lou Wasserman invitó una vez a Sam Goldwyn a una recepción a la que asistiría Clark Gable. «Pero no puede hablar de negocios con él», recalcó. «Prométame que no se tratará de contratos ni de dinero». Goldwyn estuvo de acuerdo.

Al día siguiente llegó puntualmente a la fiesta. Portaba consigo un portafolios, que abrió a los pocos momentos, depositando sobre la mesa 100.000 dolares en billetes de 10. «Ahí lo tiene», dijo «¡de eso es de lo que no me permiten hablarle!».

Calidad

El director de producción de la Metro Goldwyn Mayer le dijo en cierta ocasión a su temible jefe, Sam Goldwyn: «Este año haremos treinta películas: diez de clase A, diez B y diez C».

Goldwyn contestó: «Le sugiero que realicemos treinta de clase A; ¡las B y las C ya se cuidarán de sí mismas!».

Sorpresa

«Ya sé que ustedes no pueden aceptar apuestas cuando juegan contra los socios», dijo John Jones al profesional del Club, «pero querría pedirle un favor especial. Para celebrar mis bodas de plata, me gustaría disputar un partido por 100 libras».

«Sabe que no puedo hacerlo», contestó el profesional, «pero, en cualquier caso, tendría que darle una buena ventaja...».

«No es preciso», repuso John, «me basta con tres gotchas».

Como el profesional no quería admitir que ignoraba lo que era un «gotcha», accedió: «De acuerdo. Pero no lo comente».

Cuando iban a iniciar el primer hoyo, el profesional sintió una mano que se introducía entre sus piernas y daba un apretón. «¡Gotcha!», gritó John.

Molesto, el profesional se colocó de nuevo en posición de golpear la bola.

«¡Gotcha!», gritó John, repitiendo la operación.

«Es usted muy gracioso», dijo el profesional, «pero nos quedan dieciocho hoyos y sólo le resta un gotcha».

«Tiene razón», dijo John, «pero, ¿cree que podrá concentrarse en el juego, sin saber cuándo va a llegar el próximo gotcha?». *(Bob Monkhouse relató esta historia en una cena de negocios, y obtuvo una estruendosa ovación. Empleada con habilidad, puede ilustrar cualquier otra situación en la que se proponga mantener a sus competidores, rivales o enemigos bajo la espada de Damocles).*

79.   Finanzas, ventas e insolvencia

Que sigan

Fred, que estaba sin blanca, ganó un millón de libras en la lotería. Su mujer le comentó: «¿Qué haremos ahora con todas las cartas pidiendo dinero?».

«Simplemente, ¡seguir mandándolas!», fue la respuesta de Fred.

Cómo convertirse en millonario

Un mendigo harapiento le pidió un dólar a Rockefeller cuando éste salía de su bloque de apartamentos de Manhattan. Después de darle el dinero, el millonario comentó: «¿Por qué no lo invierte en ropa limpia, joven?».

«Le agradezco la sugerencia», respondió el mendigo, «pero, y perdone la observación, ¿le digo yo a usted cómo debe llevar *su* negocio?».

Estudio de tiempo y sentimientos

Un adinerado y caritativo amigo me contó cómo todos los años acudían a verle los representantes de una institución religiosa, a quienes siempre entregaba un cheque por valor de 100 libras.

Un año, sin embargo, cuando el cobrador llamó a su puerta, mi amigo le dijo: «La verdad es que no conozco a esa gente, y tengo muchas peticiones. Así que le daré 50 libras», y le tendió un cheque por esta cantidad.

El hombre agradeció cortésmente el donativo y dio la vuelta para irse. Entonces mi amigo le preguntó: «¿Por qué no trata de que le dé 50 más, como suelo hacer siempre?».

El hombre sonrió. «Tengo un taxi esperando fuera», dijo. «Durante el tiempo que tardaría tratando de convercerle para que me diera ese dinero, probablemente pueda hacer otro par de visitas. Y, en cualquier caso, le estoy agradecido por las 50 libras y no quiero molestarle».

Mi amigo le dio otras 50 libras, y le pidió que volviera al año siguiente.

Sentimiento de camaradería

Un ladrón fue atrapado en el jardín de un millonario, con una radio a transistores en el bolsillo.

«¿Qué quiere que hagamos con él?», le preguntó la policía.

«Dejen que se vaya», contestó el potentado. «Todos empezamos con poco».

Don de lenguas

Anuncio en una tienda: «Se hablan treinta idiomas». Un cliente entra e intenta hacerse comprender en francés, pero nadie le entiende. Otro cliente le dice al encargado: «¿No hablaban treinta idiomas en este establecimiento?».

El vendedor contesta: «Eso se refiere a los clientes... no a nosotros».

Suerte

Un hombre convenció a Rockefeller de que comprara un billete de lotería, con el que ganó cien mil dólares.

«Me ha hecho usted un gran favor», dijo Rockefeller al individuo. «Le ofrezco veinte mil dólares o, si lo prefiere, cuatro mil dólares al año por el resto de su vida».

Sin ningún titubeo, el otro contestó: «Me quedaré con los veinte mil dólares».

«¿Está seguro?», preguntó el magnate. «Es usted muy joven... ¿Por qué ha tomado esa decisión?».

«Por su condenada suerte, señor. Si escojo la renta anual, ¡no viviría más de seis meses!».

Honor

«La próxima vez que alguien diga que su palabra vale tanto como su dinero, coja su dinero». *(Alec Douglas Home, antiguo primer ministro)*

Energía

Gran Bretaña es un islote de carbón en un mar de petróleo sobre una burbuja de gas. *(Clive Jenkins)*

Riqueza petrolífera

Tener aceite no es ninguna señal de inteligencia. Las sardinas lo tienen y son completamente estúpidas; se quedan dentro de la lata y dejan la llave por fuera. *(Bob Monkhouse)*

Profecías

En general, es muy difícil hacer predicciones sobre el futuro... y en Israel aún resulta más difícil ser profeta, dada la competencia...

Gestión de tesorería

Acabamos de crear un nuevo sistema de gestión de tesorería. Ello significa que pagamos cuando queremos...

Deudores

Si debes 50 libras, eres un mendigo. Si debes 500, eres un hombre de negocios. Si debes 5 millones, eres un millonario. Si debes 500.000 millones, eres el Canciller del Exchequer *(o el ministro de Hacienda)*.

Inflación

El Canciller del Exchequer confía en pasar a la inmortalidad gracias a la reproducción de su retrato, al lado del de Su Majestad, en los primeros billetes de 1.000 libras.

Hiperinflación

El Canciller del Exchequer acudió a una tienda y comentó: «Creo que la inflación no es tan grave. Miren, pañuelos a sólo una libra. Camisas a diez, y pantalones por quince...».

En ese momento, su ayudante le susurró discretamente al oído: «Disculpe, señor. Lo lamento, pero me temo que no estamos en una tienda de confección. Esto es una lavandería...».

Capitales

«¿Capital de Arabia Saudita?». «Un tercio en Suiza; otro tercio en Londres; el resto en Alemania y Estados Unidos».

Bancarrota

¿No tienes nada en una caja de seguridad en el banco? ¿Ni a nombre de tu mujer? ¿Ni enterrado en un lugar secreto? Eso no es bancarrota, hermano, es estupidez.

Quiebra postrera

Jack se declaró en quiebra tantas veces que hasta la lápida de su tumba la puso a nombre de su mujer.

Liquidación

Noé fue el hombre con más coraje de la historia. Sacó a flote su compañía cuando el resto del mundo estaba en liquidación.

Recesión

Un buzo que se halla en las profundidades siente que tiran del cable hacia arriba. Una voz le llega por el intercomunicador: «¡Sube en seguida, el barco se está hundiendo!». *(Idóneo para cuando le invitan a ingresar en un partido político en plena decadencia. GJ)*

80.   Políticos y filósofos

Objetividad

Los personajes destacados de la vida política sólo son descritos con objetividad en sus propias memorias. *(Abba Eban)*

Políticos

Un político es un individuo que aborda todos los problemas con la boca abierta. *(Adlai Stevenson)*

Principios

Soy un hombre de principios; pero uno de mis principios es la utilidad. *(Lloyd George)*

Compromiso

Transiges cuando haces aquello que juraste no hacer jamás; y aunque todos los políticos transigen en uno u otro momento, no les gusta que les fotografíen haciéndolo...

Conservador

Un abogado fue entrevistado al cumplir cien años. Periodista: «¿Supongo que habrá conocido muchos cambios a lo largo de su vida?»
Abogado: «Sí, y estuve contra todos ellos».

Preocupaciones equilibradas

«¿Si no me preocupo por mí mismo, quién lo hará? ¿Pero si existo sólo para mí, qué soy yo? ¿Y si no decido ahora, cuándo lo haré?». *(Rabino Hillel)*

El medio del camino

La única parte del camino por la que merece la pena conducir es por el centro; los dos lados dan a la cuneta. *(General Eisenhower)*

Experiencia

La experiencia nos dice que los políticos no *siempre* quieren decir lo contrario de lo que dicen.

Huevos y cestos

Los fabricantes británicos de aviones comerciales sugirieron en cierta ocasión a Winston Churchill que él, el Gobierno y otros cuarenta parlamentarios deberían viajar en el nuevo modelo de reactor Comet con objeto de dar confianza al público. Uno de sus ministros, sin embargo, hizo notar que si algo le ocurriera al aparato resultaría desastroso, pues el país se vería sacudido al tener que reelegir simultáneamente sesenta cargos.

Churchill le dio la razón de mala gana. «Eso demuestra», comentó, «que es sumamente peligroso poner todos tus cestos en el mismo huevo...».

Oposición

Estar en la oposición no es una desgracia. De hecho, es un honor, pero el único honor que los políticos no intentan alcanzar por todos los medios. *(Abba Eban)*

Filosofía gubernamental

Si no sabes a dónde te diriges, lo más probable es que acabes en cualquier otro lugar...

Publicidad

Es de esa clase de políticos que tienen una erección cada vez que ven un micrófono o una cámara de televisión.

Atracción

Un micrófono despierta en él los mismos instintos que una farola en un perro.

Sueño

Los parlamentarios y los congresistas son individuos que hablan mientras otros duermen.

¿La profesión más antigua?

Hay quien considera que la jardinería es la más antigua profesión, dado que Adán fue el primer hombre sobre la tierra. Pero la Biblia nos dice que antes de la creación del mundo todo era confusión y caos... ¡y es bien sabido que eso sólo puede ser obra de los políticos!

Modestia incipiente

Las dos primeras semanas que perteneces al Parlamento, te preguntas cómo has conseguido llegar hasta allí. Después, te preguntas cómo lo han logrado los demás...

¿Sustituto?

Un parlamentario falleció. Al día siguiente, un joven y esperanzado político telefoneó al secretario del partido: «Espero no resultar precipitado», dijo, «pero me pregunto si no sería posible que yo ocupara la plaza del difunto...».

El secretario replicó: «Yo no tengo ningún inconveniente, pero la última palabra la tiene el sepulturero».

Votaciones

Dos turistas se hallaban en el vestíbulo principal de la Cámara de los Comunes, cuando de repente comenzó a sonar el timbre que anuncia el comienzo de una votación. «¿Qué es eso?», preguntó uno. «No sé», contestó su acompañante, «supongo que debe haberse escapado uno...».

Desconocido

El portavoz conservador del Parlamento llamó a uno de sus diputados, a medianoche, para que asistiera a una votación. Una voz de mujer respondió al teléfono, pero pudo escuchar al fondo una voz masculina que exclamaba: «Dile que no estoy...».

«Lo siento, señor..., pero no está en casa», dijo la mujer.

Rápido como una centella, el portavoz respondió: «En ese caso, haga el favor de comunicarle al tipo que está con usted en la cama, sea quien sea, que tiene que presentarse a votar en la Cámara de los Comunes... ¡inmediatamente!».

Nuevo concejal

Dai Jones es elegido concejal por primera vez. Encantado, se va al pub a celebrarlo.

«¿Lo de siempre, Dai?», le preguntó el camarero.

«*Concejal* Dai, si no te importa», replica Dai.

Al recoger su abrigo en el guardarropa, el encargado le dice: «Buenas noches, Dai». «*Concejal* Dai, por favor».

En el autobús, el conductor le saluda: «Me alegro de verte, Dai». «*Concejal* Dai, si me haces el favor».

Y la misma respuesta da a todo el que se encuentra por el camino. Cuando llega a casa, escucha la voz de su mujer desde el piso de arriba: «¿Eres tú, Dai?».

«Concejal Dai, si no te importa», contesta de nuevo. «Bueno, entonces lo mejor será que subas deprisa», exclama ella, «¡Dai debe estar a punto de llegar!».

Sorpresa

San Pedro asignó a un venerable Papa una celda desnuda, en tanto que daba a un congresista un magnífico apartamento, enmoquetado y auténticamente celestial. Ante las protestas papales, replicó: «Tenemos un montón de Papas aquí, ¡pero éste es nuestro primer congresista!».

Olvido

No hay nada tan ex como un ex-diputado.

Hallar al sabio

Reagan, Mitterrand y Thatcher acuden a una conferencia. «Necesito su ayuda», dice Reagan. «Me encuentro ante un problema. Tengo 18 guardaespaldas. Uno de ellos es un agente de la KGB. ¡Y no consigo descubrir quién es!».

«Yo me enfrento a un problema que, en su terreno, es todavía peor», afirma Mitterrand. «Tengo 18 queridas, y una me es infiel. Pero lo malo es que no sabría decir quién es!».

«Mi problema es el más grave de todos», interviene la señora Thatcher. «Tengo dieciocho personas en mi gobierno. Una de ellas es inteligente. ¡Y no soy capaz de encontrarla!». *(Este brillante y, lamento decirlo, apócrifo relato, es perfectamente aplicable a cualquier gobierno, comité o consejo directivo al que tenga particular interés en difamar. GJ)*

Economía

Un político que defendía la tesis de que sería posible obtener los mismos resultados con la mitad de las inversiones, apoyaba su opinión con la historia de una escuela de equitación en Escocia, donde daban a los jinetes novatos una sola espuela, considerando que, si consigues que avance una mitad del caballo, es harto probable que la otra la siga.

81.   Parlamento, gobierno, democracia y elecciones

Diferencias de opinión

Nuestra especialidad es lograr la armonía de los contrarios. *(Sir Shridath Rampal, Secretario General de la Commonwealth).*

Buenas relaciones

Un muchacho le preguntó a su padre si a lo largo de los veinticinco años de matrimonio nunca había pensado en divorciarse de su madre. «Nunca», respondió papá.

«¿Nunca, jamás?»

«No, en ningún momento pasó por mi cabeza divorciarme de ella. ¡Desde luego, muchas veces deseé asesinarla!». *(Jack Jones, líder sindical, explicando las relaciones entre los sindicatos y el Partido Laborista).*

Tradición familiar

Un periodista preguntó a Franklin D. Roosevelt por qué era del Partido Demócrata, a lo que contestó: «Porque mi bisabuelo y mi abuelo y mi padre fueron demócratas antes que yo».

«¿Y qué habría sucedido si su bisabuelo, su abuelo y padre hubieran sido cuatreros?», inquirió el entrevistador.

«En tal caso», dijo el presidente Roosevelt, «habría sido republicano».

Manía

El disidente soviético Leonid Pliush narró a un grupo de parlamentarios la triste historia de su encarcelamiento en un centro psiquiátrico ruso. Cuando le preguntaron qué diagnóstico le habían atribuido los psiquiatras soviéticos, contestó: «Manía reformista con tendencias mesiánicas». Todos sus oyentes estuvieron de acuerdo en que hubiera sido un magnífico diputado.

Políticas principescas

Sea cual sea el tema tratado, resulta muy difícil evitar las afirmaciones políticas partidistas. A veces, cuando caigo en una auténtica trampa para elefantes, nadie parece enterarse; otras, apenas he pisado una pequeña ratonera, se desata el infierno... *(Príncipe Carlos)*

Gobierno abierto

La luz del sol es el más eficaz de los desinfectantes... *(Juez Brandeis, del Tribunal Supremo de los Estados Unidos).*

Parlamento

Nuestro sistema parlamentario no es bueno, pero es el mejor que tenemos. *(Winston Churchill)*

La democracia parlamentaria es la peor forma de gobierno si no se toman en consideración las otras. *(Winston Churchill)*

Presidentes y reyes

¿Que cuál es la diferencia entre un rey y un presidente? Un rey es hijo de su padre.

Comités

Si Moisés hubiera pertenecido a un comité, los israelitas todavía estarían en Egipto.

Un comité parlamentario es un callejón sin salida, en el que se atrapa a las ideas para estrangularlas allí, silenciosamente...

Invento de un comité

Un camello es un caballo creado por un comité.

Comité unipersonal

Todo comité ha de estar formado por un número impar de personas. Tres miembros resultan excesivos.

Disciplina

A raíz de unas importantes sesiones parlamentarias, un diputado se quejaba de que el jefe de su partido había sido tan estricto que ni siquiera le permitió salir de la Cámara para acudir al bautizo de su hijo. El amigo con el que hablaba contestó: «Tienes suerte. Tú no estabas cuando tu hijo fue bautizado; ¡yo no estaba cuando el mío fue concebido!».

Elecciones

Un jurado escocés fue informado por el juez: «Se trata de un caso muy sencillo. Sin duda tardarán poco tiempo en establecer su veredicto».

Cuando el jurado llevaba ya tres horas reunido, el juez los mandó llamar. «¿Qué ha ocurrido?», preguntó.

«No hemos tenido dificultades para decidir nuestro veredicto», dijeron, «el problema es que todavía estamos eligiendo un portavoz...».

En una democracia, los ciudadanos tienen derecho a tomar una decisión equivocada. Este derecho ha sido ejercido de forma masiva por el pueblo británico.

Democracia

No podemos quejarnos si en una democracia se hace uso del principio rotatorio y los electores dan el poder al partido equivocado... *(Abba Eban)*

Elecciones rusas

En la Unión Soviética existe lo que ellos llaman «elecciones de Adán»: tienen las mismas posibilidades de elección que tuvo aquél.

Direcciones

Un ministro del Gobierno se había perdido en un remoto paraje. Bajando la ventanilla de su coche, preguntó a un aldeano que pasaba por allí: «¿Dónde estoy, por favor?».

El sujeto replicó: «Está usted en su coche, señor».

«Muchas gracias», contestó el político. «Su respuesta es idéntica a las que da el Ministerio: breve, exacta, ¡y no añade absolutamente nada al conjunto del conocimiento humano!».

¡Retírelo!

El diputado Willie Hamilton estaba criticando a Harold Wilson por su insistencia en ingresar en el Mercado Común... después en salir... y más tarde en entrar de nuevo. Definió esta conducta como «la política del *coitus interruptus*». El parlamentario situado frente a él aulló: «Retírelo... retírelo...».

Cartas estándar

En ocasiones utilizo cartas estándar para responder a aquellas demandas de mis electores que son idénticas. En cierta ocasión recibí un aluvión de cartas de todo el país solicitándome que apoyara una campaña organizada por la Liga Contra los Deportes Crueles, y en concreto una ley para prohibir la caza de liebres con perros.

Mis ayudantes prepararon una pila de cartas estándar en las que se decía: «Le agradezco su carta. He considerado cuidadosamente su punto de vista y aprecio que me haya escrito». Yo añadí a cada una esta nota manuscrita: «Estoy de acuerdo con usted. Haré lo que pueda».

Por desgracia, ese mismo día recibí una carta de un caballero algo excéntrico, quejándose de mi intervención en un programa televisivo en el que yo había afirmado que es preciso tener en cuenta los orígenes de una persona al dilucidar las causas de sus tendencias criminales, y en el que ataqué además a un juez que había manifestado lo contrario.

El indignado ciudadano escribía: «Es usted un idiota... no comprende en absoluto a la gente... Usted y los de su especie están llevando a este país al desastre... ¡Deberían fusilarlo!

El hombre debió quedar bastante sorprendido cuando recibió una carta, enviada por un atolondrado ayudante, que concluía: «Estoy de acuerdo con usted. Haré lo que pueda».

La verdad

Uno de sus adversarios políticos explicó cómo podía saberse cuándo el ex presidente Nixon estaba mintiendo: «Si te extiende la mano, dice la verdad... si te reprende agitando un dedo, dice la verdad... si te amenaza con el puño, dice la verdad... pero si abre la boca...».

Emigración

Un catedrático decidió emigrar. El decano lo llamó a su despacho: «¿Por qué quiere irse?», preguntó, «tiene usted un magnífico trabajo... una buena casa... excelentes perspectivas...».

«Tengo dos razones», explicó el catedrático. «La primera es que, cuando llego a casa por la noche, suelo encontrarme al vecino en la puerta de mi casa, completamente borracho, mientras me grazna: «Esperad a que nos deshagamos de este gobierno conservador, y os cortaremos el gaznate a todos, académicos inútiles...».

«Pero al gobierno conservador aún le quedan varios años...», arguyó el Decano.

«Exactamente», dijo el catedrático, «ésa es mi segunda razón».

Progreso conservador

Estadista conservador: «Entiendo que el *status quo* es el camino hacia adelante».

Elecciones posibles

Un vicario protestante bendice a todos los partidos antes de las elecciones: «Hoy cantaremos tres himnos. En honor de los conservadores: *Demos gracias a Dios*. En honor del Partido Laborista: *Oh, Señor, que nos ayudaste en el pasado*. Y en honor de la alianza socialdemócrata-liberal: *Los designios del Señor son inescrutables*.

Consejo al sucesor

Se dice que, cuando Harold Wilson hubo de ceder su cargo de primer ministro a James Callaghan, dejó en un cajón tres sobres que su sucesor debía abrir por orden cada vez que se produjera una crisis.

Tras la primera crisis, Callaghan abrió el primer sobre y leyó: «Échele la culpa a su antecesor».

Después de la segunda, leyó: «Destituya al secretario».

Y por fin, tras la tercera: «Prepare tres sobres...».

Disuasión

Lord Birkett contaba con deleite la célebre historia de la mujer que va en el tren y contempla cómo un hombre sentado frente a ella recorta el periódico en pequeñas tiras, arrojándolas después por la ventanilla.

Intrigada, la dama pregunta: «¿Por qué hace eso, señor?».

«Para mantener alejados a los elefantes», es la respuesta.

«Pero aquí no hay elefantes», protesta ella.

«Desde luego», afirma complacido el hombre, «es extraordinariamente eficaz».

Siempre y mucho

En una opereta de Gilbert y Sullivan, al capitán de un barco le preguntaron si alguna vez se ha mareado en el mar a lo que responde «no».

«¿Cómo que no?», canta el coro de marineros.

«No, no y no».

«¿Ni siquiera un poco?».

«Bueno... ni alguna vez ni poco», admitió el capitán, *«¡siempre y mucho!»*. *(De forma similar, el gobierno, la oposición, la empresa, o lo que prefiera, pueden equivocarse o estar fuera de lugar, o tratar de engañarnos, siempre y mucho... GJ).*

Castigo político

W. S. Gilbert sugería que los jueces deberían «adecuar el castigo al delito». La siguiente historia puede adaptarse a cualquier político por el que sienta particular aversión.

Cuando Winston Churchill murió y subió al cielo, fue recibido por San Pedro, quien le indicó su habitación: «Todo derecho por el pasillo, octava puerta a la izquierda». Cuando Churchill se dirigía hacia allí, vio en una habitación a Neville Chamberlain, su rival político, abrazando a la célebre artista de variedades Mae West.

Al entrar en su cuarto, Winston descubrió con horror a su sempiterna enemiga, lady Astor, la primera mujer parlamentaria, echada en la cama. Furibundo, regresó en busca de San Pedro. «Es una vergüenza», tronó. «Después de todo lo que he hecho por el mundo. ¡Por si no fuera suficiente con ponerme en la habitación a esa vieja de lady Astor, acomoda usted al carcamal de Chamberlain con la deliciosa Mae West!».

«Ocúpese de sus asuntos, sir Winston», replicó tajante Pedro. «¡Cómo castigar a Mae West es problema mío!».

82.   Extranjeros y diplomáticos

Ministerio de Asuntos Exteriores

En fecha reciente un turista le preguntó a un guardia, en la avenida londinense de Whitehall: «¿Por favor, en qué lado está el Ministerio de Asuntos Exteriores...?». A lo que el otro respondió: «Bueno, se supone que en el nuestro, aunque a veces me pregunto...».

Ex

Cuando eres su ex-celencia el embajador, todo el mundo quiere que hagas discursos y seas su invitado de honor. Cuando eres un ex-embajador, tienes que buscarte tanto la plataforma como el sustento...

Embajadores y periodistas

Un embajador es un hombre lleno de virtudes enviado al extranjero por el bien de su país. Un periodista es un sujeto sin virtudes que miente en el país para su propio bien. *(Sir Henry Wotton; la segunda parte fue añadida con posterioridad, cuando un periodista le criticó la falta de diplomacia de la primera frase).*

Solución pacífica

Nuestro gobierno está preparado para resolver cualquier crisis laboral por medios pacíficos, si no hay otra solución posible. *(Adáptelo según le convenga: gobierno, comité, organización, o lo que el caso requiera. GJ).*

La diplomacia del silencio

El científico Mark Azbel explicaba así la necesidad de mantener silencio por parte de los judíos y otros pueblos oprimidos por sus dirigentes: «Un pajarito, congelado por el frío, cayó al suelo. En ese momento pasó una vaca y dejó caer sus excrementos sobre él. Reanimado, comenzó a piar. Un zorro le oyó, se acercó al pájaro, lo limpió, y se lo comió».

Moraleja: «No todo el que te cubra de estiércol es tu enemigo, ni el que te limpie tu amigo».

«Más importante: ¡si estás metido en la mierda, no hagas ruido!».

¿Democracia?

Un amigo norteamericano preguntó a Ivor Richard, antiguo embajador británico en las Naciones Unidas, por qué esta organización era tan antidemocrática.

«¿Antidemocrática? ¿Por qué dices eso?», contestó Richard.

«¡Porque perdemos todas las votaciones!».

Obsequios navideños y problemas diplomáticos

El recién nombrado embajador británico en los Estados Unidos, llegó a Washington a mediados de diciembre. Un periodista, charlando con él, le preguntó: «¿Qué regalo le gustaría por Navidad, embajador?». Él contestó: «Bueno, una cajita de bombones americanos estaría muy bien».

En Nochebuena, la Embajada quedó conmocionada al escuchar esta información radiofónica. «Hemos preguntado a varios embajadores qué preferirían como regalo de Navidad. La respuesta del embajador alemán fue: «Una generación de paz para todo el mundo». La del embajador francés: «Amor y fraternidad entre las naciones». El enviado del Reino Unido contestó: «Bueno, una cajita de bombones americanos estaría bien».

Americano e inglés

El inglés de los Estados Unidos difiere del inglés de la Gran Bretaña en que el primero busca la más alta expresión, en tanto que el segundo busca sus valores más bajos. *(Salvador de Madariaga)*

Nunca ha hecho más un idioma para separar a dos naciones. *(George Bernard Shaw)*

Solución

En cuanto un gobierno cree que ha resuelto el problema irlandés, los irlandeses cambian los términos del problema.

Idealismo

Sí, la India es un país con grandes ideales, pero está poblada enteramente por seres humanos. *(Indira Gandhi; esta definición es aplicable a cualquier otra nación del mundo)*.

Naciones Unidas

Cuando las Naciones Unidas están divididas al 50 %, entonces la decisión no representa «la conciencia del mundo»; pero añádale Yemen, Haití y Portugal, y se convierte en la conciencia del mundo. *(Dean Acheson, antiguo Secretario de Estado)*.

¿Igualdad?

Sobre Israel y sus enemigos árabe: «Ellos son muchos y nosotros sólo uno, pero suponemos el 50 % del conflicto». *(Yigal Allon)*

El poder de la mayoría

Si las naciones árabes decidieran declarar que la Tierra es plana, obtendrían 82 votos en el seno de las Naciones Unidas, mayoría que accedería de buena gana a ratificar este hecho. Lo que ocurre es que ni ellos mismos creerían que el resultado es digno de confianza. *(Abba Eban)*

Cuide su lenguaje

Hace muchos años, un diputado canadiense contestó así a una sugerencia en el sentido de que empleara alguna vez el idioma francés en sus intervenciones: «Si el inglés era lo bastante bueno para Matthew, Mark, Luke y John *(los cuatro Evangelistas)*, ¡también lo es para nosotros!».

Oportunidades perdidas

Los jordanos nunca desaprovechan la posibilidad de perder una oportunidad. *(Abba Ebban. Adaptable a cualquier circunstancia / país / gobierno / situación. GJ)*

Cargo rehusado

El general árabe que conquistó Egipto hace 1300 años confiaba en que el Califa le nombrara gobernador del país. Sin embargo, sólo le ofreció el mando de las tropas asentadas en Egipto, al tiempo que confiaba a otro el puesto de gobernador.

El general rehusó el nombramiento con esta memorable frase: «¿Por qué habría yo de aguantar los cuernos de la vaca mientras otro la ordeña?». *(Anuar el Sadat)*

Gloria reflejada

En cierta ocasión acudí a Amberes para sumarme a la masiva manifestación convocada tras la explosión de una sinagoga en el barrio de los joyeros. Caminaba junto al Gran Rabino de Bélgica, quien me dijo: «No sabe cómo le agradezco que haya venido. Nos vimos obligados a organizar con mucha rapidez el acto, y ayer por la mañana aún creíamos que no vendría nadie: no conseguíamos convencer a los líderes políticos, ni siquiera a nuestra propia comunidad. Pero cuando dije que lord Janner iba a asistir...». Lamenté tener que comunicarle que yo era tan sólo el hijo de mi padre.

Poco después, un hombre se acercó con un micrófono y me dijo, en francés: «Represento a la única emisora de radio judía de Europa. Por favor, ¿puedo hacerle algunas preguntas?». «Será un placer», repliqué.

Conectando su aparato, comenzó: «Estoy hablando con el conocido líder judío, lord Janner».

«Me temo que no es así», contesté, «está hablando a su hijo».

Sin inmutarse, el entrevistador dijo al micrófono: «*Chères auditeurs*, estoy hablando con el hijo del conocido líder judío, lord Janner».

¿Pura raza?

Un oso polar lleva a su hijo tras él. El pequeño le tira de la cola. «Papi», dice, «¿tenemos nosotros algo de sangre de oso pardo?».

«Por supuesto que no, hijo», contesta el padre. «Somos osos polares puros».

Un poco más tarde, nuevo tirón de cola. «Papi, ¿no hay sangre de oso grizzly en nuestras venas?».

«Cuántas veces voy a decirte, hijo, que somos osos polares de pura raza».

Minutos después: «Papi, ¿estás seguro de que no hay sangre de koala en nuestra familia?».

«Hijo, ya te lo he repetido lo suficiente, somos pura y absolutamente osos polares, sin ninguna mezcla de sangre. Pero, ¿por qué tanta insistencia?».

«¡Porque me estoy muriendo de frío!».

Virtudes de la CEE

Lo que necesitamos son las virtudes de nuestros compañeros del Mercado Común. La soberanía de Luxemburgo... el temperamento apacible de los italianos... la flexibilidad de los holandeses... la iniciativa de los belgas... el buen natural de los alemanes... el talante razonable de los franceses... aunque, en cualquier caso, tenemos el amor al trabajo y el arte culinario de los británicos...

¿Hay vida en Marte?

Yugoslavia rebosa de delegaciones extranjeras. Al igual que los rumanos, los yugoslavos viven aterrorizados por el recuerdo de la ofensiva descripción que hizo Chamberlain de Checoslovaquia: «Ese pequeño, lejano país, del que tan poco sabemos...». En consecuencia, dan la bienvenida a todos los visitantes, y su país está atestado de delegaciones, tanto del este como del oeste.

Tres científicos discutían hace poco sobre la existencia o no de vida en Marte. El norteamericano dijo: «Nosotros pensamos, en conjunto, que probablemente hay alguna forma de vida primitiva en el planeta...». El ruso afirmó: «Somos mucho más escépticos. En líneas generales, creemos que no existe ninguna forma de vida, ni siquiera primitiva, en el planeta rojo». El yugoslavo aseveró: «*Nosotros* estamos absolutamente *seguros* de que no hay vida en Marte; de lo contrario, hace tiempo que nos hubieran enviado delegaciones».

Prioridad

Cuando el fallecido Aga Khan fue invitado a una recepción en la Cámara de los Lores, el anfitrión envió una carta al maestro de ceremonias del rey acerca de la cuestión de la prioridad. Tras una larga espera, recibió la siguiente respuesta: «El Aga Khan es considerado como un descendiente directo de Dios. Los duques ingleses tienen prioridad...».

Lavado de cerebro

Según cuenta el Gran Rabino Rosen de Rumania, en su primera visita a Norteamérica fue abordado por varios periodistas que le hicieron algunas preguntas un tanto secas e incluso duras. Por ejemplo: «¿Rabino, no les lavan el cerebro en su país?».

Él contestó: «En efecto, supongo que es así, pero también les ocurre aquí, sólo que de distinta forma. La diferencia entre ustedes y nosotros estriba en que *nosotros* no creemos lo que leemos en los periódicos y ustedes sí».

Uno de los problemas que presenta tal prevención es que, aun cuando la radio o los periódicos rumanos estuvieran diciendo la verdad, los rumanos son tan suspicaces que, aun así, preferirían creer las mentiras de otros países.

Los diez mandamientos

Si Moisés hubiera tenido que bajar del monte Sinaí y someter los diez mandamientos a la aprobación de los comités parlamentarios de Israel, dudo mucho de que hubieran llegado a convertirse en la Ley. *(Abba Ebban)*

Paz

Un tratado de paz produce más impresión cuando lleva dos firmas. *(Abba Ebban)*

Negociar con los rusos

No pueden aceptar que les hagas una gran concesión. Tienen que obtenerlo extorsionándote. *(Henry Kissinger)*

Socialismo

¿En qué se parece la Unión Soviética a una avioneta en pleno vuelo? En que hace frío, te produce mareos, y no puedes salir de ella.

Ignorancia

No existe conocimiento alguno acerca de la política y las razones que guían a la Unión Soviética; tan sólo diversos grados de ignorancia. *(Presidente Truman)*

Compartir

Un ciudadano soviético que quería ingresar en el Partido Comunista fue entrevistado por un oficial, que le preguntó: «Si tuvieras dos casas, ¿qué harías con ellas?».
«Darle una al Partido, camarada, y quedarme yo la otra».
«Ahora supongamos que tienes dos coches, ¿qué harías?».
«Darle uno al partido, y guardar el otro para mí».
«Supongamos entonces que tienes dos camisas».
«Oh, en ese caso me quedaría yo las dos».
«¿Cómo? ¿Le darías al Partido una de tus casas y uno de tus coches, y no una de tus camisas?».
«No me comprende usted. Es que *sí* tengo dos camisas».

Loro siberiano

Un disidente ruso enseñó a su loro a decir: «Abajo Breznev... Abajo Marx... Abajo Lenin...».
Un día el KGB llamó a su puerta. Aterrorizado, escondió al loro en la nevera.
Los agentes del KGB registraron la casa, y por último abrieron la nevera, de donde salió tiritando el loro.
Tras una tensa pausa, el loro comenzó a hablar: «Amo a Breznev... Amo a Marx... Amo a Lenin...».

«Pequeño bastardo», gruñó su amo, «sólo cinco minutos en Siberia y ya te unes al Partido...».

Sociedad comunista

En un país de la Europa del Este, un muchacho de 18 años preguntó a su padre: «¿Te parece que hemos alcanzado ya un comunismo al cien por cien, o todavía irá a peor?».

Secreto de Estado

Hace algunos años, un moscovita fue arrestado por pasearse desnudo por las calles, gritando: «¡Breznev está loco!».

El juez le sentenció a 30 años y 1 día de cárcel. «El día, por conducta indecente», explicó, «y los 30 años por divulgar secretos de Estado».

Amor a Rusia

Un anciano se encontraba estudiando hebreo en un parque de Moscú. Al poco se le acercó un hombre del KGB e inquirió: «¿Qué está leyendo?».

«Estudio hebreo».

«¿Y qué utilidad tiene eso?».

«Es el idioma de Israel».

«Viejo, nunca irás allí...».

«Bueno, aun así, es el lenguaje del Paraíso».

«¿Y qué pasa si te toca ir al otro sitio?».

«Eso no sería ningún problema. Ya sé hablar ruso».

Larga distancia

Cuando Kosiguin murió, fue al infierno, y allí pidió al demonio que le permitiera mantenerse en comunicación con sus amigos de la Tierra. «Muy bien», dijo Lucifer, «pero necesitará mucho cambio para el teléfono».

«¿Cuánto valen las llamadas desde aquí?».

«A Estados Unidos, 50 rublos; a Sudamérica, 40 rublos; al Reino Unido, 50 rublos; a la India, 55 rublos...», y a continuación toda una larga lista, finalizada con «a la Unión Soviética, 1 rublo».

«¿Por qué resulta tan barato llamar a la URSS?».

«Porque», contestó Lucifer, «es una llamada local...».

Patriotismo

El señor Kogan de Kiev solicitó un visado para Israel. Pocas noches más tarde, escuchó un fuerte aporreo en su puerta. Se tapó la cabeza con las mantas, pero los golpes continuaron, y al cabo de un rato preguntó: «¿Quién es?».

«El cartero».

«Váyase, por favor».

Las llamadas comenzaron de nuevo. Finalmente, Kogan abrió, y cinco agentes del KGB entraron a empujones y le derribaron.

«¿Cuál es el mejor país del mundo?», preguntó uno de ellos, sentado sobre su cabeza.

«La Unión Soviética».

«¿Y dónde reciben los niños la mejor educación?», inquirió otro, retorciéndole el brazo.

«En la Unión Soviética».

Un tercero, poniéndole el pie en el pecho, dijo: «¿Dónde se encuentra la mejor comida, la mejor cultura, lo mejor de todo?».

«En la Unión Soviética».

«En tal caso», intervino el jefe del grupo, «¿por qué quiere emigrar a Israel?».

«Porque allí», repuso Kogan, «¡el cartero no viene a las dos de la mañana!».

Ética moscovita

Un hombre llamó a un amigo de Moscú: «¿Cómo estás, Iván?», le preguntó.

«De maravilla... estupendo... increíble... fabuloso...».

«Vale», dijo su amigo. «Ya veo que estás con alguien. Llamaré más tarde».

Emigración

Breznev le preguntó en cierta ocasión a Kosiguin: «¿Cuántos judíos hay en la Unión Soviética?».

«Unos tres millones», contestó Kosiguin.

«Entonces, dime: si abriéramos las puertas y dejáramos que se fueran todos los judíos que quisieran, ¿cuántos emigrarían?».

Tras reflexionar un poco, Kosiguin afirmó: «¡Yo diría que alrededor de quince millones!».

Vive la difference!

Malcolm Rifkind, ministro británico de Asuntos Exteriores, contaba esta anécdota de la discusión mantenida con su colega soviético en Moscú, a quien expresó sus quejas por la negativa soviética a permitir que los judíos emigraran a Israel. El ruso replicó: «El tema de la emigración desde la Unión Soviética es motivo de controversias, ¿pero acaso le agradaría que yo planteara el tema de la inmigración en su país, no menos polémico?».

Rifkind contestó: «Me encantaría discutir el tema con usted. Pero hay una diferencia, ¿sabe? En nuestro caso, la gente intenta *entrar*...».

Tragedia rusa

Moshe Goldstein, veterano militante del Partido Comunista, solicitó un visado para emigrar a Israel. Se le comunicó que compareciera ante el comisario, quien le dijo: «Goldstein, no comprendo su actitud. Ha sido siempre un miembro leal del Partido Comunista, orgulloso de ser un ciudadano soviético. ¿Por qué quiere de pronto marchar a Israel?».

«Comisario, no lo entiende», contestó Goldstein, «soy judío».

«¿Y qué?», insiste el otro, «¿acaso no posee un puesto destacado dentro del Partido? ¿No tiene un buen trabajo, un bonito piso, una magnífica *dacha,* un automóvil? ¿Es que sufre alguna discriminación?».

Goldstein: «Pero, comisario, ¿y si las cosas siguen empeorando, crece el descontento en el campo y en las ciudades, y comienzan a colgar a los judíos y a los jugadores de ajedrez?».

Comisario: «Sigo sin comprenderle, Goldstein. ¿Por qué habrían de colgar a los jugadores de ajedrez?».

Entente

Un dignatario soviético se jactó ante un amigo norteamericano de que en su país habían encontrado la forma de que un león y un cordero compartieran la misma jaula. «Si no me cree», dijo, «cuando vaya a la URSS se lo mostraremos...».

En su siguiente visita a Moscú, el norteamericano visitó el zoo y, en efecto, un león dormía plácidamente en el rincón de una jaula mientras un cordero descansaba en el otro.

«Es extraordinario», exclamó el visitante, «sin duda tienen ustedes dos animales portentosos...».

«El león es notable», contestó el ruso, «pero el cordero es uno distinto cada día».

Empate

Había escrito cartas durante años al embajador Smirnovski, jefe de la delegación rusa en el Reino Unido, quejándome del trato dado en su país a los judíos, disidentes y otras minorías, sin recibir nunca respuesta. Un día acudió a una pequeña recepción en la Cámara de los Comunes, invitado por el Grupo Parlamentario Anglosoviético, del que yo era miembro permanente. Cuando el presidente nos presentó, le dije: «Su Excelencia, me alegro de conocerle. Creía que usted no existía realmente».

«¿Por qué motivo?».

«¿Cómo podía aceptar la existencia de alguien capaz de ignorar tal número de cartas?».

Embajador: «Bueno, yo también me alegro de conocerle. No creí que alguien capaz de escribir tantas cartas de protesta pudiera ser tan agradable...».

Tablas.

Disidentes

Mi mujer y yo fuimos invitados por la primer ministro a un almuerzo oficial en honor del presidente egipcio, Mubarak.

Cuando me presentó al invitado de honor, la señora Thatcher dijo: «Greville Janner es uno de mis disidentes favoritos. En la Unión Soviética, como sabe, encierran a sus disidentes. ¡Aquí los invitamos a almorzar!».

83. Fe, religión y ética, y algunos clásicos sobre judíos

Fe

Un sacerdote italiano, que escalaba en solitario un acantilado, resbaló y cayó, pero pudo agarrarse a una delgada rama que brotaba de la pared rocosa. Contemplando los más de cien metros que le separaban del mar, el cura volvió su mirada hacia el cielo y gritó: «¡Si hay alguien ahí arriba, por favor, ayúdenme!». Una voz majestuosa resonó: «*Yo* estoy aquí arriba. No temas. Suelta la rama y yo te salvaré»!

El sacerdote miró de nuevo hacia el mar rugiente y las rocas bajo sus pies, y aulló: «Si hay *alguien más* ahí arriba, ¡socorro, socorro!».

Fe ciega

Una monja que conducía su pequeño Fiat por una carretera se quedó sin gasolina. Abandonó el automóvil y anduvo más de diez kilómetros hasta la estación de servicio más cercana. Por desgracia, no tenían lata ni recipiente alguno que prestarla. «¿No pueden prestarme cualquier cosa en la que llevar la gasolina?», rogó ella. Dubitativamente, el encargado dijo: «Sólo puedo ofrecerle... un viejo orinal...».

La monja aceptó agradecida, llenó el orinal con gasolina, y regresó caminando hasta el coche. Cuando vertía el combustible en el depósito, un automovilista pasó junto a ella y, asomándose por la ventanilla, gritó: «¡Hermana, desearía tener su fe!».

El lenguaje de las aves

Un individuo ahuyentaba a las palomas de la escalinata de la catedral gritando: «Iros a la mierda... iros a la mierda...».

Un religioso le escuchó y dijo: «Amigo mío, no debería hablar así a las palomas junto a la casa de Dios. Basta con repetir "fuera, fuera". Se lo demostraré. Fuera, fuera», dijo a las palomas, y éstas volaron.

«¿Lo ve?», comentó el religioso al hombre, «le dije que bastaría con "fuera, fuera" y se irían a la mierda igual».

¿Dios?

Sufragista: «Pon tu confianza en Dios. *Ella* proveerá».

Epístola

Una epístola es la esposa de un apóstol.

El fin del mundo

Los científicos predijeron que una marea traería consigo el fin del mundo tres días después.

Una cadena televisiva convocó a los líderes religiosos para que aconsejaran a la gente cómo había que actuar.

El Papa instó a sus fieles a arrepentirse de sus pecados; los monjes budistas dieron instrucciones a los suyos para que buscaran la paz interior buceando en el fondo de sí mismos; el rabino dijo a sus seguidores: «Muy bien. Tenemos tres días para aprender a nadar».

Se fastidió la diversión

La ventaja de tener una abuela escocesa es que no te induce a que no caigas en el pecado, sino a que no lo disfrutes.

Optimista

Un optimista cree que todo ocurre para bien en el mejor de los mundos posibles. Un pesimista, según el Vaticano, es el que cree que el optimista tiene razón.

Milagros

Un cliente acusado de fraude, pícaro incorregible, me contó esta historia en su celda de la cárcel: Martin O'Riley atravesaba una carretera cuando fue golpeado por un coche. Al ir a levantarse y continuar su camino, observó que era un Rolls-Royce, por lo que decidió tumbarse de nuevo.

Del Rolls salieron un chófer y una dama cargada de joyas; lo levantaron entre ambos, y lo transportaron a toda prisa a una clínica londinense. Allí permaneció en tratamiento durante meses a expensas de la dama.

Más tarde, O'Riley fue alojado en el Imperial Hotel, donde convaleció otros seis meses, siempre por cuenta de la dueña del Rolls. Entonces, se sintió ya lo bastante restablecido para entablar una demanda.

El juicio se celebró dos años más tarde, y O'Riley compareció en una silla de ruedas. Ganó el pleito y recibió una cuantiosísima indemnización. Cuando salía de la sala en su silla, el abogado de la defensa se acercó y le dijo: «Bien, los ha engañado a todos, creo que incluso a su propio abogado, pero no a mí. En el momento en que abandone la silla, caeré sobre usted».

«Eso es ridículo», repuso O'Riley, «lo tengo todo pensado. He hecho una reserva para el próximo vuelo a Lourdes. ¡Una vez allí, todos asistiremos al más maravilloso milagro de la historia de la humanidad!».

Apoyo exterior

Me temo que no puede llamárseme un pilar de la iglesia. Pero me gustaría ser descrito como un contrafuerte, ¡dándoles apoyo desde el exterior! *(Idóneo para cualquier charla a otras congregaciones religiosas. GJ).*

Civilización

Una vez preguntaron a Mahatma Gandhi: «¿Qué opina usted de la civilización occidental?».

Él contestó: «Bueno, creo que sería una excelente idea».

La verdad

Un hombre escribe a Dios: «Necesito desesperadamente 100 libras. Por favor, Señor, ayúdame». Pone «el cielo» como dirección de la carta y la echa al buzón.

La misiva es abierta en una muy especial oficina de Correos, cuyos caritativos empleados deciden hacer una colecta. Reúnen 80 libras y se las envían con la nota: «De Dios, con amor».

Al día siguiente una nueva carta llega a la sucursal: «Gracias, amado Señor, por responder a mi petición. Pero creo que debes saber que esos miserables de la oficina postal ¡se han quedado con 20 libras!».

¿La religión de quién?

El padre Brown (católico) y el reverendo Green (anglicano) mantenían una feroz discusión sobre una cuestión teológica.

El cura alzó su mano: «No riñamos», dijo, «al fin y al cabo los dos hacemos el trabajo de Dios. Ustedes a su manera, ¡y yo a la suya!».

Nosotros

Estamos orgullosos de los habitantes de nuestra isla. Los escoceses, que se toman en serio a sí mismos, tanto como a cualquier otra cosa a la que puedan echar mano; los galeses, que rezan sobre sus rodillas y sobre todos los demás; los irlandeses, capaces de morir por aquello en lo que creen, aunque no sepan qué es; y los ingleses, los cuales proclaman ser hombres que se han hecho a sí mismos, absorviendo con ello al Señor de una gravosa culpa.

Ética

Un niño pregunta a su padre: «¿Qué es ética?».

«Déjame comer en paz», contesta el padre.

«Pero necesito saberlo, tengo que escribir para mañana una redacción sobre la ética».

«Ya. Bueno, mira, supongamos que estoy cerrando la tienda y encuentro un billete de 10 libras en el suelo. ¿Qué hago entonces? Si no nos faltan 10 libras en la caja, se lo digo a mi socio y reparto con él el dinero. Eso es ética».

Chistes judíos

Un chiste judío es un chiste que los judíos ya han escuchado y los demás no entenderían.

Reconocimiento

Fue Balaam quien dijo: «¡Qué hermosas eran tus tiendas, oh Jacob, qué hermosos los lugares donde morabas, oh Israel!», y él no era judío. *(Parasha Balak en* Éxodo).

Solución final

Como judío, usted debería entender que es mejor un problema sin solución final que una solución final sin problemas. *(Profesor Chouraqui)*

Apartheid

En el transcurso de la Segunda Guerra Mundial, la flota norteamericana hizo una escala de cortesía en la ciudad sudafricana de Durban. Una dama de la alta sociedad que organizaba un baile nocturno pidió a los mandos estadounidenses que le enviaran a media docena de sus muchachos, pero asegurándose de que no hubiese judíos.

A la hora fijada, aparecieron seis gigantescos marineros negros.

«Lo siento muchísimo», dijo la anfitriona, «pero creo que ha habido algún error».

«Imposible, señora», respondió el jefe del grupo, «¡el mayor Rabinowitz nunca comete errores!».

Cohabitación

En un artículo aparecido en *The Spectator* (24 de abril de 1982), Anthony Blond contaba esta anécdota: «La puerta de mi casa en Chester Row tiene colocada una Mezuzah (una pequeña enseña judía de plata). En una fiesta celebrada por el *Spectator,* mi mujer comentó a Enoch Powell que con frecuencia le veía pasar junto a nuestra casa. «Ah», dijo el perspicaz político, «entonces usted debe vivir cerca del judío».

«No», contestó ella, «*con* el judío».

Boda judía

Es tradicional que, en la ceremonia nupcial, el novio judío camine sobre un vaso rompiéndolo en mil pedazos. ¿Por qué?: «Para celebrar la última vez que podrá pisar fuerte...».

Persistencia

Una mujer tomaba el sol en una playa. Volviéndose hacia un hombre tumbado cerca de ella, le preguntó: «¿Perdone, es usted judío?».

El individuo contestó: «No, no lo soy».

Poco después, la mujer se volvió de nuevo hacia él y dijo: «¿Está seguro de que no es usted judío?».

«Segurísimo».

Transcurridos apenas cinco minutos, la dama insistió: «Disculpe, pero, ¿tiene la absoluta seguridad de que no es judío?».

Irritado, el otro repuso: «De acuerdo. Pues soy judío».

Tras una breve pausa, la mujer exclamó: «¿No es gracioso? ¡No parece usted judío!».

Cestos judíos

Un célebre rabino preparaba a un muchacho para su Barmitzvah (su confirmación, a la edad de trece años): «Tienes una especial responsabilidad, Brian. Eres hijo único. Tus padres, por decirlo así, han puesto todos los huevos en el mismo cesto, ¡y tú eres ese cesto!».

Medio judíos

«¿Por qué cuando alguien es medio judío, apenas conocemos la otra mitad?». *(Chaim Weizmann)*

Anti antisemitas

Un judío iba sentado en la esquina de un vagón, mientras otros dos viajeros charlaban. Uno de ellos preguntó al otro: «¿A dónde se dirige usted?».

«A Brighton».

«Ah, antes era un sitio muy agradable, pero ahora está lleno de judíos».

«¿A dónde va usted, entonces?».

«A Bournemouth».

«¡Bournemouth! ¿Y habla usted de Brighton? Debería ver cómo está Bournemouth, con todos esos hoteles judíos...».

En ese momento el viajero judío bajó el periódico y, mirándoles por encima de éste, dijo: «¿Saben a dónde deberían ir ustedes dos, amigos? Al infierno; ¡allí no hay judíos!».

Muchos de mis mejores amigos

La primera vez que el rey Jaled de Arabia Saudí recibió al Secretario de Estado norteamericano, Henry Kissinger, se extendió en feroces ataques contra los judíos e Israel, y contra la forma en que se habían apoderado de los bancos y las instituciones financieras de todo el mundo, así como de los periódicos y las cadenas de radio y televisión. «Se han infiltrado en las altas esferas de todos los ministerios de Asuntos Exteriores», afirmó Su Majestad.

De pronto, comprendiendo el alcance de sus palabras, añadió: «Pero hoy, señor, le recibimos calurosamente, no como judío, sino como un ser humano excepcional».

Kissinger respondió suavemente: «Muchos de mis mejores amigos, Majestad, son seres humanos...».

La mejor parte; estilo judío

Una carnicería de Varsovia abría a las 7. A las 5,30 había ya formada una larga cola.

Al filo de las 7, el dueño salió de la tienda y dijo: «Hoy no se sirve a judíos. Por favor, todos los judíos váyanse a casa».

Cuatro demacrados judíos abandonaron la fila y se perdieron en la madrugada.

Pocos minutos después, el propietario salió de nuevo: «Lo siento, hoy sólo podemos atender a funcionarios y miembros del Partido. Los demás deben irse». Apenas quedó un puñado de personas. El hombre los contempló y explicó: «Lo lamento, es martes y la carne no llega hasta el jueves».

Uno de los últimos supervivientes miró a su vecino: «¡Esos malditos judíos siempre se llevan la mejor parte!». *(Relatado por el rabino Hugo Gryn, tras una visita a Varsovia en 1981).*

Repetir el negocio

Un sastre hizo un traje para un pastor anglicano, y se negó a aceptar ningún pago. El pastor le envió una hermosa Biblia.

Dos semanas más tarde, el mismo sastre hizo otro traje para un sacerdote católico, y tampoco quiso sobrar. El sacerdote le mandó un hermoso libro de oraciones.

Finalmente, recibió de un rabino el encargo de otro traje, y una vez más rehusó cobrarle. El rabino le envió otro rabino.

La maldición del diamante Plotnik

Un tratante en piedras preciosas muestra a una dama un magnífico diamante. «Éste, señora, es el diamante Plotnik. ¿No es maravilloso? Es uno de los mayores del mundo, y su valor resulta incalculable. Por desgracia, lleva consigo una maldición...».

Cliente: «¿Y cuál es la maldición?».

Tratante: «¡El señor Plotnik!».

¿A quién le gusta el pescado?

En 1958, el Ministerio rumano del Interior anunció que se concederían permisos a aquellos ciudadanos que quisieran emigrar a Israel. Ahora bien, en lugar de dárselos a los que llevaban años solicitándolos, se estableció que debían cursarse nuevas peticiones. Miles de judíos se pusieron a la cola.

El Gran Rabino Rosen fue a ver al ministro, quien le dijo: «¿De qué se quejan ahora? ¿No es lo que siempre han pedido?».

El rabino le contó entonces la historia de aquel otro rabino que invitó a todo el pueblo a compartir con él una cena compuesta únicamente de pescado. Cuando los comensales llegaron no les dio nada de comer.

«¿Qué ocurre, rabino?», protestaron, «creíamos que nos había invitado a cenar».

«Oh, no», contestó el rabino, «sólo quería saber a quiénes os gusta el pescado».

«Pues bien, señor ministro, creo que ustedes simplemente quieren enterarse de a quiénes nos gusta el pescado...», finalizó el rabino Rosen.

Estaba en lo cierto. Aún pasó mucho tiempo antes de que el flujo de emigración diera comienzo. Lo único que pretendían era saber cuántos judíos se irían, si se les concedía el permiso.

Edipo

Un matrimonio judío envió a su hijo al psiquiatra. Cuando regresó, su madre le preguntó qué había dicho el médico.

«Pues, según él, tengo un complejo de Edipo».

«¡Qué Edipo ni que...!», exclamó la mujer. «¡Tú lo que tienes que hacer es seguir queriendo a mami!».

Bendición

«¡Dios bendiga al Zar... y lo mantenga lejos de nosotros!». *(El violinista en el tejado)*

Perspectiva

Ezra Kolet, líder de la reducidísima comunidad judía de la India (7.000 creyentes entre 780 millones de habitantes), dijo en un discurso: «Pueden creerme. ¡Los números no son importantes!».

Deducción sagrada

¿Cómo sabemos que Jesús era judío? Bueno, trabajó en el negocio de su padre, vivió en casa hasta los 33 años, ¡y su madre creía que él era Dios!

Trabajo estable

Teddy Kollek, alcalde de Jerusalén, veía todos los días a un hombre subido al tejado de su casa contemplando el cielo con unos prismáticos. Un día le llamó y preguntó: «¿Qué hace usted ahí arriba?».

«Buscando al Mesías».

«¿Y por qué hace tal cosa?».

«Me pagan por ello».

«¿Cuánto?».
«No mucho. Apenas unos pocos peniques diarios...».
«Es una paga muy pobre...».
«Ya lo sé. ¡Pero por lo menos el trabajo va a durarme!».

84.   Sexo, amor y matrimonio

¿Amor libre?

«¿Crees en el amor libre?».
«¿Alguna vez te he encadenado?».

Amor y dinero

«Si perdiera todo mi dinero, querida, ¿seguirías amándome?».
«Por supuesto, vida mía, pero te echaría de menos...».

¿Futuro incierto?

Un cuestionario sexual, entregado a las estudiantes de un colegio mayor, incluía esta pregunta: «¿Es usted virgen?».
Una muchacha contestó: «Por ahora no».

Relaciones prematrimoniales

Dos hombres de negocios charlaban: «Yo nunca me acosté con mi mujer antes de casarnos. ¿Y tú?».
«No lo sé, John. ¿Cuál era su nombre de soltera?».

Vírgenes galesas

Un día después de casarse, Dai vuelve a su casa.
«¿Qué ha ocurrido, hijo?», pregunta su madre.
«Descubrí que Bridget era virgen», dice él, «así que la dejé».
«Muy bien hecho», remacha la madre, «si no es lo bastante buena para los demás chicos del pueblo, ¿por qué tendría que serlo para ti?».

Una mujer de valor

Después de la ceremonia matrimonial, el novio da las gracias al rabino y pregunta: «¿Cuánto le debo?».

«Deme tan sólo lo que considere que vale su esposa».

El recién casado le tiende un arrugado billete de 5 libras. El rabino mira a la muchacha... y le devuelve 4 libras.

Matrimonios

Un párroco tenía dos corbatas: una negra para los funerales y otra blanca para las bodas. Cierto día, sin embargo, llegó a una boda con la negra.

«¿Por qué lleva puesta corbata negra, párroco?», le preguntaron. «Es la contraria...».

«¿Han mirado a la novia?», contestó el sacerdote.

Enamorado

Un conocido lord británico contrajo matrimonio, a una edad relativamente avanzada, con una atractiva dama mediterránea. Cuando el aristócrata cayó enfermo, su mujer contestó así por teléfono a un amigo que se interesaba por su salud: «Está mucho mejor, pero se encuentra aún bajo los efectos de una fuerte seducción...».

Cerveza de barril

Una mujer estéril siguió la sugerencia de su médico y se sometió a la inseminación artificial. «¿Cómo va a hacerlo?», preguntó.

«Será de lo más sencillo. Tomaré una dosis de una botella del refrigerador y se la rociaré por el útero con una jeringuilla», contestó el doctor.

Sin embargo, cuando fue al refrigerador, vio que la botella estaba vacía y la jeringuilla había desaparecido. Al poco entró de nuevo en la habitación, sin pantalones.

«¿Qué pasa ahora?», preguntó alarmada la mujer.

«Me temo que no nos queda de botella», dijo el otro, «¡tendrá que ser de barril!».

Una mujer en el negocio

Cuando entré en el negocio de la cerveza, mi mujer me dijo: «Yo haré que la gente se dé a la bebida, y tú podrás vendérsela».

Tributo del anfitrión a su esposa

«Quisiera agradecer a mi mujer el esfuerzo y el trabajo desarrollado para que este banquete llegara a buen fin; ella merece todo el crédito por tan hermosa reunión. Y espero que el restaurante se lo concederá...».

Siempre en su sitio

Esposa: «Tengo mis defectos, pero no tener la razón no es uno de ellos».

Callo

Bridget abordó a Gwyneth, la cotilla oficial del pueblo, y le dijo: «¡Gwyneth, has ido diciendo por ahí que mi marido tiene un callo en su cosa!».
Gwyneth contestó: «No es cierto. Dije que *se sentía* como si tuviera un callo en su cosa».

Estupidez

El señor Smith llegó a su casa y encontró a su mujer en la cama con otro hombre. «¿Qué demonios crees que estás haciendo?», preguntó.
La mujer se volvió hacia el otro. «Lo ves», exclamó, «¡te dije que era estúpido!».

La verdad desnuda

Un hombre llega a casa y encuentra a su mujer desnuda en la cama. Entonces le pregunta: «¿Por qué no llevas nada puesto?».
«Te lo he dicho un montón de veces», responde ella, «no tengo *nada* que ponerme...».
El marido va al armario, abre la puerta de un tirón, y comienza a recitar: «Nada, astracán... nada, ocelote... nada, visón... ah, nada Sam... nada, astracán...».

Rifas

Una joven esposa llegó una noche a casa con un abrigo de pieles, y su marido le preguntó: «¿De dónde has sacado eso?».

«Lo gané en una rifa», respondió ella.

A la noche siguiente, la chica traía un anillo de diamantes. «¿Y eso de dónde ha salido?».

«Lo gané en una rifa».

La tercera noche, cuando regresó con un flamante Rolls Royce, su marido le dijo: «Muy bien, nena, ya sé... lo ganaste en una rifa». Ella asintió con la cabeza, y subió a la alcoba.

Al poco rato se oyó la voz de la chica desde arriba: «Querido, sé un amorcito y prepárame el baño».

Cuando la muchacha bajó de nuevo, se encontró con que la bañera sólo tenía un dedo de agua. «¿Qué ocurre, querido?», preguntó, «¿por qué no me has preparado un baño decente?».

«Perdona, mi vida... es que no quería que se te mojara el número de la rifa...».

Mal hecho

Mabel, de dieciocho años, se presentó a las cuatro de la mañana en su casa con un abrigo de visón.

«¿He hecho mal, mamá?».

La madre contestó: «Hija mía, no sé lo que has hecho... ¡pero desde luego lo hiciste bien!».

Aborto

Hace algunos años, Gwyneth quedó en estado y fue a Londres para abortar. Le dijeron que los mejores médicos estaban todos en Harley Street, y entró en una casa que tenía el letrero «Dr. Ralph Vaughan Williams» (célebre compositor inglés). Una mujer abrió la puerta, y cuando le dijo que quería ver al Dr. Ralph Vaughan Williams, contestó: «Lo siento, en este momento está ocupado».

«Pero es que he venido desde el pueblo sólo para verle...».

«Bueno, espere un momento y veré si puede dedicarle unos minutos».

La mujer regresó poco después. «Me complace comunicarle que el Dr. Williams la verá», dijo, «pero tendrá que tener un poco de paciencia. Está trabajando en la reorquestación de *Los hombres de Harlech*».

«¡Pues ha elegido un buen momento!», contestó Gwyneth.

Amor

A mi mujer le gustaba hablarme mientras hacía el amor. Solía llamarme desde la habitación de un hotel...

Esposas

Detrás de cada hombre que triunfa hay una mujer sorprendida.

Tres charlas

Una mujer solicitó el divorcio, alegando que su marido sólo le había hablado tres veces en todo su matrimonio. También pidió la custodia de los tres niños.

Ajo

Los italianos inventaron el control de natalidad; ellos lo llaman «ajo».

Necesidad

Al llegar a su casa una noche Gwyneth encontró a su marido, Morgan, acostado con su mejor amiga. Mirando al suelo, dijo desconsolada: «Bridget, yo no tengo más remedio... ¡pero tú!».

Control de natalidad

Cuando alguien me habla de la necesidad de mantener bajo el número de niños, siempre les recuerdo que yo fui el quinto. *(Clarence Darrow)*

Compañeros de pluma

Charlie, de Londres, y Bill, de Nueva York, estuvieron escribiéndose cartas durante muchos años, aunque no se conocían. Eran «compañeros de pluma».

Un día, Charlie recibió una carta de Bill en la que le comunicaba su intención de ir a Londres, y añadía: «Por favor, envíame un telegrama si te parece bien mi idea».

Después se produjo el siguiente intercambio de telegramas.
Charlie: «Encantado darte la bienvenida. Te esperaré en la estación».
Bill: «Gracias. Soy negro, Charlie».
Charlie: «No importa seas negro. Ven. Te esperaré en la estación».
Bill: «Soy católico».
Charlie: «No importa seas negro católico. Ven. Te esperaré en la estación».
Bill: «Soy jorobado».
Charlie: «No importa seas negro católico jorobado. Ven. Te esperaré en la estación».
Bill: «Tengo un solo ojo en medio de la frente».
Charlie: «No importa seas negro católico jorobado con un solo ojo en medio de la frente. Ven. Te esperaré en la estación. ¿Cómo puedo reconocerte?».

No esperes

Dos hombres tenían que batirse en duelo. Uno de ellos telefoneó al otro: «Charlie, no me esperes... si dentro de cinco minutos no estoy ahí, ¡por favor, empieza sin mí!».

Romance

Enamórate de ti mismo, y tendrás un romance para toda la vida. *(Oscar Wilde)*

Amor a sí mismo

Es un hombre que se ha hecho a sí mismo, y adora a su creador. *(Disraeli sobre John Bright)*

Desviación

Psiquiatra: «Tengo buenas y malas noticias para usted. La mala es que es usted un homosexual. ¡La buena es que le amo!».

Aspiraciones

Dai comunica a su mujer que se está haciendo un traje nuevo. «Es muy moderno», dice, «tiene una bragueta de 30 centímetros».

«Dai», le responde ella, «me recuerdas al ejecutivo que vive enfrente. Tiene un garaje de dos plazas y todas las mañanas se va en su bicicleta».

Identificación

Un hombre estaba tumbado en la playa, tomando el sol, completamente desnudo, cuando vio a tres hermosas chicas que se dirigían hacia él. Cogió rápidamente lo único que tenía a mano, un periódico, y se lo puso sobre el rostro.

Las tres chicas se detuvieron y le miraron con atención. La primera dijo: «Bueno, mi marido no es». La segunda: «Tienes toda la razón. No es tu marido». La tercera: «Es de fuera, no vive en el pueblo...».

El pájaro

Un granjero fue a la ciudad y compró un pollo vivo. Mientras llegaba la hora del tren de vuelta, decidió pasar el rato en el cine. La taquillera le dijo: «Lo siento, joven, pero no admitimos animales».

El granjero dio la vuelta a la esquina y escondió el bicho dentro de los pantalones. Volvió al cine, pagó su entrada, y se sentó en su butaca. Al poco rato llegaron dos mujeres, que ocuparon los asientos contiguos.

Como hacía mucho calor, el pollo no paraba de revolverse, así que el granjero abrió la cremallera de sus pantalones y el animal pudo asomar la cabeza.

Una de las mujeres dijo a la otra: «Mary, ¿tú ves lo mismo que yo?».

«Desde luego, querida. Una vez que has visto uno los has visto todos».

«No estoy tan segura», repuso la primera, «¡éste es el primero que veo que come palomitas!».

Evolución

De acuerdo con la ley moral, cada uno de nosotros debe cuidar de su vecino, o, dicho de otra forma, cada uno es el guardián de su hermano. Esto me recuerda a aquel mono del zoo que discutía las causas de la evolución, y preguntó: «¿Acaso soy yo el hermano de mi guardián?».

85.   Leyes y abogados, delitos y tribunales

La razón de la ley

Este país está plantado de leyes de costa a costa. Si las derribas todas, y eres el hombre indicado para hacerlo, ¿crees que podrías seguir en pie, con el viento que soplaría? *(Robert Bolt; de* Un hombre para todas las estaciones).

Derecho internacional

El famoso erudito Hersch Lauterpacht solía decir: «El derecho internacional no es tan bueno. Crea leyes que los malvados no obedecen y los honestos no necesitan».

Manco

Un individuo pidió que le recomendaran un abogado manco. Al preguntarle la razón, contestó: «Estoy cansado de que me digan: tenemos esto en una mano, tenemos aquello en la otra...».

Abogados

Es falso que los abogados no hagan nada. Se reúnen y deciden que no hay nada que hacer.

San Pedro y Lucifer tenían una disputa, y el segundo propuso que consultaran a cualquier abogado.

«No me extraña que hagas esa sugerencia», dijo San Pedro, «a fin de cuentas, ninguno de ellos le iba a quitar la razón a su padre...».

Lema del colegio de abogados: El hombre que es su propio abogado, tiene por cliente a un imbécil.

Profesionales respetados

Un turista extranjero visitaba Westminster Abbey. Su guía señaló un impresionante monumento, y exclamó: «Ahí yace un hombre que fue tan grande como honesto, y uno de los más distinguidos abogados del país».

«Muy interesante», comentó el extranjero, «no sabía que en Inglaterra enterraran a dos personas en la misma tumba».

Infierno

Un hombre de negocios llegó ante la puerta del cielo y, al ser interrogado por San Pedro, reclamó su derecho a un abogado.
«Lo siento», dijo Pedro, «no tenemos ninguno aquí arriba».

Abogados socialistas

La expresión «abogado socialista» supone una contradicción en términos, semejantes a «inteligencia militar».

Muchacho brillante

El hijo de un vendedor de coches quería vender su propio automóvil, pero no lo conseguía. El padre le aconsejó que bajara el cuentakilómetros hasta 8.000 y a la semana siguiente le preguntó si por fin había podido vender el vehículo.
«No, por supuesto que no».
«¿Y eso?».
«Bueno, sólo tiene 8.000 kilómetros, así que he decidido quedármelo».

Contratos

Era un curioso contrato. La primera cláusula prohibía que leyeras ninguna de las otras.

Costas

De socios se pelearon y se demandaron el uno al otro. Sus abogados intentaron arreglar las cosas, pero no tuvieron éxito. Por último, el pleito llegó a los tribunales.
Fuera de la sala, Morgan dijo a su abogado: «Mire, Dai y yo solíamos ser muy buenos amigos. Fuimos socios, sin problemas, durante muchos años. Quizá deberíamos tener una charla y solucionar el asunto nosotros mismos».
«¿Por qué no?», contestó el abogado. «Pero he de advertirle algo. La

cantidad por la que disputan ustedes es ahora inferior a las costas. Así pues, aunque arreglen su litigio, tendrán que decidir quién paga aquéllas».

Morgan fue en busca de Dai y ambos desaparecieron. Media hora después volvieron radiantes.

«¿Está todo arreglado?».

«Así es», respondieron los dos socios al unísono.

«¿Han decidido quién pagará las costas?».

«Desde luego», dijo Dai, «hemos resuelto el problema. Él no pagará las suyas y yo no pagaré las mías».

Incorrecto

Cuando visité Egipto, uno de nuestros guías explicó su *modus operandi:* «Si vas a hacer algo incorrecto», dijo, «debes conocer la forma correcta de hacerlo».

Astucia

Cuando sabemos que uno de nuestros clientes no aceptará el whisky que le mandamos por Navidad, le enviamos aún más al año siguiente; así sabemos que devolverán el whisky y podremos bebérnoslo nosotros...

Orejas

El famoso abogado norteamericano Clarence Darrow suele contar esta historia para mostrar con qué facilidad incurren los abogados en el error de efectuar una pregunta de más.

Un hombre fue acusado de haber arrancado de un mordisco la oreja de otro hombre. Su abogado preguntó al testigo: «¿Vio usted a mi cliente morder la oreja de la víctima?».

«No, señor».

En lugar de detenerse ahí, el abogado prosiguió con tono triunfal: «¿Cómo puede, entonces, testificar que mi cliente arrancó de un mordisco la oreja de la víctima?».

«¡Porque le vi escupirla!».

Cómo llevar un caso

Si los hechos están de su lado, apóyese en los hechos... Si las leyes están de su lado, apóyese en las leyes... Si nada está de su lado, no se apoye en las rejas... algunas están electrificadas.

Dejen la ley a los abogados

En un pueblo ruso había demasiados coches de caballos, de manera que, para limitar su número, las autoridades municipales decidieron exigir licencias, para obtener las cuales todos los cocheros deberían pasar un examen.

Iván acudió a las pruebas y le preguntaron: «Suponga que su coche se quedara atascado en un barrizal profundo, ¿qué haría usted?».

«Restallaría el látigo sobre la cabeza de mi caballo y gritaría "arriba, ligero"».

«¿Y si eso no funcionara?».

«Entonces bajaría, me metería en el barro, apoyaría mi hombro contra la parte trasera del coche, empujaría con todas mis fuerzas, y al mismo tiempo restallaría el látigo sobre la cabeza del caballo y gritaría "arriba, ligero"».

«¿Y si no fuera suficiente?»

«En tal caso haría descender a los pasajeros, y ellos tendrían que meterse en el barro y empujar conmigo mientras yo restallaría el látigo sobre la cabeza del caballo y gritaría "arriba, ligero"».

«Lo siento», dijo el examinador, «pero ha suspendido».

«¿Por qué?».

«Porque un buen cochero nunca se mete en un barrizal».

Esto explica por qué debe usted dejar que los abogados hagan su trabajo... y por qué no es conveniente inmiscuirse en materias en las que otros son expertos.

Modestia

Así que me pregunté a mí mismo... Frecuentemente nosotros, los abogados, nos preguntamos a nosotros mismos un sinfín de cuestiones... de esta forma sabemos que obtendremos rápidas e inteligentes respuestas...
(Lord Denning)

Cancillería

El tribunal de un conocido juez de la Cancillería, hoy retirado (e ignorado), adquirió en el colegio de abogados el sobrenombre de «el pandemónium de la iniquidad».

¿Justicia?

Cuando yo era juez pedáneo, y presidía mi propio tribunal, podía estar seguro de que allí se haría justicia. «Pero ahora que pertenezco al Tribunal de Apelación, con dos compañeros jueces, ¡las probabilidades de que no se haga justicia en mi tribunal están dos a uno! *(Lord Denning)*

Whisky y agua

Cuando al antiguo presidente del Tribunal Supremo, lord Goddard, le preguntaron cuál era la diferencia entre el whisky y el agua, contestó: «Si haces el primero ocultamente, es delito; si haces la segunda en público, es conducta indecente».

Voces discrepantes

Sir John Donaldson cuenta una anécdota ocurrida cuando formaba parte del Tribunal de Apelación junto a su ilustre predecesor, lord Denning. Finalizado un caso, Denning se volvió hacia él y dijo: «Bueno, John, creo que concederemos la apelación, ¿no le parece?».

«No», contestó Donaldson, «debe ser denegada».

Denning se dirigió al tercer juez: «¿Qué dice usted?».

«Lo siento, Tom», contestó, «pero coincido con John. La apelación debe ser denegada».

«En ese caso», concluyó lord Denning, «¡ustedes dos tendrán que emitir juicios disidentes!».

Igualdad de oportunidades

Los tribunales de este país son como el Waldorf Hotel: ¡están abiertos a todo el mundo! *(Un juez del Tribunal Supremo, aludiendo a la inaccesibilidad de la justicia. GJ).*

Perjurio

El fiscal interroga a un hombre que alega haberse lesionado el brazo y el hombro en un accidente: «Enséñenos hasta qué altura puede alzar el brazo, por favor». El testigo levanta el brazo apenas unos centímetros, con evidente esfuerzo y dificultad.

«Ahora muéstrenos cuánto podía levantarlo *antes* del accidente...».

Y el brazo se eleva rápidamente en el aire. *(Naturalmente, esta historia produce mejor efecto con los ademanes apropiados. GJ).*

Alabanza china

Un chino que se hallaba en el estrado de los testigos para declarar en un caso de robo de sellos, fue elogiado por el juez. El hombre replicó: «La filatelia te abrirá cualquier puerta...».

La verdad

Hay tres versiones en todo pleito legal: la del acusador, la del defensor y la verdad.

Jurados

Los jurados galeses están contra el crimen, pero no son dogmáticos en ese punto. *(Lord Elwyn Jones)*

Al grano

El abogado al testigo: «¿Recibió usted la carta?».
El testigo (meditando si debe responder sí o no, y tras una larga pausa): «No necesariamente».

Pruebas

Un abogado que defiende a un cliente acusado de causar daños corporales intencionados: «Mantenemos, señor presidente, que no hay pruebas de que tal reyerta tuviera lugar. Si lo tuvo, mi cliente no estaba allí. Si estaba allí, no hay pruebas de que tomara parte en la riña. Y en cualquier caso, el otro le golpeó primero».

Fiscal poco hábil

Fiscal: «Espero que me siga...».
Juez: «Sí, pero ¿a dónde va usted?».

Error de concepción

Cuando el juez James Cassells les tomaba juramento, uno de los jurados pidió ser sustituido.

«¿Por qué motivo?», preguntó el juez.

«Mi mujer está a punto de concebir».

«Me parece que no ha utilizado con propiedad el término. Creo que lo que quiere decir es que su mujer está a punto de dar a luz. Pero, sea uno u otro el caso, estoy de acuerdo en que debería usted hallarse allí...».

Apelación

Un financiero abandonó la sala del tribunal antes de que finalizara un largo y enconado juicio. Dejó dicho que le mandaran un telegrama informándole del resultado.

Concluido el juicio, el abogado le telegrafió diciendo: «Se ha hecho justicia».

El cliente envió sin dilación la respuesta: «Apele inmediatamente».

Problemas

La sala del tribunal sufrió una conmoción el día en que Fred debía comparecer para declararse culpable de abusos deshonestos con un cisne. Los periodistas y el público luchaban por conseguir un sitio. El magistrado le preguntó: «¿Tiene algo que decir antes de que pronunciemos sentencia?».

«Sí, señor», dijo Fred. «Si hubiera sabido que iba a causar tantos problemas, me hubiera casado con el dichoso pájaro».

Concisión

El juez al acusado: «¿Tiene algo que decir antes de que dicte sentencia?».

Acusado: «Sí, señor. ¡Por amor de Dios, que sea corta!».

Problemas lingüísticos

Un policía declarando sobre un arresto: «Así que le hice detenerse y le pregunté si podía justificar su presencia allí, a altas horas de la madrugada, portando lo que parecían ser útiles de robo. Me dio una extensa respuesta en lo que posteriormente descubrí que era griego. Le dije que no estaba satisfecho con su explicación, y le arresté como era debido».

Interrogatorio

Un policía testifica haber observado la conducta indecente de una pareja de novios dentro de un coche. Ellos lo niegan, alegando que, si hubiera estado lo bastante cerca para verles, tendrían que haberle oído llegar.

Abogado: «¿No era acaso un sendero de gravilla? ¿No ocurrió todo en el silencio de la noche? ¿No cree usted que, de haber estado cercano al coche, tendrían que haber oído sus pasos...?».

Policía: «No, señor».

Abogado: «¿Dice que no habrían escuchado sus pasos? ¿Y por qué razón, si puede saberse?».

Policía: «Yo iba en mi bicicleta». *(Este auténtico fracaso, ilustra muy bien el célebre lema que se repite a los abogados jóvenes: «Nunca haga una pregunta en el interrogatorio a menos que conozca la respuesta». Teóricamente, al menos, un magnífico consejo... GJ).*

Cárcel

Cualquier niño de ocho años te dirá que un lugar del que tienes prohibido salir, es una prisión. *(Tom Stoppard)*

Soborno

Lord Goddard comentó en cierta ocasión: «El soborno es como un chorizo: ¡difícil de describir, pero fácil de oler!».

¿Corrupto?

No está corrupto si puedes comerlo, beberlo, o dormir con ello.

Comisión

Una muy conocida sociedad tenía dificultades para reflejar sus «comisiones» *(sobres bajo mano, obsequios, o como quiera llamarlos)* en los libros de contabilidad. Al fin, dado que poseía un terreno de caza en Escocia, los consignaron como «gastos de cacería».

A un cliente nigeriano se le proporcionó una suite en Claridges, con chica incorporada. Por desgracia, contrajo cierta enfermedad que precisó tratamiento en la London Clinic; la cuenta fue consignada en los libros de la empresa como «reparación de la escopeta...».

Corrupción

Sea especialmente cuidadoso en no sobornar a inspectores de Hacienda, de trabajo u otros funcionarios públicos. «No alimentes la mano que te muerde...»

Regalos

Sir Joshua Hassan, primer ministro de Gibraltar, regaló una cajita de cerámica Wedgwood al ministro británico de Asuntos Exteriores, comentando: «¡Esto queda holgadamente dentro de los límites de lo que se permite aceptar a un ministro!». *(En otras palabras, su precio no era muy elevado; ¡pero qué elegante forma de decirlo!)*

Alternativa lingüística

Un hombre no podía encontrar empleo porque los posibles empresarios siempre descubrían que su padre había muerto en la silla eléctrica. Por último, empezó a contestar así a las preguntas acerca de su padre: «Mi padre perteneció a una de las grandes instituciones formativas de este país, en la que ocupó el sillón de electricidad aplicada».

Pruebas escritas

Un individuo se presentó en la oficina de un abogado: «He venido a usted porque Dios me ha dicho que era el mejor abogado del país».

El abogado contestó: «Por favor, si vuelve a ocurrir, pídale que lo ponga por escrito».

Basura

En estos tiempos es fácil deshacerse de la basura: todo lo que tienes que hacer es envolverla en papel de plata, ponerla en el asiento trasero de tu coche y algún estúpido te la robará. *(Bob Monkhouse)*

Tacto

Un funcionario había sido requerido al estrado de los testigos para dar su opinión. «¿Se considera usted un experto?», preguntó el abogado que le interrogaba.

«Bueno, no», contestó modestamente el testigo; «yo diría que soy algo así como un juez».

«¿Y cuál es la diferencia entre un juez y un experto?».

«Un experto a veces se equivoca», aclaró el funcionario, «¡un juez, nunca!».

Funciones de los jueces

Lord Asquith, discutiendo las funciones de los distintos cuerpos de la judicatura, comentó: «La función de los jueces del Tribunal de la Reina es ser rápidos, correctos y equivocarse. Pero no debe pensarse que la función de los magistrados del Tribunal de Apelación consista en ser lentos, descorteses y cometer equivocaciones: ¡eso sería usurpar las funciones de la Cámara de los Lores!».

Condena

Justice Avory, juez famoso por su dureza, charlaba con su compañero Travers Humphreys acerca de la forma lamentable en que sus colegas más jóvenes dirigían los tribunales.

Avory: «Cualquiera de esos muchachos del Tribunal de la Reina puede conseguir que el culpable sea condenado; ¡pero compete a viejos zorros como tú y yo que el inocente no escape!».

Asesoramiento

Un litigante llega a la sala del Tribunal y observa con preocupación que, a él, sólo le defiende un joven abogado, en tanto que su rival está representado por un joven y un veterano. Así que tira de la toga de su abogado: «¿Cómo va a arreglárselas?», pregunta, «en el otro bando hay un jurista experto y un joven...».

«Yo soy tan bueno como los dos juntos», dice el novato.

Pocos minutos más tarde, el cliente llama de nuevo la atención de su representante. «Estoy preocupado», dice, «me he fijado en que cuando el veterano habla, el otro está detrás pensando. ¡Pero cuando habla usted, nadie piensa!».

Sin importancia

El juez comentaba así la afirmación de la defensa de que el acusado «sólo había robado una pequeña suma»: «O se es ladrón, o no se es ladrón, ¡igual que una mujer no puede estar sólo un poquito preñada!».

Culpable

Un hombre compareció ante el magistrado, quien le preguntó: «¿Robó usted esas mercancías?».
«Sí»,
«¿Se las llevó a casa?».
«Sí».
«¿Vendió usted las mercancías?».
«Sí».
«Desea decirme alguna otra cosa?».
«Sí. Quiero un abogado».
«¿Y para qué necesita un abogado si usted mismo ha reconocido su culpabilidad?».
«Bueno, siento curiosidad por ver lo que inventa para defenderme».

Velocidad

Un delincuente norteamericano se quejaba de que en Nueva York pueden atracarte en el tiempo transcurrido desde que robas el banco hasta que llegas al coche de la huida.

Terrorismo

El Padrino de la Mafia se presentó ante las puertas celestiales.
San Pedro: «No estoy seguro de que vayamos a admitirle aquí. Le preguntaré al Jefe».
«No estoy aquí para que me inviten a entrar», dijo el Padrino, «he venido a darte tres minutos para que te largues».

86.   Comida, bebida y viajes

Alimento para la mente

La vida política tiene muchos inconvenientes, pero la malnutrición *no* es uno de ellos. *(Abba Ebban)*

Escasez

¿Qué mide 200 metros y come repollo? La cola de una tienda de co-tibles en Varsovia.

Paciencia y encargados de comedor

Descripción en la lápida de un jefe de comedor: Dios, al fin, consiguió atraer su atención.

Servicio selecto

Un hombre entró en Grubbs con un caimán sujeto de una correa, y preguntó: «¿Puede comer aquí un abogado?»

«Por supuesto, caballero», respondió el señor Grubb.

«En tal caso», dijo el hombre, «ponga dos sandwiches de jamón para mí y un abogado para mi caimán...». *(Para abogados; puede usarlo también para médicos, metodistas, o cualquier audiencia a la que se dirija. GJ).*

Nunca satisfecho

El anfitrión preguntó a su huésped: «¿Tomará café después de la cena?»:

«No, gracias. Sólo brandy».

«¿Tomará cacao antes de retirarse?».

«No, gracias. Sólo té».

«¿Querrá té con el desayuno?».

«No, gracias, prefiero café».

«¿Prefiere los huevos cocidos o revueltos?».

«Uno de cada, por favor».

Finalizado el desayuno, el anfitrión pregunta a su invitado:

«¿Qué tal estaban los huevos?».

«Nada bien».

«¿Por qué?».

«¡Coció usted el que no era!».

Personal adiestrado

Dos camareros pasan por detrás de la silla de un comensal. Uno le dice al otro: «¡Mira! ¡Se lo ha comido!»

Al cincuenta por ciento

Un famoso hotel de Londres se convirtió en la residencia favorita de los visitantes árabes. Ello movió a los responsables a introducir un refinado plato: estofado de camello y pollo.

Cierto cliente insatisfecho llamó al *maître*. «Se supone que esto es camello y pollo», dijo, «pero no encuentro el pollo por ningún lado».

«Puedo asegurárselo, señor», respondió el camarero, «está al cincuenta por ciento: un camello, un pollo».

Beba rápido

Es como en una boda escocesa *(griega, judía o lo que usted prefiera)*: una gran cantidad de bebida para todos, pero debe ser usted rápido...

Prescripciones

Un mendigo pide dinero a un viandante.

«¿Para qué lo quiere? ¿Para drogas?».

«No me atraen».

«¿O sea, que querrá ahumarse en tabaco?».

«De hecho, jamás fumo».

«Entonces sólo hay una respuesta: juego...».

«Por supuesto que no. Eso es cosa de truhanes».

«En ese caso no importa la razón. Suba al coche conmigo y le llevaré a casa para que le conozca mi mujer. ¡Quiero que vea en lo que acaba un hombre que no bebe, ni fuma, ni toma drogas, ni juega!».

Congresos

Algunos políticos, y muchos hombres de negocios, padecen un trastorno conocido como «síncope de congreso», que se manifiesta por movimientos irregulares de bar a bar...

Precaución

Dos invitados en un cóctel. Uno comenta al otro: «Mira, si yo fuera tú no conduciría esta noche. Tienes la cara cada vez más borrosa».

¿Beber y conducir?

Un hotel escocés solicitó licencia para venta de bebidas alcohólicas. El permiso fue denegado, debido a que «los caminos cercanos al hotel no son apropiados para conductores bebidos».

La sangre es más espesa que el whisky...

Un amigo escocés siempre llevaba una petaquita de whisky en un bolsillo del pantalón. Un día cayó por la escalera y sintió que algo húmedo corría por su pierna: «¡Dios mío!», exclamó, «¡espero que sólo sea sangre!».

Espejismo

«La bebida te embellece, Brenda».
«Pero si no he estado bebiendo, Charlie».
«Ya lo sé. Pero yo sí».

¿Ningún cuarto en la posada?

El señor Smith no encontró habitación en un hotel. «Lo siento, señor, pero está todo completo», dijo el recepcionista.
«Si el príncipe Felipe fuera a venir», contestó Smith, «¿ustedes le encontrarían una habitación, no es cierto?».
«Supongo que lo haríamos, señor».
«Muy bien, pues tengo noticias para usted», concluyó Smith. «*Él* no va a venir, así que ocuparé su habitación».

Récord

Se dice que este mensaje fue transmitido a sus pasajeros por cierta compañía aérea del Este: «Señoras y caballeros, en estos momentos estamos volando a una altura de 9.000 metros. Si miran ustedes al exterior por su derecha —es decir, el lado de estribor— podrán ver que nos hallamos sobre el océano Indico. Si observan con atención, distinguirán allá abajo una leve mancha amarilla. Es una balsa salvavidas. En ella hay cuatro personas: es su tripulación. Este mensaje ha sido grabado...».

Pájaro madrugador

Ante la huelga del metro, Cyril decidió acudir al trabajo en auto-stop. Se levantó a las 5,30 para evitar el tráfico.

Sin esperanza

Dos desconocidos ocupaban las camas superior e inferior del departamento de un coche-cama. Se desearon buenas noches y, cuando el de la cama inferior estaba a punto de dormirse, escuchó una voz que, desde arriba, exclamaba: «¡Qué sed tengo! ¡Qué sed tengo! ¡Qué sed tengo!».
A los pocos minutos la voz insistió: «¡Qué sed tengo! ¡Qué sed tengo! ¡Qué sed tengo!».
Exasperado, el viajero de abajo salió de su cama, llenó un vaso de agua en el lavabo y se lo tendió a su compañero de viaje, que se lo agradeció expresivamente: «¡Dios le bendiga! ¡Y muy buenas noches!».
Cinco minutos más tarde, cuando de nuevo comenzaba a dormirse, el viajero de abajo escuchó la voz que volvía a lamentarse: «¡Qué sed tenía! ¡Qué sed tenía! ¡Qué sed tenía!».

87.   El paso del tiempo

Tranquilidad

Un viajero que visitaba Irlanda preguntó a un profesor: «¿Cuál es el término gaélico equivalente a "mañana"?».
El académico contestó: «Me temo que no existe ninguna palabra en el idioma irlandés que implique ese mismo sentido de urgencia...».

Inoportuno

Un párroco hizo notar a uno de sus fieles: «No me importa que mire constantemente al reloj durante mi sermón. Pero que lo acerque a su oído y lo sacuda...».

Brevedad

En estos tiempos ya no poseemos el don de la brevedad. Por ejemplo: en inglés, el Padrenuestro consta de 56 palabras; los Diez Mandamientos, de 297; la declaración de independencia de los Estados Unidos tiene 300 palabras; el tratado de importación de caramelos dentro de la CEE, 26.911 palabras.

Lamento haber escrito una carta tan extensa. No tuve tiempo para escribir una corta *(Horace Walpole)*

Dios dio al hombre dos orejas y una boca. ¡Luego debería escuchar el doble de tiempo que habla! *(Rey Feisal de Arabia Saudí)*

El antiguo primer ministro israelí, Levi Eshkol, presidía en cierta ocasión un congreso. Un orador reputado por su verbo farragoso le consultó: «¿Cuánto tiempo puedo hablar? Hay tanto que decir que no sé ni por dónde empezar...».
Eshkol replicó: «En ese caso, le sugiero que comience por el final...».

Tómese su tiempo

Un vuelo de la compañía israelí El Al estaba aterrizando en Nueva York. El piloto anunció: «Señoras y señores, espero que hayan disfrutado de este viaje con El Al, y tendremos el placer de contar con su compañía en un próximo vuelo». Después, sin darse cuenta de que el micrófono seguía abierto, añadió: «¡Lo que necesito ahora es una buena taza de café y una mujer!».
Una sobresaltada azafata se apresuró por el pasillo hacia la cabina, cuando una anciana le puso la mano en el brazo, diciéndole: «No se apresure, querida. ¡Déle tiempo a tomar su café!».

Repetición

Leónidas Breznev acostumbraba a pronunciar discursos de tres horas. Un día le dijo a su ayudante: «Ya no soy tan joven como antes. Creo que en el futuro preferiría discursos de una hora. Por favor, a partir de ahora, prepárelos de esa duración».
La siguiente vez que Breznev hubo de pronunciar un discurso, leyó su discurso, que duró tres horas. Más tarde le preguntó al ayudante: «No puedo entenderlo. Le di instrucciones precisas de que en el futuro los discursos deberían prepararse para no durar más de una hora; ¿por qué preparó éste para tres?».
«Camarada Leónidas», respondió el ayudante, «hice el borrador tal como usted dijo, para una hora. ¡Pero le di tres copias!».

Tiempo

El comandante de un vuelo comercial al aterrizar en el aeropuerto de Belfast: «Son las 4 según la hora local. Por favor, atrasen sus relojes dos siglos...».

En conclusión

«¿Ha finalizado ya?».
«Sí, hace mucho que finalizó, pero aún sigue hablando».

88. Salud y hospitales

Comunicación

La telefonista de un hospital londinense recibió una llamada preguntando por la monja que estaba a cargo de cierta sala. Cuando la hermana se puso al aparato, la voz al otro lado del teléfono inquirió: «¿Cómo se encuentra la señora Goldberg?».
«Va muy bien», contestó la monja.
«¿Así que su estómago mejora?».
«Desde luego. El doctor está muy contento con su evolución».
«Y su presión sanguínea también está mejor?».
«Sí, mucho mejor».
«¿Y qué me dice del pecho de la señora Goldberg? ¿Remite la infección?»
«Así es, en efecto. Pero, dígame, ¿con quién estoy hablando?».
«Soy la señora Goldberg. ¡Como nadie *me* dice nunca nada!».

El deseo más ferviente

El ministro de Sanidad fue a visitar un hospital y le presentaron a tres jugadores internacionales de rugby, que estaban en camas contiguas. El político preguntó al primero: «¿Cuál es su problema?».
«Tengo almorranas, señor».
«¿Y cómo le están tratando?».
«Me dan un pincel y una tintura y me la aplico yo mismo».
«¿Y cuál es ahora su deseo más ferviente?».
«Volver al campo de juego lo antes posible y luchar por Inglaterra, señor».
«Bien hecho, muchacho. Le deseo la mejor suerte». Se volvió hacia el segundo jugador: «¿Qué le ocurre a usted, pues?».
«Me temo que tengo una enfermedad venérea».
«Oh, lo siento. ¿Qué tratamiento está recibiendo?».
«Me dan un pincel y una tintura y me la aplico yo mismo».
«¿Y cuál es su deseo más ferviente?».

«Volver al campo de juego tan pronto como sea posible y luchar de nuevo por Inglaterra, señor».

«Bien hecho, muchacho», dijo el ministro y, dirigiéndose a la tercera cama, preguntó:

«¿Y a usted, qué es lo que le pasa, muchacho?».

«Tengo faringitis», susurró el paciente.

«¿Y qué hacen por usted?».

«Me dan un pincel y una tintura y me la aplico yo mismo».

«Ya veo. ¿Y cuál es su deseo más ferviente?».

«Coger el pincel antes que esos dos...».

Mayoría por la buena salud

En 1982, mi coche sufrió un accidente y nos salvamos gracias a la presencia de una barrera parachoques, y a que tanto el conductor como yo llevábamos puestos los cinturones de seguridad. Una semana más tarde, en el turno de preguntas de la siguiente sesión parlamentaria, rendí homenaje a aquella barrera, y pedí a la ministro de Transportes que tomara medidas para que cualesquier obras de tráfico que obligaran a circular a los coches en dos direcciones por un solo lado de la carretera fueran tan escasas y breves como fuera posible.

Ella comenzó su respuesta expresando «cuán feliz se sentía la Cámara de que el honorable miembro hubiera escapado sin daño alguno, y de poder disfrutar hoy en su presencia y buena salud».

Esto levantó aplausos entre las filas de mi partido, y risas entremezcladas con gritos de «resignación» en las del lado contrario. No pude evitar recordar cierta historia ya clásica: el único concejal conservador de un ayuntamiento galés cayó gravemente enfermo. El alcalde fue a visitarle al hospital, y le dijo:

«Querido Dai, estoy aquí no sólo a título personal, sino ante todo como alcalde de nuestra ciudad al que se le ha encomendado la misión de entregarle la resolución que ahora le leeré: «Nosotros, el Consejo Municipal de Ebbw Vale, deseamos al concejal Dai Jones una rápida recuperación para que recobre su buena salud lo antes posible. Me complace decirle, Dai, ¡que esta resolución fue aprobada por 13 votos contra 12 y 6 abstenciones!».

¿Raros?

Los pacientes de un hospital psiquiátrico asistían a una terapia de grupo. Uno de ellos preguntó: «¿Por qué estamos todos aquí?». Otro repuso rápidamente: «Porque no estamos todos allí...».

¿Locos?

Los psicóticos construyen castillos en el aire; los psicópatas viven en ellos; los psiquiatras cobran la renta.

Inferioridad

Un hombre dijo a su psiquiatra que sentía un terrible complejo de inferioridad. El psiquiatra contestó: «Lo siento, pero no puedo ayudarle».
«¿Por qué no?».
«Me temo que en realidad usted *es* inferior...».

¡Escuchen!

Un hombre visita el consultorio del psiquiatra y explica: «Mi problema es que nadie me escucha». El psiquiatra dice: «El siguiente...».

Pérdida de voz

Un cantante que había perdido su voz llamó a la puerta del consultorio de su médico. Apareció una enfermera, y el hombre susurró: «¿Está el doctor Jones?». La enfermera susurró en respuesta: «No, vendrá enseguida».
El médico llegó a los 15 minutos, escribió una receta, y le recomendó «tomar muchos helados».
Tras encargar la receta al farmacéutico, el cantante fue al puesto de helados más cercano, y susurró: «¿Qué sabores tiene?».
El vendedor respondió, susurrando: «Fresa y vainilla».
El cantante: «¿También tiene laringitis?».
El hombre de los helados susurró: «No, sólo fresa y vainilla».

Límites de la artesanía

John necesitaba un marcapasos, pero la Sanidad Nacional tardaría demasiado en proporcionárselo, por lo cual acudió de forma privada a la consulta de un famoso especialista. «Haré la operación con sumo placer», dijo el cirujano, «pero me temo que le costará 5.000 libras. Esos aparatos son muy caros».
«Un amigo mío es una auténtica maravilla de la electrónica y todos esos aparatos», dijo John. «Si me fabrica mi propio marcapasos, ¿accedería usted a implantármelo?».

El cirujano estuvo de acuerdo. John hizo el marcapasos, y el cirujano lo colocó en el pecho de su paciente y conectó los cables.

Tres meses más tarde, John volvió para hacerse un chequeo. «¿Algún problema?», preguntó el cirujano.

John contestó: «Sólo uno. ¡Cuando tengo una erección, se abre la puerta del garaje!».

Juego limpio

El dentista al paciente: «¿No vamos a hacernos daño el uno al otro, verdad?».

Profecía médica

Un médico norteamericano dio a su paciente seis meses de vida, y le envió una minuta por valor de 500 dólares. Transcurridos los seis meses, la cuenta aún estaba sin pagar. Entonces el doctor le concedió otros seis...

Accidentes en el trabajo

No cabe hablar de casualidad cuando se trata de accidentes laborales. Lo cierto es que el azar se ceba en los directivos ineficaces...

Emergencias

Un empleado yacía sobre la cama del botiquín de la fábrica, apretando los dientes, mientras el doctor le cosía una profunda herida en el cuero cabelludo. Unas tenazas habían caído de un andamio, directamente sobre su cabeza. Le pregunté: «¿No tiene usted casco?».

«Sí», contestó.

«¿Pues dónde está?».

«En mi taquilla».

«¿Y por qué lo tiene en la taquilla?».

«Bueno, lo tengo allí para las emergencias», explicó.

Un granito de arena

Mary fue al médico aquejada de dolor de estómago. Al volver a casa le preguntó a su marido: «¿Quieres saber lo que me ha dicho el médico?».

«Claro, cuéntame».

«Tengo que mantener relaciones sexuales al menos veinte veces al mes».

«Ah, ya veo. Bueno, pues apúntame para cuatro».

Sordera

El médico al jefe de personal de una ruidosa empresa metalúrgica: «Lo que no entiendo es por qué desde un principio no contratan sordos; así no tendrían que preocuparse...».

Demasiado tarde

Cuando le pregunté a un obrero de la metalurgia por qué no llevaba sus protectores auditivos, me contestó: «¡Ya estoy sordo!».

Amiantosis

Un hombre había inhalado tanto amianto que se tardó tres semanas en incinerarle.

Teatros

Una mujer sentada en las filas de atrás abandonó su localidad durante el descanso. Cuando volvió, había un hombre tumbado sobre su butaca. Le pidió que se cambiara, y el individuo se limitó a soltar unos gruñidos. Solicitó entonces la presencia del encargado, quien insistió: «Vamos, vamos, amigo... por favor, levántese». El hombre abrió los ojos sin decir nada. «Si no se levanta» dijo el encargado, «llamaré a la policía».

Por último llego un policía. Éste abrió su libreta y dijo: «Muy bien, vamos a ver, ¿de dónde viene usted?».

«Del gallinero», gimió el hombre.

Caída accidentada

Fred cayó desde un andamio situado a 30 metros de altura. Por fortuna para él, pudo agarrarse a una cuerda y quedó colgando a 6 metros; unos segundos después, la soltó y cayó sobre su cabeza.

Sus compañeros le recogieron y preguntaron: «¿Fred, por qué soltaste la cuerda?».

«Bueno, me temí que fuera a romperse».

Señas de identidad

A un obrero se le seccionó la oreja en un accidente laboral. Le dijeron que fuera al hospital, donde se la coserían de nuevo. Cuando llegó allí, no llevaba consigo la oreja.

«¿Dónde está la oreja?», le preguntaron, «¿por qué no la ha traído?».

«La verdad, no podría asegurar que fuera mía», contestó, «¡no tenía ningún lápiz detrás!».

Enfermedad resistente

Un hombre que tenía un resfriado terrible fue al médico. Éste le recetó un supositorio, diciéndole que lo colocara en su «entrada trasera» durante la noche, y que, si no mejoraba, volviera al cabo de dos días.

Dos días más tarde, el paciente regresó. «No ha servido de nada», explicó.

«¿Hizo lo que le indiqué?», preguntó el médico.

«Bueno, en mi casa no tenemos entrada trasera, doctor, así que lo puse encima de la nevera. ¡Y para el bien que me ha hecho, podía habérmelo metido por el culo!».

Certificado abierto

Morgan era un atareado hombre de negocios. Tras sufrir un grave ataque al corazón, su médico le dijo que debía guardar absoluto reposo hasta nueva orden: nada de tensión, excitación o ejercicio.

«Bueno, ¿y qué me dice de un poco de cama con Gwyneth?», preguntó. «La cama sólo para dormir», respondió tajante el doctor.

Algunos meses después, cuando Morgan se sentía ya mucho mejor, le dijo a Gwyneth: «Qué caray, es viernes por la noche y estoy muy recuperado».

«No pienso correr ningún riesgo», cortó Gwyneth. «Si quieres que volvamos a nuestras actividades anteriores, tendrás que traerme un certificado del médico».

Morgan acudió al médico, quien, tras someterle a un examen, manifestó hallarse muy satisfecho: «Puede volver a trabajar, pero sólo unas horas. Va usted muy bien».

«¿Y la cama con Gwyneth?».

«No hay inconveniente, pero de forma moderada, por supuesto».

«Verá, doctor, Gwyneth no accederá ni a la moderación, si no le llevo un certificado firmado por usted».

«Le haré uno, pues», dijo el médico, y tomando la pluma se sentó en su escritorio y comenzó a escribir.

Morgan se acercó a él silenciosamente. «Si no es una molestia, doctor», inquirió, «¿le importaría encabezarlo "A quien pueda interesar"?».

Suegra

«Me he enterado de que tu suegra está en el hospital».

«Así es».

«¿Cuánto tiempo lleva internada?».

«Dentro de tres semanas, si Dios quiere, ¡hará un mes!».

89. Vejez, muerte y fin

Edad

El joven mira hacia adelante; el viejo mira hacia atrás, y el hombre de mediana edad mira alrededor.

Las edades del hombre

Eres joven si te resulta tan fácil subir las escaleras como bajarlas; de mediana edad si es más sencillo bajar que subir; y viejo si es tan difícil una cosa como otra.

Cansados

Dos hombres se dirigían a un burdel situado en el piso 20 de un rascacielos. Como el ascensor estaba averiado, se vieron obligados a subir andando. Uno de ellos dijo al otro: «¿No sería terrible que subiéramos hasta arriba y las chicas no estuvieran?».

Después de diez pisos, el otro contestó: «¿No sería terrible que llegáramos arriba y las chicas *estuvieran*?».

Distinción

Para tener una apariencia realmente distinguida, se precisa cabello gris, una barriga holgada, y almorranas. El pelo gris te da un aire de sabiduría; la barriga, de prosperidad; y las almorranas proporcionan una expresión inquieta que puede fácilmente interpretarse como auténtica preocupación.

Alternativas

A cierto distinguido senador estadounidense le preguntaron cómo se sentía en su octogésimo cumpleaños: «Muy bien, gracias», repuso, «si se tiene en cuenta la otra alternativa...».

Casi

Un amigo le preguntó a un octogenario que se había casado con una muchacha joven qué tal se las arreglaba.

«Maravillosamente», contestó. «Lo hacemos casi todas las noches. Casi los lunes... casi los martes... casi los miércoles...».

Matrimonio de jubilados

Dos jubilados se casaron. En su primera noche de luna de miel, el marido tomó la mano de su mujer y la retuvo tiernamente entre las suyas. A la noche siguiente hizo lo mismo. La tercera noche, el hombre buscó la mano de su esposa, pero no la encontró.

«¿Cuál es el problema, Mary?», preguntó.

«Lo siento, cariño», contestó ella, «estoy demasiado cansada esta noche...».

¿Para qué?

Dos ancianos estaban sentados en un banco del bulevar. Uno comentó: «¿Te acuerdas cuando éramos jóvenes y recorríamos todo este bulevar, a la caza de chicas?».

El otro contestó: «Recuerdo ir de un lado a otro, pero he olvidado para qué era».

Arrugas

Dos ancianas de una residencia decidieron pasearse desnudas. Un marino retirado y su mujer las contemplaron desde un banco. Ella dijo: «Mira esas dos, ¿qué llevan puesto?».

«No lo sé, pero sea lo que sea, ¡necesita un planchado!». *(Adaptable a instituciones, clubs, hoteles, etc.)*

Un final feliz

El señor Goldstein, de setenta y cinco años, contrajo matrimonio con una mujer de treinta. Conversando con un amigo, se jactó de que durante la luna de miel lo habían hecho seis veces cada noche.

Amigo: «¡Pero eso podría ser mortal...!».

Goldstein: «¡Pues si se muere, que se muera!».

¡Gozad la vida!

Resuenen, resuenen los clarines y los pífanos,
dejemos a la naturaleza entera proclamar
que una agitada hora de nuestra gloriosa vida
vale lo que una impersonal eternidad.

Tiempo, vida y muerte

Los días son como pergaminos que se desenrollan: escribe en ellos aquello por lo que desees ser recordado. *(Bachya, filósofo hispanojudío)*

Tacto

Jones el panadero, Morgan el sastre y Evan el corredor de apuestas fueron a las carreras. Por desgracia, uno de los caballos saltó la protección y cayó sobre Jones, golpeándole en la cabeza y produciéndole la muerte. Morgan y Evan discutieron quién se lo diría a la viuda.

Morgan dice: «Yo soy un simple sastre. No tengo tacto. Díselo tú, Evan, eres corredor de apuestas y sabes cómo explicar las pérdidas...».

Evan fue al pueblo y llamó a la puerta de la señora Jones. Una mujer salió a abrir.

«Discúlpeme, señora», dijo Evan, «¿vive aquí la viuda Jones?».

«Aquí no hay ninguna viuda Jones», contestó la mujer.

«¿Quiere hacer una apuesta?», preguntó Evan.

¡Ahora no!

Paddy estaba agonizando. El sacerdote llegó para administrarle los últimos sacramentos: «Hijo mío», dijo, renuncias a Satanás ahora y para siempre?».

El infortunado le miró con ojos suplicantes, y contestó: «La verdad, padre, creo que éste no es el momento para buscarse enemigos, ¡en ninguna parte!». *(Esta anécdota puede constituir una magnífica respuesta ante preguntas que conlleven el peligro de acarrear una rápida impopularidad a quien las contestara, como las relacionadas con la política exterior de un país que se está visitando. GJ).*

Endulzarlo

David se hallaba en viaje de negocios y telefoneó a su mujer: «¿Alguna novedad?», preguntó.

«Sí. El gato ha muerto».

«Qué horror. Pero no me lo digas así; podrías endulzarlo un poco... diciendo "el gato no está bien..." o "el gato está subido a un árbol..."».

La siguiente vez que hubo de salir de viaje, telefoneó nuevamente: «¿Alguna novedad?».

«Sí. Me temo que tu madre no está bien. De hecho, está subida en un árbol...».

Voluntad

Un anciano se estaba muriendo. Sus hijos y nietos se hallaban reunidos alrededor de su cama, esperando pacientemente. Cada pocos minutos, el agonizante señalaba el suelo con dos dedos de su mano derecha; al cabo de un rato, el hijo mayor suguirió: «Está intentando decirnos en dónde ha guardado el dinero...».

Todos comenzaron a levantar los tablones del suelo, primero de aquella habitación y después de toda la casa, pero no lograron encontrar nada.

Al atardecer, el padre mejoró y empezó a hablar. Los hijos le preguntaron: «¿Padre, por qué apuntabas con dos dedos hacia el suelo?».

«Ah, eso», contestó el anciano, «es que estaba demasiado cansado para apuntar hacia arriba».

Voluntades

Un hombre subió andando al último piso de un bloque de apartamentos a visitar a una dama de notoria reputación. Cuando ella abrió la puerta, el individuo sufrió un ataque al corazón y cayó muerto al suelo. Sus albaceas preguntaron a los abogados: «¿Estamos obligados a cumplir la última voluntad del testador?».

Desconfianza eterna

En el transcurso del Congreso de Viena, Metternich recibió la noticia de que el embajador ruso había fallecido. «¡Me pregunto con qué fin lo haría!», exclamó.

El ángel de la muerte

Una joven murió en los brazos de su amante, más bien mayorcito. Fue acusado de homicidio involuntario. Ésta fue la explicación que dio al juez respecto al triste suceso: «Mis brazos la rodeaban; sus brazos me rodeaban. Sus piernas me ceñían y las mías la ceñían. Sus labios estaban en los míos y mis labios en los suyos. Sus senos en mi pecho y mi pecho en sus senos. En verdad, señor, ¡no comprendo cómo el ángel de la muerte pudo entrar en ella!».

Tributo floral

Todos hemos de pasar en alguna ocasión por la triste experiencia de asistir a un funeral. Guardo con particular cariño una anécdota verídica que ha proporcionado más de un momento de consuelo a muchas exequias.

Una prima mía, conocida por su elegancia, debía asistir en una misma tarde de verano a una boda y a un funeral. Para solucionarlo se puso un impecable traje azul marino, pero guardó su atractivo sombrero nuevo en una bolsa de papel. Como fuera que iba adornado con brillantes flores artificiales, no resultaba apropiado al luctuoso evento.

A la entrada del tanatorio, un individuo vestido de negro, a todas luces un encargado del guardarropa, le solicitó el paquete y ella se lo entregó, sentándose después en las filas del fondo.

Poco después, el ataúd fue introducido en la sala, coronado con un magnífico tributo floral: ¡su sombrero!

Mi prima permaneció como en trance durante el resto del servicio, que alcanzó su clímax cuando el ataúd fue de nuevo silenciosamente retirado, ataviado aún con el sombrero.

Más tarde, ella fue a reunirse con los demás asistentes junto a la pared de la capilla, donde se hallaban dispuestas todas las coronas funerarias con

un sencillo letrero que rezaba: «En memoria del difunto». Por un instante
dudó si retirar su ofrenda floral de las otras, pero contemplando los rostros apenados de los familiares del fallecido, decidió que su sombrero debía ser sacrificado. Así pues, asistió a la boda sin sombrero; cuando regresó aquella tarde, el sombrero había desaparecido.

Amor fraternal

En los días de la enfermedad fatal del muy querido tío de mi mujer, el
Gran Rabino sir Israel Brodie, con frecuencia me sentaba al lado de su
cama mientras él me contaba maravillosos y por lo general fantásticos relatos del *Talmud*. Mi preferido era uno que revelaba la naturaleza del
amor fraterno, y que más tarde he utilizado con magníficos resultados al
dirigirme a organizaciones benéficas y caritativas de todo tipo...
Un hombre murió y dejó sus campos repartidos por igual entre sus dos
hijos, uno de los cuales era soltero y el otro casado y con muchos hijos.
Una oscura noche, después de que la cosecha hubiera sido recogida, el
hermano soltero entró en su terreno y, cogiendo media docena de gavillas
de trigo de su propia pila, las transportó al otro lado del límite y las colocó en el montón de su hermano. A la mañana siguiente, descubrió sorprendido que los dos montones seguían teniendo la misma altura.
Aquella noche el soltero repitió la operación, y de nuevo al amanecer
las dos pilas eran similares.
La tercera noche lo intentó de nuevo. Cuando portaba las brazadas a
través del campo, encontró a su hermano que venía en dirección contraria
cargado asimismo con gavillas. «¿Qué estás haciendo?», preguntó el soltero, que prosiguió: «Por favor, déjame darte de mi trigo. Yo no lo necesito, soy un hombre sencillo y no tengo familia de la que cuidar, pero tú
has de alimentar a tu esposa y a tus hijos».
«No es así hermano», respondió el otro, «debes ahorrar para tu ancia-
nidad, pues no tendrás una mujer y unos hijos que te cuiden. Debes que-
darte tú esta parte de la cosecha».
Al fin, los dos hermanos se abrazaron y mirando al cielo pidieron al
Todopoderoso su ayuda: «Dinos, Señor, ¿cuál de nosotros tiene razón?».
Una voz descendió de las alturas: «Ambos la tenéis», dijo, «y tan
grande es vuestro amor que sobre estos campos edificaré mi Templo». Y
la tradición afirma que así lo hizo.

Muerte

Cicerón: la vida es una larga representación, y su acto final una trage-
dia.
De Gaulle: la vida es un magnífico viaje, que finaliza en un naufragio.

Infierno

Cuando Stalin murió fue al infierno. Al poco rato, San Pedro escuchó una llamada a la puerta. Fuera encontró al diablo, que solicitaba asilo político.

La vida después de...

«¿La Cámara de los Lores? La vida después de la muerte, amigo mío...» *(Un ex ministro del Gobierno, ahora miembro de la Cámara).*